Genèse
d'une pensée

Lettres 1914 - 1919

Du même auteur aux Éditions Grasset :

ACCOMPLIR L'HOMME.
ÉCRITS DU TEMPS DE LA GUERRE 1916-1919.
LETTRES DE VOYAGE 1923-1955.

Louise,

Good friends are
hard to find,
harder to leave
and impossible to forget,

All the best in france
and I hope you come
back exactly as you are.

Niall

Pierre
Teilhard
de
Chardin

Genèse d'une pensée

Lettres 1914 - 1919

présentées par

Alice TEILLARD-CHAMBON et Max-Henri BEGOUEN

et précédées d'une Introduction de

CLAUDE ARAGONNÈS

Bernard Grasset

PARIS

Genèse d'une pensée/
Pierre Teilhard de Chardin

Pierre Teilhard de Chardin est né au château de Sarcenat, à Orcines, près de Clermont-Ferrand, le 1ᵉʳ mai 1881 ; sa famille, aristocratique, était établie dans la province depuis des siècles. Après des études au Collège des jésuites de Mongré, non loin de Lyon, il entre dans la Compagnie de Jésus à Aix-en-Provence en 1899. Les lois d'exception d'Émile Combes qui contraignent les jésuites à partir de France, le forcent à s'établir à Jersey en 1902, pour y étudier la théologie et la philosophie. Il n'arrêtera plus de voyager. De 1905 à 1908, professeur de physique au Caire, il se livre en Égypte à des études géologiques sur les formations nummulitiques du Mokattan. A son retour en Angleterre, il participe à des recherches géologiques et paléontologiques dans le Sussex. Il est ordonné prêtre en 1911 à Hastings. Arrivé à Paris peu de temps après, il est attaché au Muséum d'histoire naturelle et travaille sous la direction du grand paléontologue Marcellin Boule.

Caporal-brancardier pendant toute la Première Guerre mondiale – il sera décoré de la médaille militaire de la Légion d'honneur –, il trouve encore le temps et le courage, durant le conflit, d'écrire la plupart des textes du présent volume. En 1922, il obtient son doctorat ès sciences et enseigne la géologie à l'Institut catholique de Paris. L'année suivante, chargé de mission et subventionné par le Muséum, il part en Chine pour une expédition de fouilles – il séjournera très souvent dans ce pays jusqu'en 1946. En 1928, il effectue une mission en Somalie française et en Éthiopie. L'année suivante, on met au jour dans les cavernes de Chou Kou Tien, près de Pékin, le fameux sinanthrope, ce fossile hominien d'environ cinq cent mille ans : Teilhard est nommé pour diriger les fouilles. En 1931-1932, on le retrouve comme géologue de l'expédition Haardt-Citroën, plus connue sous l'appellation légendaire de « Croisière Jaune ». En 1935-1936, le voilà accompagnant l'expédition américaine Yale-Cambridge en Inde septentrionale. Il passe la Seconde Guerre mondiale bloqué en Chine, et ne peut rentrer en France qu'en 1946.

Élu membre de l'Académie des sciences en 1950, il voyage, l'année suivante, en Afrique du Sud, subventionné par la fondation américaine Wenner Gren pour les recherches anthropologiques. C'est aussi en 1951 qu'il se fixe à New York, la fondation lui confiant, en 1953, une seconde mission dans toute la région Sud du Sahara.

Il s'éteint à New York le 10 avril 1955, le jour de Pâques.

Nous exprimons à Mgr de Solages notre profonde et respectueuse gratitude. Ses conseils nous ont guidés dans l'exécution des volontés de Marguerite Teillard et ont ainsi permis la réalisation de cet ouvrage.

Nous adressons aussi nos vifs remerciements à M. et Mme Jacques Madaule, Mlle Jeanne Mortier et M. C. Cuénot, pour l'aide précieuse qu'ils nous ont apportée dans la recherche des renseignements nécessaires à la mise au point de ce recueil.

Les éditeurs.

AVANT-PROPOS

Le manuscrit de l'ouvrage que Marguerite Teillard (Claude Aragonnès) consacrait aux années de guerre du Père Teilhard, était à peu près terminé dans ses grandes lignes lorsque la mort est venue frapper son auteur.

Marguerite Teillard avait cependant eu la précaution de prendre des dispositions pour assurer la publication de l'ouvrage. Elle nous demandait, en cas d'accident, d'exécuter ses volontés. Cette marque de confiance est profondément émouvante. C'est en nous efforçant de respecter son intention que nous avons pris en charge cette mission. La gravité de nos responsabilités nous est apparue dès que nous avons ouvert les dossiers contenant les documents et les notes qui constituent les matériaux de l'ouvrage.

Nous avons immédiatement été frappés par l'effacement de celle qui, présentant ces lettres, en avait éliminé tout ce qui la concernait personnellement, pour ne laisser apparaître que la personnalité du Père Teilhard.

Mais en conscience, nous avons estimé qu'il était

impossible de comprendre la genèse et le développement de la pensée du Père si le rôle de Marguerite Teillard était laissé dans l'ombre — car ce rôle a été capital, en raison même du caractère de la correspondante. Qu'elle se soit elle-même effacée par modestie et par pudeur, est une attitude compréhensible — et de grande dignité.

Mais puisque la mort a libéré sa mémoire de tout soupçon d'orgueil, nous avons jugé que sa personnalité devait sortir de l'ombre où elle s'était toujours volontairement placée.

Nous publions donc les Lettres dans leur texte intégral, ne supprimant que les passages d'ordre familial et trop personnel. Nous avons également mis à la place de quelques surnoms familiers le véritable nom des personnes (frères ou cousins) dont parle le Père.

Ce sont là les seuls changements que nous nous sommes senti le droit d'apporter au texte.

Il nous a été pratiquement impossible de reproduire en typographie les superpositions de mots ou de formules qui indiquent l'hésitation du Père Teilhard dans le choix des termes pouvant le mieux exprimer sa pensée. Celle-ci se « nuance » entre les deux termes ou formules employées, un peu comme une droite se définit par deux points.

Cette recherche d'expression est si importante pour suivre le développement de la pensée du Père, que nous avons mis entre crochets les mots ou membres de phrases placés en superposition dans le texte original manuscrit.

De même, certains mots tels que c'est-à-dire, quelque-

10

fois, parce que, *abrégés dans la Correspondance :* cad, qqf, pcq, *ont été rétablis dans leur orthographe normale.*

Il est certain qu'un nombre relativement important de lettres manquent. Il y eut évidemment celles qui ont été perdues en cours d'acheminement pendant la guerre. Mais aussi celles que Marguerite Teillard a égarées au cours de déplacements en France et à l'étranger, tout de suite après la guerre. Une note trouvée dans le dossier de préparation du Livre des « Lettres de guerre », de la main de Marguerite Teillard, indique qu'elle n'a retrouvé aucune lettre des périodes du 15 avril au 10 juin 1917 et du 16 octobre 1917 au 9 juillet 1918.

Mais celles qui demeurent, et que nous publions, suffisent à montrer que c'est pendant la guerre qu'a jailli, avec toute sa charge d'énergie, la substance profonde de la pensée du Père Teilhard

Nous donnons plus loin une étude sur la forte personnalité qu'était Marguerite Teillard. On comprendra comment les liens de parenté d'abord, puis de très grandes affinités d'esprit ont rapproché ces deux âmes dans une confiance et un abandon absolus.

On découvrira le rôle déterminant que la collaboration de Marguerite Teillard a joué dans l'épanouissement de la pensée de son cousin et l'on n'en comprendra que mieux l'émouvant témoignage de gratitude que le Père lui adressa au moment de l'armistice.

Mais, en retour, quelles forces Marguerite Teillard n'a-t-elle pas vues naître en elle sous la direction de son cousin. Ame vibrante, tourmentée par le désir de s'élever toujours davantage vers la perfection chrétienne,

*elle souffrait de se heurter aux multiples obstacles qui
entravaient sa marche. L'exemple de ses cousines, sœurs
du Père Teilhard (Françoise, petite Sœur des Pauvres,
morte à Shanghaï — Marguerite-Marie (Guiguite) broyée
par la maladie et conservant une inaltérable sérénité)
lui paraissait être un objectif impossible à atteindre. Elle
aspirait à consacrer sa vie au service du Christ et ne
se sentait pas pourtant la vocation religieuse. On verra
comment le Père sut lui montrer que ses goûts pour
les choses de l'esprit pouvaient s'épanouir dans l'accomplissement de sa vocation d'enseignement. On suivra,
avec respect et émotion, les progrès de cette ascension
à laquelle M. Verdier, futur cardinal et archevêque de
Paris, fut appelé à coopérer.*

*Quelle densité spirituelle et humaine prennent les
vœux que le Père Teilhard et sa cousine échangent tout
au long de leur correspondance quand on sait que le
Père Teilhard prononça ses vœux perpétuels à Sainte-
Foy-lès-Lyon le 26 mai 1918 et que cette même année,
le 21 novembre, Marguerite fit à Dieu la promesse de
consacrer sa vie à l'enseignement* [1]. *Et l'on notera les
réserves que le Père suggérait dans la formulation de
cette promesse — par une prudence qui était bien jus-
tifiée puisque Marguerite Teillard tomba malade en
1922, et dut quitter la direction de son cher Institut
Notre-Dame des Champs pour aller se soigner dans le
Midi de la France et à Rome — avant de pouvoir
reprendre l'enseignement.*

Le texte se suffit à lui-même. Les seules notes que

1. Cf. lettre du 4 novembre 1918.

nous avons cru bon d'ajouter, ne servent qu'à éclairer certains détails, donner quelques précisions ou explications. Toutes ces lettres ont été écrites par le Père à sa cousine. On peut les considérer comme un entretien qui n'a été écrit que parce qu'il ne pouvait pas être parlé. On y saisit sur le vif le frémissement d'une pensée qui se cherche, le déroulement d'une expérience profondément humaine.

Le Père Teilhard est entré dans la guerre à 34 ans, sans préparation. Très vite il en comprit pourtant la nature et le sens. On est frappé par l'actualité de sa correspondance, car la guerre 14-18 préfigurait le drame planétaire actuel avec son affrontement de deux civilisations, avec l'enrôlement de toutes les races du monde dans le combat, avec cet inextricable mélange de grandeurs et de turpitudes, de souffrances et de joies, de sacrifices et d'égoïsme.

Plongé dans les événements, il n'est jamais ni submergé ni écrasé par eux. Il est à la fois dehors et dedans. Il suffit de remarquer les dates et les lieux où ont été écrits ces lettres — et ces essais — pour se rendre compte de cette extraordinaire sérénité qui ne pouvait avoir sa source que dans une vision de l'Unité.

C'est ainsi que tout en faisant corps avec l'humanité en guerre il sut aussi voir que le chaos où se débattaient les cellules humaines n'était qu'apparent et qu'un ordre était sous-jacent à ces phénomènes de bouleversement.

Débordant les horizons de la terre, les champs de bataille où la mort semblait triompher, lui apparurent comme le creuset vivant, la matrice d'un monde nouveau. Sans doute l'inhumaine charrue de la guerre bou-

leversait-elle jusqu'en ses profondeurs les vieilles terres nourricières où ne pourraient plus germer les semences traditionnelles. Mais un humus nouveau où le sang et les larmes, la chair même des hommes sacrifiés se mêlaient à la terre ruinée, redeviendrait fécond par un grain, nouveau — et pourtant d'essence éternelle.

Et le Père Teilhard prenant plus pleinement conscience de sa vocation peut écrire : « Dans la mesure de mes forces, parce que je suis prêtre, je veux désormais être le premier à prendre conscience de ce que le Monde aime, poursuit, souffre ; le premier à chercher, à sympathiser, à peiner ; le premier à m'épanouir et à me sacrifier, — plus largement humain et plus noblement terrestre qu'aucun serviteur du Monde. Je veux, d'une part, plonger dans les choses, et me mêlant à elles, en dégager, par la possession, jusqu'à la dernière parcelle, ce qu'elles contiennent de vie éternelle, — afin que rien ne se perde —. Je veux, en même temps, par la pratique des conseils, récupérer dans le renoncement tout ce que renferme de flamme céleste la triple concupiscence, sanctifier dans la chasteté, la pauvreté, l'obéissance, la puissance incluse dans l'amour, dans l'or et dans l'indépendance.

« Voilà pourquoi mes vœux, mon Sacerdoce, je les ai revêtus (c'est là ma force et mon bonheur) dans un esprit d'acceptation et de divinisation des Puissances de la Terre [1]... »

C'est à la lumière de sa foi que le Père Teilhard vit surgir des décombres qui couvraient la terre, une fleur

---

1. Dans *Le Prêtre* (au front, 1918).

insolite et fragile qu'il reconnut porteuse de la semence attendue.

Dès lors il consacra toutes les forces de son être à nourrir cette fleur pour qu'elle arrive à maturité.

Bien peu d'hommes, alors, comprirent le sens de cette lutte ardente et fidèle que le Père Teilhard mena toute sa vie au service de cette foi.

Bien peu d'hommes comprirent que cette pensée en fleur plongeait ses racines jusqu'à l'origine du monde, et qu'en elle montait toute la sève du passé à la conquête de l'avenir.

Car la force qui épure et sublimise toutes les richesses du monde, toutes les aspirations du cœur humain ; la force qui transforme en sève de vie tous les sucs de la matière, c'est l'amour du Christ incarné. La surface du monde peut être ravagée et les plantes qu'elle porte mourir : l'invisible réseau des forces de l'esprit fera toujours surgir, jusqu'à la fin des temps, une fleur d'espérance.

La fleur de notre temps mûrit et donne son grain.

Du grain moissonné et moulu sera tirée la farine qui donnera le pain dont se nourrissent les hommes, le pain où tous les sucs de la matière, mélangés au levain de l'Amour immolé, deviennent don et nourriture. Ceux qui ont vécu pour que vienne cette heure sont morts à la terre et revivent dans la sève éternelle de la Vie...

Comment ne pas évoquer, pour conclure, la parabole « Si le grain ne meurt, il ne donne pas de fruit »... et le verset du Magnificat : « Et exaltavit humiles » ?...

MARGUERITE TEILLARD-CHAMBON (1880-1959)
En littérature : Claude Aragonnès

Une Correspondance — le mot même l'implique —, c'est un dialogue. Il y a des demandes et des réponses. Ce sont deux voix qui alternent. De ces deux voix, dans le recueil qu'on va lire, une seule se fait entendre, parce que les lettres de Marguerite Teillard-Chambon à Pierre Teilhard de Chardin sont perdues. Mais on doit savoir à quel point la destinataire de ces lettres était digne de la confiance qu'on lui manifestait, des confidences qu'elle recevait. La disparition des lettres de Marguerite Teillard est une lourde perte, que rien ne saurait compenser. Du moins faut-il tenter de dire quelle fut cette cousine, à qui le Père Teilhard écrivait avec tant d'aban don.

Elle était née à Clermont-Ferrand, le 13 décembre 1880, dans une vieille et austère demeure, qui est aujourd'hui le Musée Pascal. Pierre et Marguerite appartenaient à deux branches d'une même famille qui étaient

17

toujours demeurées profondément unies. Les enfants Teillard-Chambon de Clermont montaient à Sarcenat, où ils rencontraient leurs cousins Teilhard de Chardin[1]. On imagine ce qu'entre cousins du même âge — et ils étaient nombreux, des deux côtés — pouvaient être les courses dans la montagne, la découverte en commun d'une nature qui est parmi les plus belles et les plus variées de notre pays. Pierre et Marguerite, dans la familiarité de ces grandes journées d'enfance et de jeunesse, ont découvert ensemble le pays qui leur était commun. Mais je ne parle pas ici seulement de l'Auvergne. Leurs esprits s'éveillaient, presque en même temps, aux mêmes souffles.

Marguerite n'était pas une femme ordinaire et l'itinéraire qu'elle avait choisi fut, dans les commencements tout au moins, plus hasardeux et plus audacieux que celui de son cousin, qui passait du collège au noviciat, presque sans reprendre haleine. Elle, dont le père était fort cultivé et suivait avec attention et sollicitude les études, avait d'abord été l'élève des religieuses du « Bon Pasteur » de Clermont. Mais, à cette époque, qui est la fin du siècle dernier, ces études féminines ne menaient point, par elles-mêmes, à grand-chose, sinon à un brevet dont on n'avait que faire. Or les aspirations de Marguerite étaient tout autres. Il y avait alors moins de vingt ans que Camille Sée avait ouvert les premiers Lycées de jeunes filles. Jusqu'à cette époque l'enseignement féminin avait été laissé aux congrégations. Parmi les mesures de laïcisation prises par Jules Ferry, la moindre

1. On notera la légère différence d'orthographe entre les deux noms.

n'est pas d'avoir organisé l'enseignement secondaire public des jeunes filles. L'émotion avait été considérable dans les milieux catholiques et l'atmosphère de ce temps-là était telle qu'entre l'enseignement public et l'enseignement privé des jeunes filles ne pouvait pas ne pas se développer la plus âpre concurrence. L'Eglise et l'Etat se disputaient avec acharnement l'âme de la femme. On s'explique ainsi la violence des polémiques et même certaines injustices.

Marguerite Teillard terminait ses études secondaires dans cette atmosphère de bataille. Elle choisit de tenir sa place dans le combat, au premier rang. Si en effet l'enseignement privé voulait lutter sans trop de désavantages, il fallait qu'il se transformât totalement. Il ne suffisait plus d'élever de futures mères de famille et maîtresses de maison en ornant leurs esprits de quelques connaissances utiles auxquelles se joignaient des arts d'agrément. Les femmes de demain étaient appelées à tenir une tout autre place dans la société. Il fallait les y préparer, au même titre que leurs frères. Mais cela supposait que la valeur de l'enseignement, dans les établissements privés tout autant que dans les établissements publics, fût à la hauteur de cette tâche nouvelle.

Les jeunes filles les mieux douées de l'âge de Marguerite allaient donc conquérir les mêmes titres universitaires que les professeurs de l'enseignement public, mais pour les mettre au service de l'enseignement privé. Telle fut la vocation de Marguerite Teillard-Chambon. Elle décida de préparer l'agrégation féminine de Lettres-Philosophie. Mais il fallait d'abord obtenir le Certificat, qui était un peu l'équivalent de l'actuel C.A.P.E.S. Marguerite Teillard s'y prépara à Clermont, dans la maison familiale, où elle suivait des cours par correspondance. Reçue, il lui fallut tout de même partir pour Paris, car on ne pouvait guère, ailleurs, suivre les enseignements indispensables à l'agrégation.

Ce dut être, pour Marguerite Teillard, le plus total déracinement que l'on puisse imaginer. Séparée des siens, pauvrement logée et nourrie dans une modeste pension de jeunes filles, elle affronte enfin cette redoutable Université, à laquelle on allait emprunter ses propres armes pour la combattre. Le scientisme régnait alors à la Sorbonne, où brillaient Durkheim, Lévy-Bruhl, Rauh et Lanson. Leur austère intégrité n'avait d'égale que leur intransigeante laïcité. Comment ne pas songer à Marguerite Teillard en lisant les réflexions que M. Etienne Gilson, évoquant son propre passé, faisait récemment ? « Celui qui, vers 1905, passait de ce petit monde clos à celui de la Faculté des Lettres de l'Université de Paris, ne s'y sentait pas perdu ni même dépaysé. C'était un autre monde, mais il s'y attendait. On l'avait élevé dans le respect des maîtres du haut savoir qui devait un jour devenir le sien, il s'adressait donc à eux avec confiance, impatient de se mettre sous leur direction. Une seule réserve à cette adhésion. L'apprenti philosophe qui s'engageait dans cette discipline pour lui nouvelle n'en attendait pas la révélation de ce qu'il devait penser et croire. Tout cela était déjà réglé et décidé dans son esprit, mais il désirait s'assurer de sa pensée et approfondir sa croyance, double tâche à poursuivre désormais au milieu de forces indifférentes ou hostiles. Croître, si possible, afin de persévérer dans son être ; voilà ce qu'il avait désormais à faire et il ne pouvait le faire que seul, sous sa propre responsabilité. » (*Le Philosophe et la Théologie*, p. 27.)

On voit bien en quoi le cas de Gilson, qui fera la plus brillante carrière universitaire, et celui de Marguerite Teillard, vouée à l'Enseignement libre, sont différents. S'il ne fut pas dépaysé, elle le fut certainement ; mais, malgré son opposition radicale à la métaphysique des Universitaires d'alors, elle reçut d'eux aussi cette discipline de l'esprit, qui est indépendante de la foi, et qui peut même l'alimenter, la rendre plus solide et plus forte. Du reste, ne voyait-on pas déjà s'avancer à la rencontre du Goliath universitaire ce David qu'était Henri Bergson ? Il avait déjà ramassé dans le torrent ces deux cailloux bien ronds : *les Données immédiates de la Conscience* et *Matière et Mémoire.* Marguerite Teillard avait probablement lu ces deux ouvrages avant d'être reçue à l'agrégation en 1904.

Elle aurait pu alors faire carrière dans l'Université, mais elle n'y songea pas un seul instant, car sa vocation était ailleurs. Les agrégées étaient alors trop rares, surtout dans l'enseignement privé, pour qu'on ne proposât point aussitôt à cette jeune fille de 24 ans les tâches les plus lourdes. On offrit à Marguerite Teillard de reprendre le pensionnat des religieuses de Sion [1], 61 *bis*, rue Notre-Dame-des-Champs. Elle accepta et, en se vouant à ce travail de direction, auquel ne la préparait guère sa formation purement intellectuelle, elle

1. Les religieuses de Sion, frappées par la Loi de Séparation, n'avaient plus le droit d'enseigner.

fit preuve d'une grande abnégation. En effet, elle ne renonçait pas seulement à la sécurité que lui aurait donnée l'Université officielle, mais encore à l'usage de ses dons littéraires, qui étaient éminents, comme elle l'a bien montré par la suite. Elle accepta une charge austère et très lourde qui devait absorber pendant des années toutes ses activités et la tenir nécessairement un peu à l'écart des mouvements intellectuels de l'époque, que son intelligence large et accueillante lui permettait de si bien comprendre.

Du reste, malgré toutes les difficultés que l'on devine, la direction de Marguerite Teillard fut couronnée d'un plein succès. Pour des raisons d'ordre administratif, la société des parents d'élèves fit construire, 20, rue du Montparnasse, les bâtiments qui sont aujourd'hui l'Institut Notre-Dame-des-Champs. Bravant, pour son Institut, les difficultés matérielles qu'elle n'avait point redoutées pour elle-même, elle l'orienta résolument vers la préparation des jeunes filles au baccalauréat, et non plus seulement au traditionnel brevet. Cela supposait de nombreux professeurs spécialisés et pourvus des titres nécessaires. Mais cela permettait aussi à de nombreuses jeunes filles de suivre les cours de l'enseignement supérieur et d'assurer ainsi la relève de leurs aînées en même temps que la présence active des femmes dans les plus hauts domaines du savoir.

On le voit, en toutes ces choses, Marguerite Teillard fut une pionnière aussi courageuse qu'intelligente et lorsqu'elle retrouva, dans les années qui précèdent immédiatement la guerre de 1914, son cousin Pierre, qui avait poursuivi, pendant ce temps-là, les longues études

des futurs Jésuites, ils n'étaient plus deux adolescents pleins d'espérances dans les montagnes natales d'Auvergne, mais un homme et une femme que des années de travaux et d'épreuves avaient également préparés à tracer chacun son futur sillon. Nulle n'était mieux faite que Marguerite Teillard pour être la confidente de l'essor d'un des plus grands esprits de ce siècle. Cette confidence au fil des jours, ce sont les lettres qu'on va lire. On y devinera, en particulier, toutes les difficultés auxquelles ne cessait de se heurter la directrice de l'Institut, tandis que son cousin risquait au front sa vie pour ses frères et voyait se lever en lui les premières intuitions de ce qui devait être l'œuvre de sa vie.

Mais Marguerite Teillard avait trop présumé de ses propres forces. Elles la trahirent et, en mai 1922, atteinte d'une grave maladie, elle devait abandonner la direction de l'Institut Notre-Dame-des-Champs. Elle passa l'hiver 1922-1923 en Italie et elle eut alors la révélation de trésors de beauté dont devait profiter son premier livre, un roman : *La Loi du faible*. Ainsi Claude Aragonnès — elle emprunta ce pseudonyme littéraire à l'une de ses aïeules, qui avait été l'amie de Mademoiselle de Scudéry — pouvait enfin se livrer, grâce à la maladie, à cette vocation littéraire, pour laquelle elle n'était pas moins douée que pour l'enseignement.

Les exigences de celui-ci étaient d'ailleurs si grandes qu'elles disputeront jusqu'au bout à la littérature Marguerite Teillard. Si elle ne reprit pas la direction de l'Institut Notre-Dame-des-Champs, lorsqu'elle fut rétablie, dès octobre 1924 elle y donna des cours de littérature en Seconde et Première, et cet enseignement ne devait cesser que trente ans plus tard, en 1953. Mais elle fut aussi jusqu'au bout l'active et vaillante Secrétaire Générale de l'Union des maisons secondaires de jeunes filles, dont elle anima les Congrès annuels et dont elle nourrit la Revue d'innombrables études ou notes sur les films, le théâtre, les livres d'actualité. Il s'agissait toujours pour elle de maintenir les enseignants catholiques au niveau de la culture de leur temps.

Les loisirs qui lui restaient pour édifier une œuvre propre étaient réduits, mais Claude Aragonnès n'écrivait jamais rien que de définitif, avec un talent, une sensibilité et une intelligence virile dont la rencontre est très rare. C'est ainsi qu'elle collabore à plusieurs revues et journaux et qu'elle publie, en 1934, son second ouvrage, consacré à *Mademoiselle de Scudéry, reine du Tendre*.

Claude Aragonnès devait encore consacrer un livre à Marie d'Agoult, la célèbre amante de Liszt. On peut s'étonner, au premier abord, du choix d'un tel sujet. Mais ce qui avait attiré Claude Aragonnès vers la figure de la comtesse d'Agoult, ce n'étaient pas seulement ses illustres amours, c'était aussi l'œuvre de l'écrivain pleinement engagé dans les batailles de son temps que fut Marie d'Agoult sous le pseudonyme de Daniel Stern. Claude Aragonnès aimait en elle une femme qui avait compté dans la littérature de son temps, comme mademoiselle de Scudéry à son époque.

Ce livre lui valut le prix Femina-Vacaresco et la désigna ainsi à l'attention des membres du jury Fémina, qui devait un jour l'appeler dans son sein. Ce n'est pas ici le lieu d'évoquer le grand rôle de pondération, de mesure et de jugement qu'elle y tint jusqu'à sa mort, puisque les délibérations de ce jury sont naturellement secrètes.

Marguerite Teillard croyait profondément que les femmes sont appelées à jouer dans la vie culturelle de l'humanité un rôle propre et qu'il faut les y encourager et les y préparer. Au fond, c'est là ce qui fait la profonde unité de la vie de cette grande éducatrice qui fut en même temps un parfait écrivain, seulement trop rare.

Pendant l'été de 1939, juste à la veille de la seconde guerre mondiale, Marguerite Teillard fit un assez long séjour aux Etats-Unis. Qu'allait-elle chercher là-bas ? Si étrange que cela puisse paraître, des souvenirs d'enfance. Claude Aragonnès écrivait, dans l'Avant-Propos de son *Lincoln, héros d'un peuple* (1955) : « Une très vieille dame américaine est morte il y a deux ans en Virginie, à quatre-vingt-quatorze ans. Dans son enfance, elle avait connu Lincoln. Son père, Ward Hill Lamon, avait été l'ami intime du président, son associé comme avocat en Illinois, puis il l'avait suivi à la Maison Blanche, où Lincoln l'avait chargé de postes et de missions de confiance. Plus tard sa fille, venue en France, s'était alliée à notre famille, et Dorothy Lamon-Teillard vécut plusieurs années près de nous... J'écoutais ses récits... »

Voilà comment Lincoln était devenu l'une des figures familières de Marguerite Teillard et c'était pour le retrouver dans son milieu propre qu'elle franchit l'Atlantique en 1939. Elle eut la joie de s'y rencontrer avec le Père Teilhard de Chardin, qui connaissait depuis longtemps le pays. De ce voyage est d'abord sorti un petit livre, paru en 1945, juste après la fin de la guerre, à l'époque où les Etats-Unis étaient pour l'Europe un objet d'intense curiosité : *Prises de vues américaines.* Avec beaucoup de charme et une lucidité parfaite, Claude Aragonnès faisait part au public français de ses impressions, autant sur l'ancienne Amérique, qu'elle s'efforçait de retrouver, que sur les Etats-Unis à la veille de la guerre.

Mais ce n'était là qu'un prélude au grand ouvrage sur Lincoln. Celui-ci est vraiment un maître livre, pleinement digne de son sujet. C'est merveille de voir avec quelle intelligence historique Claude Aragonnès a compris ce qu'étaient les Etats-Unis il y a juste un siècle ; avec quelle pénétration psychologique elle est entrée dans la biographie d'un grand homme si différent de ceux auxquels l'histoire européenne nous a habitués. Il y avait, chez un homme tel que Lincoln, je ne sais quelle simplicité antique qui l'apparente aux héros de Plutarque. Et le voici à la tête d'un Etat en plein développement, en pleine crise de puberté, si l'on peut dire. Ce juste, ce sage, ce vrai républicain qui a fini tragiquement est, au même titre que Washington et que Jefferson, un père de la patrie. Les Etats-Unis d'aujourd'hui sont en grande partie son œuvre. Mais tout cela est aussi admirablement simple. Personne, en français, à ma connaissance, ne l'a dit avec autant de fermeté et de justesse que Claude Aragonnès. Il fallait, pour qu'elle y réussît à ce point, qu'il y eût en elle aussi quelque chose de cette fermeté de pensée, de cette hauteur de caractère. Puisqu'il ne s'agit pas ici de Lincoln, mais de Marguerite Teillard, disons simplement qu'elle a montré, dans cette biographie, les qualités qui ont fait d'elle l'incomparable éditeur des *Lettres de guerre* du P. Teilhard de Chardin.

A peine, en effet, Claude Aragonnès avait-elle terminé ce *Lincoln*, qui parut à la fin de 1955, que le Père mourait à New York. Un nouveau devoir s'imposait maintenant à sa cousine, qui avait reçu tant de lettres et qui estimait que ce trésor ne pouvait pas rester sous le boisseau. Elle publie donc deux volumes de lettres de voyage de ce grand voyageur et elle écrit, en tête de son Avant-Propos, ces lignes qui pourraient aussi bien figurer au début du présent ouvrage : « Les liens de parenté et d'une amitié quasi-fraternelle m'ayant valu la faveur de recevoir d'assez nombreuses lettres ou notes de voyage du Père Teilhard, pendant cette période particulièrement importante et féconde de sa vie, il m'a semblé qu'elles formaient un document d'exceptionnelle valeur, et que je les devais à ceux qui désirent accéder à la connaissance d'une des plus hautes et des plus attirantes figures de notre temps. »

Au moment où elle a été frappée par la mort, Marguerite Teillard s'apprêtait à publier, de la même manière, les lettres de guerre de son illustre cousin. Elle avait déjà écrit une admirable Introduction, que les lecteurs de cet ouvrage pourront apprécier comme elle le mérite. Ils y verront tout à la fois l'étendue de l'intelligence, la délicatesse du cœur et la justesse de l'expression. Comme on comprend que le Père Teilhard se soit si volontiers confié à une telle cousine ! Elle réunissait des qualités qui se rencontrent rarement ensemble : l'esprit n'était pas chez elle inférieur au caractère, ni celui-ci à la sensibilité. Elle avait affronté d'obscures, mais grandes épreuves. Elle était aussi ouverte à la pensée d'autrui que ferme dans ses propres convictions. Cette grande éducatrice était l'être le plus capable de comprendre le bouleversant essor du génie.

Elle devait en rester marquée toute sa vie. Lorsque, par exemple, elle termine l'Avant-Propos de son *Lincoln*, elle écrit ces lignes, si parfaitement « teilhardiennes » : « Il (Lincoln) approuverait ceux dont il pratiqua le dur métier (il s'agit des hommes d'Etat) de tendre vers « ce vaste futur de l'homme » qu'il entrevoyait, grâce à l'effort commun d'une humanité cohérente. » Et de même, aux tout derniers jours de sa vie, quand Marguerite Teillard présentait à quelques amis cette maison de Sarcenat, qui avait occupé une telle place dans l'existence du Père Teilhard et dans la sienne, elle le faisait avec une simplicité et une autorité qui lui appartenaient en propre. Ceux qui ont assisté à cet exposé si émouvant par sa retenue même, ceux qui ont été introduits par Marguerite Teillard dans l'intimité d'une grande famille d'autrefois, ceux qui, en même temps qu'elle, ont posé leur regard sur l'admirable paysage que l'on contemple de Sarcenat, ceux-là savent mieux que personne que certains êtres sont irremplaçables.

Nous espérons que ceux qui furent si proches l'un de l'autre en cette vie ont été définitivement réunis par la mort. Nous sommes sûrs que la mémoire des hommes ne les séparera pas davantage. Qu'une grande figure féminine, un peu voilée, se tienne presque toujours auprès d'un grand homme, il y a là comme une loi mystérieuse de notre nature, qui s'est vérifiée une fois de plus en Pierre Teilhard de Chardin et en Marguerite Teillard-Chambon.

JACQUES MICHEL TEILHARD
épouse
VITALINE de PARADE

PIERRE-CIRICE TEILHARD   MICHEL-PAUL   ANNE-VICTORINE   HENRI   PHILIPPE   LOUISE
épouse
VICTOIRE BARRON de CHARDIN

Léon TEILLARD-CHAMBON
épouse

JOSEPH MICHEL   EMMANUEL   CIRICE   ALPHONSE   GABRIEL   LUDOVIC   XAVIER
épouse
BERTHE de DOMPIERRE-d'HORNOY

MARIE DÉCHELETTE

épouse

MARGUERITE (*Claude Aragonnès*)
JEANNE
MARCEL
ALICE
ROBERT
CÉCILE

ALBÉRIC
MARIELLE
FRANÇOISE
PIERRE (*R.P. Pierre Teilhard de Chardin*)
MARGUERITE MARIE (Guiguite)
GABRIEL
OLIVIER [1]
JOSEPH
LOUISE
GONZAGUE [2]
VICTOR

1. Mort pour la France le 3 mai 1918.
2. Mort pour la France le 12 novembre 1914.

Pierre Teilhard de Chardin classé au service auxiliaire en 1902 puis en 1904, n'avait pas fait de service militaire. Un conseil de révision en décembre 1914 le déclare « bon pour le service ». Mobilisé presque aussitôt, il est affecté à la 13e section d'infanterie, dans une unité militaire à Vichy d'abord, puis à Clermont-Ferrand en qualité d'infirmier. Il part pour le front le 20 Janvier 1915, comme brancardier de 2e classe, 8e régiment de marche de tirailleurs marocains, devenu le 23 juin 1915, le 4e régiment mixte de zouaves et tirailleurs marocains. Le 13 mai 1915 il est nommé caporal.

CITATIONS DE PIERRE TEILHARD DE CHARDIN.

29 août 1915. - Cité à l'ordre de la Division.

« A, sur sa demande, quitté le poste de secours pour servir aux tranchées de première ligne. A fait preuve de la plus grande abnégation et d'un mépris absolu du danger. »

17 Septembre 1916. - Cité à l'ordre de l'Armée.

« Modèle de bravoure, d'abnégation et de sang-froid. Du 15 au 19 août 1916 a dirigé les équipes de brancardiers sur un terrain bouleversé par l'artillerie et battu par les mitrailleuses. Le 18 août, est allé chercher à une vingtaine de mètres des lignes ennemies, le corps d'un officier tué et l'a ramené dans les tranchées. »

20 Juin 1917. - Médaille militaire.

« Excellent gradé. S'est acquis par l'élévation de son caractère la confiance et le respect. Le 20 mai 1917 est allé spécialement dans une tranchée soumise à un très violent tir d'artillerie pour y recueillir un blessé.

21 Mai 1921. - A la demande de son ancien régiment, il est fait Chevalier de la Légion d'Honneur.

« Brancardier d'élite, qui pendant quatre ans de campagne, a pris part à toutes les batailles, à tous les combats où le régiment fut engagé, demandant à rester dans le rang pour être plus près des hommes dont il n'a cessé de partager les fatigues et les dangers. »

LA GUERRE 1914-1919

La guerre aura été pour Pierre Teilhard, parmi *les*
événements extérieurs de sa vie, probablement le plus
décisif. Elle a eu sur toute son existence un retentisse-
ment profond. Il n'est pas excessif de dire (il le pensait
et il l'a dit) qu'elle l'avait révélé à lui-même. Elle a, en
tout cas, précipité ce développement intérieur qui se
fût produit moins tôt, et qui sait, moins irrésistible, sans
les circonstances qui ont accru considérablement son
expérience humaine, donné le branle de son esprit,
trempé son caractère.
Brassé, comme tant d'autres, dans cette mêlée qui
confondit toutes les espèces d'hommes : races, condi-
tions, mentalités, mis aux prises avec les réalités les
plus terribles de la vie et de la mort, depuis les plus
basses et atroces, jusqu'aux héroïques et aux surhu-
maines, associé à l'effort jusqu'à la tension extrême de
cette génération ainsi jetée au creuset, il en est sorti,

un homme nouveau, prêt à affronter la lutte avec le courage moral (le plus difficile) pour la conquête de la vérité, la sauvegarde de sa pensée et l'accomplissement de la mission singulière dont l'idée lui apparut pendant ces années si dures et pour lui si fécondes.

Pierre Teilhard avait alors trente-trois ans. Aucune espèce d'entraînement physique ou moral ne le préparait à mener la vie de l'homme en guerre. Il était robuste, il gardait de son enfance et de son adolescence l'habitude, le goût de la marche, de la vie en plein air ; les années de noviciat à Jersey, puis en Angleterre, avaient pu procurer aux jeunes gens une vie un peu plus hygiénique et sportive que celle de nos séminaires français à la même époque (surtout les excursions géologiques et les baignades à la plage) ; mais avaient-elles compensé les fatigues, l'usure nerveuse d'une vie de longues études astreignantes ? Aucun rapport, en tout cas, avec les rudesses de la vie au front, les efforts physiques et les souffrances qui l'attendaient là. Il n'avait pas accompli de service militaire ; son enrôlement allait le faire soldat pour la première fois.

Ayant vécu pendant ces douze années hors de France, il était d'autre part, resté fort étranger à la fermentation d'idées et de passions politiques qui enfiévra la jeunesse des vingt et trente ans, aux approches de la guerre. L'enthousiasme patriotique qui souleva celle-ci quand le conflit France-Allemagne s'annonça imminent, n'avait pu l'atteindre. Partir à l'appel de sa classe, en décembre 1914, ne se présentait à ses yeux que comme un incontestable devoir.

Il aimait la vie, il aimait sa vie. Elle s'ouvrait à lui

sous la forme d'une double vocation : Dieu l'appelait à Le servir dans une carrière scientifique pleine d'attrait et de promesses. Là, il trouverait l'utilisation au maximum de ses aptitudes et de ses dons « pour la gloire de Dieu toujours plus grande ». C'était dans cette légion de la Société de Jésus qu'il était mobilisé depuis sa dix-neuvième année et son service actif commençait à peine, car son Ordre prolonge jusqu'à la trentaine la préparation et l'exercice de ses recrues.

Il fallait quitter cela. La guerre importune, mais qu'on espérait courte (illusion courante, même chez les « bien informés » de l'arrière) serait une parenthèse à l'existence, voilà tout. Elle le tirait pour un temps hors de sa voie, comme les autres. « Comme les autres... » Ce sera son mot tout le long de la guerre qu'il fera pendant quatre ans, dans le plus humble grade (avec sur la manche les galons de laine du caporal brancardier et le barda sur le dos). Il suivait le sort de sa classe. D'ailleurs, deux de ses frères étaient déjà au front comme lieutenants d'artillerie, deux autres se préparaient à l'arrière à les rejoindre et l'avant-dernier de cette famille qui comptait six fils sous les drapeaux venait de tomber « au champ d'honneur ». Nombre de ses amis Jésuites étaient mobilisés, et il avait déjà appris la mort de plusieurs. Son tour était venu, et c'était bien ainsi. Il redoutait seulement de piétiner dans les casernes. Le front l'attirait parce que là, du moins, il agirait. C'était déjà sa conviction profonde qui se dégagerait plus nettement pour lui à travers les épreuves de la vie, qu'il faut accueillir l'événement avec bienveillance. L'homme jeune lui trouvait du reste une saveur d'aventure, et il conservera toujours un peu de cette jeunesse. Mûri par les circonstances et la réflexion, il accueillera donc l'événement comme un possible avènement, quoi que puisse recéler le futur dans ses flancs, fût-ce la mort, le plus grand mystère de la vie.

Et il pensait qu'à cette heure Dieu l'attendait là.

Au contraire de la dernière guerre qui n'a cessé depuis vingt ans de hanter nos mémoires et qui se survit à l'état endémique en quelque partie du monde, empoisonnant notre atmosphère par ses souvenirs et l'ombre qu'elle projette sur notre avenir, la première Guerre mondiale s'abattit sur nous comme un aérolithe. L'Europe civilisée la tenait pour une irréalité, bien que son nom ait retenti souvent comme un tocsin, mais fort lointain, plusieurs années auparavant. La poignée d'hommes d'État qui allait en décider pour des millions d'humains et même ses professionnels, les militaires qui faisaient métier de la prévoir et de la préparer, devaient se précipiter avec un fatalisme aveugle et une sorte de scandaleuse allégresse dans le gouffre de la guerre, cette inconnue.

Aujourd'hui, par son éloignement, la guerre de 1914-1918 revêt une autre sorte d'irréalité, surtout pour ceux qui ne l'ont point faite ni traversée, rejetée déjà loin dans le passé, et la littérature qu'elle a suscitée pâlit auprès de l'évocation de plus récentes horreurs.

Ce n'est pas le moindre intérêt de la correspondance de Pierre Teilhard que cette vue qu'il a pu prendre du phénomène où se reconnaît déjà un des tournants majeurs de l'Histoire universelle. Il s'y est trouvé plongé comme acteur-spectateur dans un poste avancé, obser-

vateur d'une curiosité ouverte et d'une vive acuité du regard ; il s'y est engagé tout entier, avec son courage d'homme et sa foi de chrétien. Ses lettres viennent à leur heure pour raviver l'image de ce qu'une génération a accompli et souffert et sauvé. Sans y songer, notant pour lui et quelques intimes, sa vie et ses pensées au jour le jour, il ne s'est pas douté qu'il laissait après lui un document de premier ordre par son objectivité, sa clairvoyance, sa franche et fraternelle humanité.

« Pour nous, prêtres-soldats, a-t-il déclaré, la guerre fut un baptême dans le Réel. »

Représentons-nous l'arrivée à la brigade du régiment mixte de zouaves et tirailleurs marocains du nouveau brancardier régimentaire.

Les hommes du service sanitaire sont, dans l'armée, au plus bas échelon : regardés de haut par ceux du service armé, leur rôle est ingrat ; il les expose pourtant, mais il est considéré comme une « planque » ou destiné aux débiles. On le leur fait sentir : pendant les attaques, faire la relève des blessés, leur transport au poste de secours, panser, donner les premiers soins, et en tout temps accomplir les plus pénibles corvées réservées aux non combattants. Aux tranchées, le danger est le même sous l'arrosage des obus, et Pierre Teilhard annonce avec fierté dans ses premières lettres du front de l'Yser, pendant cette campagne des Flandres où son régiment s'immobilisera pendant presque un an, qu'il a déjà fait connaissance avec toutes les sortes de projectiles que les Boches leur envoient à courte distance, par-delà le canal, et qu'on leur rend avec usure.

En ces circonstances, comme plus tard en d'autres bien

différentes, il s'adapta vite à des situations nouvelles : affaire d'intelligence, sans doute, et de « cran », mais aussi de tact humain. Il sera bientôt jugé le plus capable de diriger une escouade, et passera caporal. La mitraille pleut encore qu'il s'élance avec ses hommes. Il avance le plus loin possible jusqu'aux approches des lignes ennemies pour relever un blessé qu'il charge sur son dos et ramène à l'arrière. Ceux qui le suivent murmurent qu'il y a de l'abus et que s'il fallait tant en faire...

Ce régiment de choc, de janvier 1915 jusqu'à l'armistice du 11 novembre 1918, sera promené d'Ouest en Est, des Flandres à Verdun, ramené en Champagne, retransporté vers le Nord. Il a « donné » avec l'armée Mangin, aux grandes batailles de l'Oise, en juillet 1918, dans la grande contre-offensive qui ébranla et rompit définitivement le front allemand et chassa l'ennemi vers la frontière. Sa division (Guyot de Salins) se trouve l'arme au pied, prête à donner le dernier coup dur en Lorraine, lorsque la décomposition interne du Reich désorganise et démoralise les troupes ennemies ; la capitulation et l'Armistice la surprennent en Alsace. Elle fait de l'occupation en Allemagne jusqu'en mars 1919.

Pierre Teilhard reviendra alors en Auvergne pour sa démobilisation. Il sortait indemne de la guerre, après quatre années passées au front, sans désemparer, sauf de rares permissions. Pas une blessure ni une maladie. Sa saine constitution s'y est plutôt fortifiée. L'endurance du voyageur et de l'explorateur dont il fera plus tard preuve, s'est forgée là, dans les fatigues souvent harassantes, les secousses physiques et morales subies durant

*celle guerre si meurtrière où les hommes furent plongés
tant de fois dans un véritable enfer.*

*Jamais pourtant, dans ses récits de batailles, Pierre
Teilhard n'excède dans le terrible ou l'horrible. Son
dédain de l'effet surveille le ton. C'est avec une franchise grave et douloureuse qu'il dit ce qu'il a vu, ce
qu'il fit et ce qu'il éprouva aux heures les plus noires et
les plus pathétiques. On ne trouvera pas dans ses lettres
de réalisme à la Barbusse. Ecrivant à ses proches, du
reste, il atténue volontairement les dangers courus et
passe sous silence ses actes de courage* [1]. *Il a plongé plus
loin que bien d'autres narrateurs ou romanciers dans la
fournaise, mais toute visée littéraire est absente de ces
pages qui sont pourtant, et juste pour cela, d'un grand
témoin et d'un grand écrivain de la guerre.*

*Pierre Teilhard n'a pas seulement vécu la guerre, il l'a
réfléchie avec une conscience aiguë de ses divers aspects
et comme il aimait à dire de ses dimensions : le couple
pascalien : misère-grandeur de l'homme apparaît au
penseur dans sa fulgurante vérité, et c'est le sujet d'un
des Essais qu'il écrivait alors, tout frémissant de ses
péripéties les plus émouvantes* [2].

*A le relire aujourd'hui, certains ne comprendront pas
ou risqueront de mal comprendre ce que ce front pouvait avoir de fascinant. Il savait bien, pour l'avoir expérimenté que l'homme y atteint parfois au sommet de
lui-même, avec le sentiment de faire les plus grands*

---

1. Ils lui vaudront d'être cité trois fois à l'Ordre de l'Armée et de
la Division et il reçoit la Croix de Guerre, la Médaille Militaire et la
Légion d'Honneur.
2. *La Nostalgie du Front.*

gestes, les plus opérants qu'il avait alors à faire. Ici, scandale de plusieurs ? Pierre Teilhard a fait résolument la guerre. Il s'est associé largement à cette tension collective qui fait la force des armées. (La discipline n'est que le mécanisme que le moteur met en marche.) Chacun sait que si la tension baisse, la guerre touche à sa fin ; elle cesse quand les hommes n'y croient plus. Car toute action qui vaille ne tient que par une foi. Si l'impérialisme germanique était à détruire, la guerre était juste, à ce moment. L'objection de conscience ne s'est pas posée pour lui. « Heureusement, a dit quelqu'un, il n'a pas eu lui-même à tuer. » Il est vrai que son affectation était pacifique : verser de l'huile sur les plaies que faisait la guerre. Mais voilà qui lui eût paru bien vaine casuistique. A la guerre, tout le monde tue, depuis le Généralissime jusqu'à l'ouvrier des usines où l'on tourne les obus, et le P. Teilhard sentait un grand malaise à ne pas sauter le parapet de la tranchée, comme les autres à l'heure de l'assaut. D'où ses actes de bravoure « pour compenser ». Mais, approfondissant le phénomène guerre, dont il vivait intensément le drame, il était arrivé à en dépasser la face immédiate et les enjeux du combat. Il voyait dans le présent conflit une crise évolutive, qui devait être dépassée. Les peuples civilisés s'affrontant dans une lutte sans merci allaient à contre-courant du grand fleuve de la Vie que le savant voyait déjà s'avancer, irrésistible, vers une unification de la race humaine.

Pendant la seconde Guerre Mondiale, Pierre Teilhard, bloqué à Pékin, réfléchira encore plus profondément à ce terrible déchirement interne et au non-sens de ces

« *libertés en désordre* » *qui retardent le progrès attendu de tous.* La seule tâche terrestre désormais digne de nous : c'est de construire la Terre [1].

La guerre fut pour le Père Teilhard aussi une grande expérience humaine, l'occasion d'une action personnelle auprès des hommes dont il partageait la vie. Il ne voulut jamais rien tenter ni accepter qui le distinguât de ses camarades et repoussait les facilités que ses chefs auraient voulu lui procurer : « Ni brassard, ni égards, ni confort. » *Il sentait qu'il lui fallait rester dans le rang. Ce coude à coude quotidien, de jour et de nuit, et dans les pires moments, quel écueil pour la respectabilité du prêtre en proie aux regards indiscrets et aux pensées secrètes souvent loin d'être bienveillants. Le Père Teilhard dut doubler assez vite ce cap redoutable à force de naturelle dignité et de loyale simplicité. Ses hommes l'avaient adopté. Pour les zouaves, il était* « Monsieur Teilhard » ; *pour les indigènes, le* « Sidi Marabout ». *Et le partage des colis de vivres, les ballons de rugby, pour les jeux de l'arrière, les lainages en hiver, le tabac en tout temps — envois pour ses hommes dont le munissait sa famille — n'y auraient rien fait sans l'humeur égale, l'abord facile qui faisaient de lui quelqu'un sur qui l'on pouvait compter, — surtout dans les mauvais cas.*

Pour faire plaisir au caporal Teihard, on lui improvisait et ornait l'autel de la messe dominicale (parfois sonnée par deux ou trois obus malencontreux). Au premier rang, un « trois étoiles », *plusieurs gradés qui*

1. Cf. *Premier cahier Teilhard de Chardin* (Le Seuil, 1959).

venaient l'entendre prêcher. Dans ses homélies, devant un auditoire bigarré, il apprenait à s'adapter aux mentalités diverses. Les circonstances s'y prêtaient. Chez ces hommes en péril de mort, perdus dans le no man's land, le fond obscur de l'âme durci par les vieilles routines, mais remué par l'effrayant labour de la guerre, pouvait s'ouvrir à la semence. Le prêtre n'essayait pas pourtant de « les avoir à l'émotion », ou en excitant un goût de magie, un fétichisme ; il avait assez le respect des plus modestes esprits pour en appeler à une pensée d'homme et chercher à y faire lever une idée honorable de Dieu.

Avec les officiers, le dialogue était un peu différent. Certaines conversations lui permettaient des confrontations éclairantes de part et d'autre. Il mesurait quels obstacles séparaient la plupart de l'idée chrétienne telle qu'on la leur avait présentée et qu'ils l'avaient repoussée ou laissée pour compte. Il tâtonnait, cherchait le joint d'insertion d'une réflexion sérieuse, au moins d'une interrogation chez ceux qui paraissaient les plus fermés à toute inquiétude religieuse. Chez tous, du moins, la valeur humaine du prêtre faisait respecter sa foi.

Le Père Teilhard accomplit au front une autre sorte de ministère, tout spontané : l'aide qu'il apporta au service paroissial plus ou moins désorganisé dans la zone des armées. Certaines paroisses n'avaient plus de desservant, le curé étant mobilisé ou replié à l'arrière, l'église avait souffert de bombardements ou était à l'abandon, mais des habitants demeuraient encore là, privés de tout culte. Le Père Teilhard rouvrait alors la cure, s'y rendait chaque jour de son cantonnement, célé-

brait les messes, faisait les offices. Si le curé demeurait encore dans le village, il en recevait l'hospitalité : un galetas muni d'une paillasse le contentait. C'était un coin tranquille où quelques heures par jour il viendrait se recueillir, travailler. En retour, le curé lui faisait chanter la grand-messe, prêcher, instruire ses ouailles. Le Père s'y prêtait de bon cœur. Et quelle aubaine, quand ce curé, accueillant et cordial, avait la bonne idée de réunir autour de sa table quelques confrères mobilisés. Pour un moment on échappait à la solitude morale qui était pour le prêtre-soldat le lot ordinaire.

Ce ministère, le Père Teilhard le pratiqua très exactement en toutes circonstances où ce lui fut possible, pendant ces quatre années au front. Il y fut ce qu'il serait toute sa vie : avant tout un prêtre.

Une certaine solitude, toutefois, lui était un refuge. Il lui fallait échapper de temps à autre à cet entassement d'hommes dont chacun devait ressentir plus ou moins l'étouffement, mais davantage les fortes personnalités. Hors des heures de service, il s'échappait dans la liberté des champs, en de longues promenades. Si impossible le jour, c'était pendant la nuit, ce qu'il appelait ses « noctambulies ». La nature plus que jamais lui était élargissement et fraîcheur.

Dans les Flandres, parmi les dunes, il jouissait beaucoup de la mer. De vieilles hérédités de marins picards remontaient en lui, peut-être. C'était l'infini des horizons, avec leurs formes et leurs couleurs mouvantes dont la poésie le charmait. Ce seraient plus tard les Hauts de Meuse, les crêtes de Champagne, les forêts de l'Oise, tous les aspects de ces provinces françaises qu'il traversait presque toujours pour la première fois. Le contact prolongé, souvent tragique, du soldat en campagne avec cet étrange pays du front, où il vit tapi dans le creux des vallons, campé au bord des rivières, logé chez l'habitant, côtoyant le paysan, témoin de ses périls et de sa pire misère, l'abandon au militaire de sa terre torturée, redevenue sauvage... tout cela lui avait beaucoup appris.

L'œil du géologue décelait sous le paysage l'ossature et reconstruisait par le dedans sa face visible ; le naturaliste le peuplait de sa flore et de sa faune, recueillant, examinant tout ce qui le frappait : cette anémone qu'il ne connaît pas, sera décrite et dessinée pour son père qui saura bien lui en dire le nom, de même que celui de tels oiseaux aquatiques ressemblant à certaines espèces familières qui croisent au-dessus de l'Allier. A la veille de la grande offensive de l'armée Mangin, alors que les tanks se sont déjà glissés sourdement dans la forêt de Villers-Cotterets, en attente des terribles combats, Pierre Teilhard note pour sa famille : « On cueille du muguet et des champignons, on ramasse des escargots, c'est champêtre. »

Ce contact avec les choses innocentes était un bref retour à la paix. Mais quand il se retrouvait parmi les choses et les hommes de la guerre, par tout un côté de lui-même, il se retrouvait seul, rigoureusement, congénitalement.

A peine un petit nombre qui l'approchèrent avec un peu de finesse, purent-ils soupçonner qu'ils avaient affaire à quelqu'un d'exceptionnel. Un mot échappé en conversation, certaines réactions intimes parfois décelées. *On devait au moins comprendre qu'il restait en dehors du jeu* busy inside, *trop occupé au-dedans. Ses pensées n'étaient pas leurs pensées. Impossible de le réduire à une épithète, comme dans toute vie en commun chacun au bout d'un temps se trouve étiqueté.*

En fait, il vivait une passionnante aventure intérieure. Pour la première fois, il se révélait à lui-même. Il retrouvait libérées les zones profondes de son âme : les dons singuliers, les tendances natives qui demeuraient depuis sa lointaine enfance associées, mais non assimilées à tout ce que son éducation, les acquisitions de l'intelligence, le travail sur soi de l'homme dressé à l'exercice spirituel avaient fait de lui, accumulé en lui de puissances et de désirs.

Le recul de son passé, la rupture momentanée avec les habitudes, et le cadre de son double milieu religieux et scientifique, lui apportaient une grande indépendance d'esprit. Il commençait à discerner « le visage que Dieu, disait-il, voulait donner à son âme », car c'était sous le regard divin qu'il ne cessait de réfléchir pour se reconnaître.

Il se sentait arriver à un palier de son existence. Tandis que ses frères en religion, ses collègues des sciences déploraient pour lui ce temps perdu de la guerre, lui savait que ce temps d'arrêt lui serait propice. Il pourrait enfin mettre au jour un trésor de visions et d'ardeurs qui exigeaient maintenant de s'exprimer. Il fallait les délivrer avant de mourir, c'est-à-dire tout de suite, car la mort, ce pouvait être demain.

La Présence éblouissante qui « avant l'âge de dix ans » lui était apparue à travers l'immense Création, l'appelait. Ce Dieu, caché au monde (oh, si caché, il s'en apercevait toujours davantage), il fallait le mieux voir pour le faire voir... Voilà ce qui seul valait de vivre... s'il lui était donné de vivre : être l'homme de Dieu dans ce monde nouveau.

Lorsqu'il m'adressa le premier de ses écrits, La Vie Cosmique, *en 1916, il l'annonçait comme « Mon testament d'intellectuel ». Il supposait que cette œuvre, la première, pouvait être la seule, et il voulait qu'elle fût sauvegardée. Tout le long des quatre années de guerre, c'est avec cette même préoccupation qu'il envoie à l'arrière les* Essais *qui se succèdent. Nulle vanité d'auteur, nul égocentrisme dans un tel souci. Mais il est convaincu que ce qui lui fut donné de lumière doit être transmis. Il n'a jamais varié là-dessus au cours de son existence.*

Cette transformation qui allait le conduire à sa pleine maturité ne pouvait s'opérer que dans l'accord de sa volonté avec la grâce divine, et il se tenait à l'écoute de cette volonté. La guerre lui était une invite pressante à faire oraison. Sa faculté naturelle de concentration lui permit — paradoxalement — de trouver dans les gourbis ou les plus précaires cantonnements, l'équivalent de la cellule du moine : coupure d'avec l'environnement, pureté de l'atmosphère intérieure. Entre les offensives, il réussit à conserver quelque régularité d'exercice religieux, dans l'irrégularité de la vie en campagne. La messe quotidienne en était le centre. Il faisait des lieues à pied, et à jeun, pour gagner l'église où il pouvait célébrer. Si c'était impossible, il la disait sur place, usant de sa chapelle portative : une trousse, pareille à celle du chirurgien, contenant en réduction les objets du culte. Pendant les marches forcées, ou les attaques, il est privé de la messe et il en souffre.

Au lendemain d'une bataille très meurtrière et où il a vu périr tant de ceux qu'il connut et aimait — lui-même survivant par miracle — et où il offre pour eux le Sacrifice, il écrit : « Je crois que j'ai dit ce jour-là la messe la plus fervente de ma vie. » On le voit d'ailleurs littéralement bouleversé par le privilège qu'a le prêtre de porter sur soi l'Eucharistie, en ces journées sanglantes. La présence du Christ dans le mystère le plus sacré de la foi fera l'objet de deux de ses écrits brûlants de ferveur [1]. *Les fêtes chrétiennes qui jalonnent l'année liturgique, s'il ne peut les célébrer extérieurement, il les médite dans son bréviaire, et chacune éveille un écho personnel dans son âme. L'allégresse de Pâques, sa plénitude inépuisable d'espérance glorieuse, l'enchantera jusqu'à ses derniers jours. C'est tout le mystère chrétien qui le nourit d'une sève toujours montante* [2].

« A celui qui a, il sera donné encore. »

On peut deviner à certaines allusions furtives de ses lettres, et davantage dans ses Essais mystiques d'alors, qu'il connut pendant ces jours passés au bord de la mort de ces ascensions sur les sommets jumeaux de la Foi, de l'Espérance et de la Charité et qu'il y recueillit

---

1. *Le Christ dans la Matière*, trois contes mystiques (1916) et *Le Prêtre* (1918).
2. Il se tient en relations, comme c'est son devoir de religieux, avec ses supérieurs, leur communique ses écrits. Ses dispositions intimes leur étaient assez connues pour qu'il fût admis avant la fin de la guerre à prononcer ses vœux perpétuels dans la Société de Jésus (mai 1918).

de ces *illuminations dont l'œuvre écrite reste toute vibrante d'une chaude lumière.*

Le caractère de cette esquisse biographique, simple présentation des textes qui vont suivre, ne permet pas d'étudier dans le détail le cheminement de la pensée teilhardienne, étape par étape. Cela devra être fait un jour. Ce que je me propose ici, c'est de marquer au fur et à mesure les conditions extérieures, et s'il se peut, les dispositions personnelles, si elles furent exprimées (par lettre ou verbalement), qui peuvent éclairer la marche de cette pensée, son élan, son allure, sa direction d'ensemble.

Trois sortes d'écrits : Essais philosophiques, méditations et élévations mystiques, réflexions sur l'action apostolique, se succèdent sans ordre apparent, pendant ces quatre années, à un rythme extrèmement rapide, étant donné leur charge de pensée, et ce que fut simultanément une existence lourde d'événements tragiques et d'activité.

Très heureusement, le Père Teilhard a toujours eu soin de dater et situer avec exactitude ses lettres et ses moindres écrits. La tâche du biographe et bibliographe en est ainsi facilitée. Nous pouvons donc fixer avec précision l'apparition de chacun des Essais. Il n'en produisit pas moins de seize, de 1916 au début de 1919. Les lettres permettent même souvent de connaître l'écart entre la naissance de l'idée et l'achèvement de l'écrit.

Le mot de projet a fait fortune, depuis Sartre, on peut l'adopter et l'adapter en un sens précis à Pierre Teilhard qui disait de lui : « Autant que je me souvienne de moi, j'ai toujours vécu tendu en avant. » De cette tension, il était parfaitement conscient, et s'il la sentait en baisse, il en éprouvait du malaise, il lui semblait que la terre lui manquât. Jamais satisfait en lui-même, ce grand optimiste, toujours aspirant et espérant, en état de perpétuelle « nouvelleté », selon le mot qu'affectionnait André Gide (lequel est resté, lui, tellement fixé dans son hédonisme), Pierre Teilhard tendait sans cesse ses voiles au vent de l'aventure, à la plus grande évasion, la seule qui le passionnât : la recherche et la rencontre de Dieu.

Lorsque la première intuition était venue féconder son esprit, la réalisation était rapide. « Je tourne autour de quelque chose », annonçait-il dans une lettre, et l'on était surpris d'apprendre peu de jours plus tard, s'il disposait d'un temps de calme, que la chose était faite.

Il avait été frappé par un passage de Balzac, où le romancier explique que l'écrivain se voit forcé de composer comme sous un éboulement. Précipitation commandée par l'afflux des idées (un monde lui croulait sur la tête) et par la nécessité de garder à l'inspiration sa fraîcheur native. Là-dessus, l'expérience de Pierre Teilhard coïncidait. On ne passe pas deux fois sur le chemin d'une intuition, l'idée naissante se fane toujours quelque peu quand elle s'incarne dans le langage et se tourne en dialectique. Or, s'il est nécessaire d'enchaîner des vérités, il ne faut pas que la vérité soit mise aux chaînes. Chez Pierre Teilhard, même quand l'œuvre se présente sous une forme très construite, sa force d'accent (on pourrait presque dire de percussion) vient de cette première étincelle qui a tout illuminé. Ce « bonheur » de la pensée fait le bonheur de l'expression. Voilà pourquoi trois lignes de son style suffisent à le faire reconnaître. Elles sont le geste de son esprit, sa présence dans

49

sa parole. Confidence passionnée avec l'interlocuteur invisible. C'est avec Dieu que son colloque s'engage : Lui et moi (He and I), comme Newman parlant à son créateur. Et le tout s'achève en prière.

Ces écrits de la guerre où la pensée s'essaie, en la présence de Dieu, avec tant de droiture et de respect dans sa hardiesse, et tente des chemins nouveaux, ne sont pas seulement l'annonce de la maturité, mais bien son début magnifique. Ils doivent à tous égards nous être précieux. Je dois pourtant dire que leur auteur ne les jugeait pas ainsi. Ce n'était pas affaire de modestie, mais d'exigence intellectuelle.

« Mes papiers de la guerre peuvent être psychologiquement intéressants pour étudier l'ontogénèse d'une idée, mais ils ne contiennent rien que je n'aie redit plus clairement depuis. » Lettre à Marg. T., New York (1952).

Pour l'homme de science et le philosophe qui toujours s'efforça de serrer de plus près les vérités acquises et de livrer l'état dernier de sa pensée dans une concentration et une densité plus parfaites, ces écrits qu'il trouvait « trop jeunes » lui apparaissaient un peu comme sa préhistoire. Mais justement, n'était-il pas à même, plus que quiconque, de mesurer l'importance de toute préhistoire et de toute ontogénèse ?

Celle qu'il suggère ici est loin d'être vaine. Nous nous sentons donc, par lui-même, autorisés à assurer aux essais de la première heure la survie qu'il ne souhaitait pas pour eux [1].

Avec le premier essai : La Vie cosmique, c'est dans

1. La Vie cosmique (1916). — Le Christ dans la matière (Trois contes, 1916). — La Maîtrise du monde et le Règne de Dieu (1916).

*l'éveil ébloui au monde, la vision panthéiste et sa ten-
tation rendue instante, mais déjà surpassée par l'exigence de l'unité dans une transcendance.*

Dans La Lutte contre la multitude, *c'est tout le problème de l'un et du multiple qui est approfondi, lequel
sera repris dans l'*Union créatrice. *Les rapports de Dieu
et du monde font l'objet d'une esquisse de synthèse dans*
Mon univers. *La recherche d'une centration de cet univers aura eu simultanément pour objet des essais tels
que l'*Ame du monde *et la* Grande monade. *Le thème
christique était apparu dès 1916 dans le* Christ dans la
Matière (*Trois contes mystiques*). *Il achève et couronne
le* Milieu mystique *et* Le Prêtre (*prélude à la Messe sur
le Monde de 1923*), *de même que le* Milieu mystique *sera
l'annonce du* Milieu divin *de 1927. Dans* Maîtrise du
monde et Règne de Dieu *et* Note pour servir à l'Evangélisation des temps nouveaux, *Pierre Teilhard recherche le sens et les conditions de l'apostolat que l'Eglise
aura à adapter aux besoins du monde moderne.*

*Est-il besoin de dire que ces premiers écrits n'ont rien
de hâtif pour la forme comme pour le fond ? La
démarche de l'esprit, comme la course de la plume, sont
délibérées, surveillées. L'auteur n'a rien de « l'écrivain
d'humeur ». Les sujets qui l'occupent méritent trop de
respect. Tout ce qu'il écrit est écrit. L'aspect même de*

— *La Lutte contre la multitude* (1917). — *Le Milieu mystique*
(1917). — *L'Union créatrice* (1917). — *La Nostalgie du Front* (1917).
— *L'Ame du monde* (1918). — *Le Prêtre* (1918). — *La Grande
monade* (1918). — *Mon univers* (1918). — *La Foi qui opère* (1918). —
Forma Christi (1918). — *Note pour servir à l'Evangélisation des
temps nouveaux* (1919). — *Terre promise* (1919). — *L'Elément universel* (1919).

ses manuscrits est d'une minutieuse netteté d'écriture et de disposition, tels qu'ils pourraient sortir d'un calme cabinet d'étude, bien que sa main tremble encore de fatigue et de nervosité au retour des tranchées.

Si le ton d'assurance semble audacieux, vibrant d'une « impatience prophétique », doublé ici d'une vivacité juvénile lorsqu'il bouscule certaines mentalités opposées à ses vues, il faut l'attribuer à son souci de mettre en lumière tels grands aspects du Christianisme que certains autres obnubilent aux yeux des hommes de son temps. Son « lucide et intrépide esprit[1] » ne craindra jamais de faire choc. Il faut songer aussi que l'auteur écrit surtout pour lui-même. Il rédige un témoignage, et, nous l'avons vu, presque un testament. Il ne communique ses écrits qu'à un petit nombre. Il n'espère pas pouvoir les publier. Il ne le tenta que pour deux articles d'actualité dont l'un lui fut refusé et l'autre reçu avec coupures.

Ce qu'il avait vu, senti, pensé, pendant cette période extraordinaire d'où il sortait transformé, saurait-il un jour le révéler ? A la veille de sa démobilisation, il se posait la question anxieuse : « M'entendra-t-on jamais ? »

CLAUDE ARAGONNÈS
(Marguerite Teillard-Chambon)
Juillet 1959.

Aucun texte n'a été publié sans l'autorisation des ayants droit.

1. L'expression est de Sir Julian Huxley, le célèbre biologiste anglais, à propos de l'auteur du *Phénomène humain.*

52

Clermont, dimanche 13 [décembre 1914].

Ma chère Marguerite,

Je t'écris, non point du front, mais du coin du feu de
l'oncle Joseph [1], ce qui est bien le symbole du peu
d'héroïsme de mon existence actuelle. Ma destination
primitive (soldat au 105ᵉ) s'est muée sans difficulté en
une affectation à la 13ᵉ section des brancardiers (caserne
Gribeauval, autrement dit « Paulines [2] »), et c'est là que
depuis deux jours, revêtu d'un habit marron aux
3/4 civil et d'un képi, je végète, sans grand espoir d'aller
à la ligne de feu avant des semaines. Nous autres, brancardiers du service armé, nous sommes exclus des hôpi-
taux, et en sommes réduits à quelques exercices sans
intérêt. Il va falloir s'ingénier pour ne pas se laisser
trop ankyloser l'âme et l'esprit. — Le milieu des brancardiers, au dépôt, est tout ce qu'il y a de moins poétique ; de plus, les qualités d'un chacun passent absolu-

1. Joseph Teilhard de Chardin, frère de son père.
2. Quartier de Clermont-Ferrand

ment inaperçues. C'est l'idéal de la vie banale et ignorée que je t'ai souvent prônée.

Prie pour que je sache en tirer parti et pour qu'elle me prépare à de plus grandes choses...

A Sarcenat, on va aussi bien que possible. Les nouvelles des guerriers sont bonnes. —

Adieu, va toujours de l'avant, en t'appuyant sur NS seul. Mille choses à Mme Parion [1].

PIERRE.

[*20 janvier 1915*] *Moulins-gare, mercredi matin.*

Chère Marg [2],

Cette fois, ça y est — et aussi brusquement que la dernière fois. — Je suis envoyé « Ambulance n° 2, 4ᵉ Brigade marocaine, secteur 98 » [3]. J'ai idée que ce n'est pas loin de Gabriel.

Nous partons dans une heure pour Creil. — Prie pour moi.

Bien à toi,

PIERRE.

1. Madame Parion, sous-directrice de l'Institut Notre-Dame des Champs, amie intime de Marguerite Teillard.
2. Le Père Teilhard abrège souvent ainsi le nom de sa cousine.
3. On trouvera entre les pp. 152 et 153 une carte du Front qui permettra de situer les zones d'opérations du 4ᵉ Mixte Z.-T.

Chère Marg,

Je t'écris d'une hutte, à 10 kms des Boches. C'est encore trop loin, et je ne suis pas encore sûr d'échapper à la situation d'infirmier (au lieu de brancardier). Ici pas de blessés. On entend beaucoup de canon, du côté de Gabriel, que j'espère voir. Je dois être tout près de Marcel. Dans la paille, on ne dort pas mal.

En somme, je ne suis pas encore dans une situation stable, et elle est *très* humble ; on se sent petit près des combattants, et ils vous le font sentir... — Si je reste ici, je pourrai vraisemblablement dire ma messe facilement ; mais depuis cinq jours, pas moyen. Ça manque. — Je prie quand même pour toi et les autres. Amitiés autour de toi. Mes respects à Mme Parion.

PIERRE.

Adresse : 4ᵉ Ambulance marocaine — Secteur 98.

[*Cuvilly*] *23 janvier 1915.*

Reçu ta carte. — Merci. — Marcel est venu ce matin me voir très gentiment ; tu l'as vu récemment ; je n'ai pas à te dire, par conséquent, qu'il va très bien. Nous nous sommes revus avec une vraie joie. Je pense que ce n'est pas la dernière fois

55

Un instant après, c'est Gabriel qui est arrivé, gras et barbu. — Rien de nouveau pour moi. Il fait froid, beau ; on regarde de loin bombarder les tombes et on coupe du bois.

J'ai dit ma messe ce matin, et la dirai sans doute régulièrement ici. Je ne t'oublie pas.

PIERRE.

[*Cuvilly*] *Dimanche 30 janvier 1915.*

Chère Marg,

La cabane n° 1 de la 4ᵉ escouade de la 2ᵉ ambulance marocaine vient de se partager avec jubilation le contenu du paquet si généreusement envoyé par Mme Parion et toi. J'en ai surtout gardé pour moi l'amitié, dont je l'ai senti plein, au moins autant que de lainage. Attends pour un nouvel envoi que ma situation se définisse ; j'ai quelque chance de passer brancardier-aumônier au 8ᵉ tirailleurs, ce qui serait cent fois mieux que ce que j'ai maintenant.

Toujours, ici, c'est le canon ; mais je ne vois ni obus ni blessés. C'est toujours la vie humble. Je tâche de m'y appliquer, pour mériter mieux, si Dieu le veut. Marcel est très gentiment venu me voir deux fois encore. Où que j'aille, je retombe en famille !

As-tu reçu ma lettre du début de janvier, en réponse à tes vers ? Continue, n'est-ce pas ? Demain, ma messe sera en grande partie pour les envoyeuses et les fournisseuses du paquet ; évidemment cette carte est mi-partie pour Mme Parion. Que NS garde son frère et vous bénisse toutes, à l'Institut.

Amitiés autour de toi, à tes parents tout spécialement.

PIERRE.

Chère Marg,

Cette fois, je fais partie du glorieux 8ᵉ tirailleurs, et ce matin, au cours d'un petit déplacement, je me sentais fier de marcher derrière un régiment de chéchias. — Je suis bien un peu « *in partibus infidelium* », mais les chrétiens ne manquent pas, et je suis *seul* prêtre au régiment. Nous sommes toujours au repos. Quand nous irons aux tranchées, j'aurai recours à toi pour ce qui me semblera utile. — Hier, j'ai vu Marcel qui a été fort gentil pour moi et m'a mené dans son home ; mais j'ai manqué Gabriel, et crains de ne plus le revoir de longtemps. — J'oubliais de te dire que je me trouve ici avec de *vrais* et excellents officiers. On doit avoir du cœur à travailler avec des majors comme ceux-là. — Ce matin, 1ᵉʳ vendredi, je n'ai pas pu dire ma messe, et ai dû me contenter d'offrir à NS le portage de mon sac, durant 15 km. — En somme, ce n'est pas dur. — Demain, j'aurai un office. Je prierai pour vous toutes de l'Institut. — Merci de ta dernière lettre ; je suis heureux de ce que tu me dis pour le Chambon [1].

1. Propriété, dans le Cantal, des Teillard-Chambon.

Quant aux séparations, il est sûr que notre cœur en saignera toujours ; mais c'est à ce prix que NS. y entre un peu plus.

Bien à toi,

PIERRE.

[*Marest (Oise)*] *9 février 1915.*

Chère Marguerite,

Ceci est pour te demander... un ballon de foot-ball (association, non rugby, c'est-à-dire sphérique, non ovoïde). Cet article n'est évidemment pas en réserve à l'Institut, mais tu trouveras, peut-être, autour de toi la main généreuse qui donnera la 15ne de francs moyennant lesquels on occupera au 8ᵉ tirailleurs, les après-midi, durant la période du repos prolongé (trop) que nous traversons. — Un ballon est vivement désiré ici, où l'unique qu'on possédait, a été sérieusement compromis hier. Alors, j'ai pensé à toi. Seulement fais ce que tu peux, *sans* te gêner ; j'y tiens absolument.

Je me sens de plus en plus heureux d'avoir passé dans un régiment, comme je te le disais, je suis seul prêtre, et les hommes qui auront recours à moi, le moment venu, sont nombreux, de sorte que j'espère vraiment être à ma place.

La vie de cantonnement est plutôt monotone ; la préoccupation essentielle est de faire la soupe... Grâce aux voix sonores des Bordelais, nombreux dans mon escouade, nous donnons le soir des saluts sensationnels ; en ce moment, un peu de talent musical et culi-

naire me servirait plus que toute ma paléontologie...
Bonnes nouvelles de Sarcenat ; Olivier en a vu de
dures en Argonne. A quand, pour moi, le baptême du
feu ?... — Ton idée d'aller te reposer à Sarcenat est
excellente et si charitable. Tâche de l'exécuter. Je n'en
parle pas à Guiguite [1], en tout cas.

Adieu, je prie pour toi, et je demande à NS. d'associer
nos activités, si disparates puissent-elles paraître, pour
qu'elles « rendent » davantage à son service. Mille
choses à ta famille et à Mme Parion.

PIERRE.

[L'Ecouvillon] Lundi 15 février 1915.

Chère Marguerite,

Le ballon vient d'arriver, en même temps que ta carte.
Merci pour le 8e Tirailleurs ! Je te dirai si on s'en sert
bien. — Nous ne sommes plus au repos, mais cantonnés
à 4 ou 5 km des tranchées, au voisinage desquelles on
se relaie. Celles d'ici sont très soignées, dans des bois.
Le seul poste de secours que j'aie encore vu est une
petite casemate, très chaude, pittoresquement creusée en
pleine forêt. — Je sens donc le Boche de tout près, mais
sans le voir encore. Risques nuls pour l'instant. — Je
crois que je vais devenir de plus en plus aumônier ; je
m'arrange pour circuler tout le long des lignes occupées
par le régiment. On se bat peu ; toutefois, un capitaine
s'est fait tuer, juste 1/2 heure après que j'avais quitté

---

1. Marguerite-Marie, sœur cadette du Père Teilhard.

le poste de secours ; heureusement (à mon point de vue) qu'il a été tué raide ; j'aurais trop regretté de n'avoir pas été là. Tant qu'on ne se battra pas davantage, j'aurai peu à faire comme « ministère de guerre » ; mais petit à petit je fais des connaissances. — Prie pour que j'aie à la fois le zèle, la hardiesse, le tact, et surtout la sainteté ; ton travail, ennuyeux souvent, peut me valoir beaucoup, et ainsi, nous travaillerons à deux, ou même à trois, si Mme Parion veut bien unir ses actes de patience dans le rôle d'économe. — Si tu me fais un envoi, pourrais-tu y comprendre une paire de bretelles et deux ou trois chandails ?

Bien à toi,

PIERRE.

[Montigny] 24-25 février 1915.

Chère Marguerite,

Je viens de recevoir ton copieux paquet de lainages · le bonnet a été immédiatement repéré par mon caporal, un bon petit qui n'est pas riche ; les bretelles ont été enlevées ; avec le reste je vais faire des heureux parmi les tirailleurs dont j'ai fait connaissance durant les derniers jours, aux tranchées. — Car, j'ai enfin fait une période de tranchées, — non pas encore dans les tranchées héroïques, où on se gèle les pieds et où pleuvent les balles, mais enfin dans de vraies tranchées de première ligne, tout près des Boches, où on entend siffler les obus et claquer les balles si une tête se montre trop longtemps aux créneaux. — Je ne me souviens plus exactement dans quelle mesure je t'ai fait connaître la série de mes étapes depuis quinze jours ; elles se résument ainsi : quand le régiment a repris la garde d'un secteur, après le repos, j'ai commencé par aller prendre la relève dans une casemate, comme les autres brancardiers ; puis le colonel m'a fait revenir au cantonnement, pour que j'occupe une position plus centrale. A la réflexion, j'ai pensé que ce n'était pas là ma place, au moins au début, et qu'il valait mieux me faire voir le plus possible, un peu partout sur la ligne. L'expérience de la dernière semaine semble me prouver que c'est bien là la vraie marche à suivre. — Le poste de secours que j'ai occupé, durant cinq jours, est sis dans les caves d'une ferme, magnifiquement située sur un promontoire d'où on voit la ligne ennemie depuis Lassigny jusqu'à Soissons. On y accède en traversant des bois aux arbres fauchés par les obus, puis un pré serré de tombes (datant des combats de septembre) et troué par les marmites. De la ferme, qui a dû être opulente, il ne reste que des pans de murs et des squelettes de machines agricoles. Ce serait lugubre si le panorama était moins somptueux et la vie latente de la grande guerre moins intensément perçue. Le soir je ne me lassais pas de regarder la vaste étendue mamelonnée et boisée, où l'ennemi se cache partout, sans qu'on entende rien qu'un coup de fusil de loin en loin et le chant des hiboux... Mais tout cela, c'est le côté poétique. L'intérêt vrai, à mon point de vue, a été de constater que, dans ma cave et aux environs, les hommes étaient très abordables ; je n'ai sans doute fait aucune conversion, ni donné aucune absolution (les risques courus sont, en ce moment, trop minimes : il n'y a pas eu *un* blessé en dix jours) ; mais j'ai pris contact avec beaucoup de bons enfants, d'autant plus facilement que dans un régiment indigène les Français saisissent avidement l'occasion de converser avec un semblable. Le dimanche, j'ai dit la messe dans la cave du commandant, et dîné avec les officiers ; –– le lundi j'ai partagé le civet de l'adjudant mitrailleur ; etc... Tout cela, j'espère un peu, me pose petit à petit comme le camarade-prêtre à qui on aura recours aux mauvaises heures. Prie bien pour que cela se réalise ; je travaille en partie avec tes prières (et tes ennuis) et celles de l'Institut. C'est entendu, n'est-ce pas ? — Je vais reprendre la relève samedi soir ou dimanche matin. — Ce qui manque aux hommes, plus encore que les lainages, ce sont les moyens de distraction, jeux et livres. Les cartes ont de gros inconvénients et sont peu désirables. Peut-être de petits jeux de dames (sur carton) ou analogues feraient-ils aussi bien. Des livres (récits historiques ou romans, en brochures...) seraient disputés avec avidité ! Mais tout cela n'est pas commode à se procurer, au moins les livres. Si cependant tu trouvais une occasion... — Le ballon sert dès qu'il y a une après-midi libre. — Veux-tu remercier Mme Parion de sa lettre du 16 ? — et de l'envoi, où elle a coopéré ? Elle voudra bien regarder la présente comme un peu pour elle. Sais-tu que j'ai écrit à Guiguite ton idée de venir à Sarcenat ? Tu seras la seule amie qu'elle ait pu avoir cet hiver. — Bonnes nouvelles des garçons. Victor est toujours en partance ; Olivier foudroie les Allemands, « *in high spirit* » ; — Gabriel se morfond un peu en seconde ligne, où les obus viennent quand même le chercher ; je n'ai pas pu le voir depuis un mois !

Adieu. Bien des choses à mon oncle et à ma tante, et à tes sœurs. Je prie pour toi et tes 2 familles[1].

PIERRE

[*Boesinghe, près Ypres*] *17 mai 1915.*

Chère Marguerite,

Ceci est une réponse à ta dernière carte et à la bonne longue lettre de Mme Parion. Je vous écris à toutes les deux de l'entrée de mon terrier, où l'on n'accède aujourd'hui qu'en patinant sur la glaise terriblement glissante. Nous sommes donc toujours aux abords de l'Yser, au malencontreux voisinage des canons boches, qui ne nous laissent guère de répit ; malgré une accalmie relative (hier pourtant nous avons attaqué assez sérieusement), les projectiles, sauf pourtant les gros 390 ou 420 à bruit de tramway qui ont disparu, continuent à tomber un peu partout. Avant-hier, de la sorte, un de nos meilleurs capitaines était grièvement touché ; en cette circonstance plus qu'en aucune autre peut-être, j'ai expérimenté la puissance du prêtre... Ces huit derniers jours, j'ai passé par deux ou trois « expériences » terriblement émouvantes... Je te les raconterai plus tard, si Dieu nous garde. Depuis l'Ascension, j'ai recommencé à dire ma

---

1. L'Institut Notre-Dame des Champs dont Marguerite Teillard était directrice, et sa propre famille.

messe, dans une auberge ruinée, sur un buffet que font souvent trembler les explosions d'obus. Comme je l'écrivais à Guiguite, je devrais être heureux, chaque matin, de songer que j'ai quelque chance de paraître devant NS, et de le tenir enfin, dans le courant de la journée... Et pourtant je n'en suis pas encore là. La Nature est toujours la plus forte. Petit à petit, cependant, il me semble qu'ici on finit par moins tenir à sa peau et à considérer la mort comme une éventualité ordinaire.

Je ne manque pas de prier pour vous et l'Institut.

Un de mes regrets est de n'avoir pas le temps de recueillir un peu mes impressions et de les fixer par écrit : il y aurait des choses si intéressantes à dire sur cette agonie de l'Yperlée. Pour cela aussi il faudrait circuler un peu plus que je ne fais. Si nous allions au repos, j'essaierais peut-être tout de même. Sache que je suis caporal depuis 2 jours. Cela va peut-être me faciliter mon rôle d'aumônier.

Bien à toi,

PIERRE.

Mille souhaits et souvenirs à Robert. Toutes sortes d'encouragements à Madame Parion pour les conférences.

[*Rexpoede*] *28 mai 1915.*

Ma chère Marguerite,

Depuis longtemps je n'ai plus tenu de plume ; avec celle-ci, j'écris encore sur une caisse, parmi des bette-

64

raves ; mais c'est déjà un progrès dans le confortable,
et tu en conjectureras, non sans raison, que nous sommes
au repos. Nous avons quitté une belle nuit, silencieuse-
ment, nos tanières, et j'avoue humblement que c'était,
en nous, comme un épanouissement à mesure que, sortant de la zone des obus, nous redevenions celui qui
peut regarder des moissons intactes et des villes animées
sans avoir, sur l'esprit, la pesanteur d'aucun péril. Dans
huit jours, si on nous octroie d'aussi longs loisirs, je
recommencerai sans doute à éprouver la nostalgie du feu.
Pour l'instant, je me laisse encore aller à la détente. —
Somme toute, nos derniers temps à Ypres ont été
plus calmes que les débuts, mais alors il s'est trouvé que
l'espacement des morts et des risques permettait d'en
« savourer » davantage tout l'amer ; de plus, nous
avions tous plus ou moins pris en grippe le secteur ;
— si bien que l'existence, à la fin, était à peine plus
gaie qu'au début.

Deux obus arrivés dans notre cuisine (sans tuer personne) et de nombreux autres dont l'explosion ébran-
lait nos cagnas, finissaient par rendre notre cantonnement en particulier d'un séjour désagréable. Je n'ai
pas mené tout à fait la vie que tu t'imagines peut-être,
tout occupée à panser et à consoler. Sauf aux jours
d'attaque, rares en somme, où le travail s'accumule et
s'accomplit à la hâte, — bien mécaniquement, hélas
(par force) — les occasions de recueillir les blessés
graves sont relativement exceptionnelles, et beaucoup
m'ont échappé ; — de plus, en présence des indigènes,
je suis absolument désarmé, par suite de la différence
des langues et de l'abîme séparant les mentalités. Fina-

65

lement, donc, c'est avec de rares individus, des officiers surtout, que j'ai pu agir en prêtre ; il est vrai que, une seule minute de celles-là, où on se sent désiré et fort comme N.S. et par Lui, fait oublier toutes les longues inactions et justifie des semaines d'attente et de vie sans utilisation apparente. — Je suis très frappé de ce double fait : nombre très petit des âmes où soit éveillé le besoin religieux, et extraordinaire vulgarité concomitante à cette atrophie. Autour de moi, les âmes chrétiennes sont un tout petit nombre, mais, aussi clair que le jour, elles sont (à de rares exceptions près) les seules « réussies », les seules vraiment humaines. Et ainsi, l'apparent insuccès de la religion est en réalité le triomphe de sa nécessité et de son efficacité. T'avouerai-je, bien bas, qu'à certains moments, je me sens terriblement lassé du milieu égoïste et bourgeois (pour ne rien dire de plus) où je suis confiné. Alors j'éprouve la forte envie de renvoyer tout ce monde-là à ses bouteilles ou à son oreiller et de me faire une tour d'ivoire. Mais ce serait, au point de vue chrétien, une indignité... N.S. a-t-il fait, et fait-il autre chose que de condescendre et d'éduquer. Je dois rester bon avec le « vulgaire » et en contact avec lui. Prie Dieu qu'Il m'aide à cela.

C'est, en grande part, à ma situation dans une section de non-combattants, que je dois de trouver si peu de beauté morale dans mon entourage. Dans certains corps (français) où sont de mes amis [1], la floraison est plus belle, et tout ce qu'on dit des vertus du front est vrai, je crois ; seulement, voilà : je suis mal placé pour les voir

1. Il désigne par ce mot ses confrères jésuites mobilisés.

bien, ou, du moins, souvent. Raison de plus pour garder ma place, n'est-ce pas ?

Je te dis tout cela parce que j'ai besoin de l'extérioriser un peu mais point du tout pour te montrer une dépression plus au moins contagieuse, qui n'existe pas, j'espère. Il ne faut pas fermer les yeux sur la difficulté et les déficits ; plus on les reconnaît, moins ils déconcertent. — Si j'ai acquis une conviction, ces derniers temps, c'est que, dans les rapports avec autrui, on ne saurait jamais être trop bon et trop doux dans les formes ; la douceur est la première des forces, et la première peut-être des vertus, parmi celles qui se voient. Je me suis toujours repenti d'avoir laissé percer de la dureté ou du dédain, — ce qui est si doux pourtant.

Pour en revenir aux nouvelles extérieures, je te disais donc que la dernière quinzaine n'a été marquée, pour nous, d'aucune affaire sérieuse : seulement des blessés isolés à cueillir, de temps en temps. Je ne sais si ce n'est pas à toi que j'ai raconté l'histoire d'une randonnée particulièrement mouvementée, dans les tranchées de première ligne. Cette nuit-là, plus encore que les autres, les Boches fusillaient le glacis qui nous sépare, et c'était, sur les levées de terre au-dessus de nos têtes, un crépitement continu de balles de mitrailleuses mêlé d'éclatements sourds de bombes. De minute en minute, des fusées éclairantes illuminaient la ligne, suivies de salves. Pour comble de malheur, il pleuvait, et c'était dans un boyau fangeux et sinueux, où l'on ne passe qu'un de front, qu'il fallait circuler avec un homme sur le dos. J'ai cru dix fois que nous n'arriverions pas au bout, et qu'il faudrait abandonner la tâche. Finalement, couverts d'une carapace de boue, nous sommes parvenus à dégager notre homme ; mais je t'assure que ce fut avec soulagement que nous le passâmes à des camarades de renfort. En la circonstance, j'ai mesuré le courage dépensé par les combattants qui passent des journées et des nuits dans cette averse de projectiles où je ne me suis jamais trouvé qu'en passant, et qui chargent au milieu. — Je sais qu'en revanche ils ont l'excitation de la lutte ; mais tout de même, je me sens fort petit en face de ces gens-là. Pour l'instant, je suis hébergé assez confortablement, dans la grange d'une ferme flamande ; je reproche simplement au temps d'être un peu trop frais. Tout est calme, et d'une verdure épaisse. — Hier, je reçus la longue lettre de Mme Parion. Je m'imaginerai, le 3, être à la Première Communion de l'Institut, mais il faudra, arrivé à la porte du 20 rue Montparnasse, me transporter au 61 *bis* de la rue ND des Champs pour revoir la chapelle et les cérémonies où j'étais ces deux dernières années. Quand verrai-je ton nouveau chez-toi ? — Votre paquet ne m'est pas encore arrivé ; dès que je l'aurai, je me mettrai docilement à la kola — pour vous faire plaisir. Personnellement, je ne panse guère ; mais vos bandes serviront peut-être. Je vous le dirai.

A Dieu. Au moment de clore la présente, j'ai une vague inquiétude que tu n'en conclues que je suis dans le « gris », et que cette idée ne te démoralise, si peu que ce soit. Garde-t'en bien. Je suis heureux au fond, d'avoir passé par Ypres. J'espère en être sorti plus homme et plus prêtre. Et plus que jamais, je crois que la vie est belle, dans les pires circonstances — quand on y regarde Dieu, qui y est toujours... Je te demande seulement une fois encore, de joindre ton « effort pour vivre » au mien, pour que l'un supportant l'autre, nous agissions plus efficacement au service de N.S. — Sois paisible et heureuse *au fond*, n'est-ce pas. Si nous croyons que la lutte de deux civilisations mérite que des hommes lui sacrifient leur vie particulière, pourquoi nous étonner que la sauvegarde de l'éducation chrétienne (même sous des formes peut-être imparfaites) s'obtienne *au prix* de certaines existences, dont peut-être la tienne ? Si tu es, en quelque chose de toi-même, « blessée » ou « tuée » pour que triomphe enfin le droit des hommes à modeler l'âme de leurs enfants dans le Christ et dans la liberté, — si tu es blessée, même par ricochet ou par une balle perdue, dans ce grand combat-là, pourquoi t'en attrister ? — N.S. n'oublie pas ceux qui sont atteints à son service...

Bien à toi. Je répondrai bientôt à Mme Parion.

PIERRE.

[*Zuydcoote*] *4 juillet 1915.*

Chère Marg,

Je réponds ici à tes deux lettres du 24 et du 28. La seconde est venue me rejoindre dans les dunes à l'est de Dunkerque, où nous étions pour deux jours en manœuvres ; c'est te dire que nous sommes toujours, et pour longtemps encore, peut-être, en arrière de la ligne de feu. Seule l'expédition (bien rare) de quelque marmite à longue portée nous reste comme dernière chance d'entendre parler les Boches. — J'ai donc pu penser à loisir à ce que tu me dis sur les difficultés que tu éprouves à « vivre dans le monde comme n'y étant pas ». Voici ce que je trouve à te dire. Avant tout, aie confiance dans le *lent* travail de Dieu. Tout naturellement, nous sommes impatients, en toutes choses, d'arriver de suite au terme. Nous voudrions sauter les intermédiaires. Nous souffrons impatiemment d'être *en chemin* vers quelque chose *d'inconnu, de nouveau*... C'est pourtant là la loi de tout progrès qu'il se fait en passant par de l'instable, — lequel peut représenter une fort longue période. C'est ainsi que, depuis un an, nous sommes en suspens au sujet de la civilisation de demain. — Ainsi en est-il, je crois, de toi. Petit à petit, tes idées mûrissent, laisse-les croître, se former, sans précipitation. N'essaie pas de les « forcer », comme si tu pouvais être aujourd'hui telle que le temps (c'est-à-dire la grâce et les circonstances agissant sur ta bonne volonté) te fera demain. Cet esprit nouveau, qui se dessine en toi, petit à petit, Dieu seul pourrait dire quel il sera. Fais à N.S. le crédit de penser que sa main te mène bien, à travers l'obscurité et le « devenir », — et accepte, par amour pour Lui, l'anxiété de te sentir en suspens, et comme inachevée. — En attendant le jour où, enfin, tu te sentiras marcher sur du stable, remarque que ce « stable » peut fort bien, pour toi, être constitué par une forme de vie laïque et « individualiste ». Il est très vrai qu'une certaine logique et un certain besoin font que la majorité des âmes convaincues que Dieu seul vaut qu'on se donne à Lui se groupent et s'encadrent. Ce n'est pourtant pas, heureusement, une règle. *Toutes* les formes d'existence peuvent être saintes, et pour chacun la forme idéale, est celle où N.S. l'achemine, par le développement naturel des goûts et par la pression des circonstances.

Je pense qu'il est inexact de dire, comme tu le fais, que, dans la vie religieuse, les hommes cherchent plus de sécurité en « *réduisant* » leur activité ; s'ils le croyaient, ce serait très dommage, et peu honorable pour la Providence. Non, canaliser [ordonner] n'est pas réduire. Pose en principe, et ne te lasse pas de redire autour de toi ceci : une des marques les plus sûres de la vérité de la religion, en soi et dans une âme en particulier, c'est d'observer jusqu'à quel point elle fait agir, c'est-à-dire dans quelle mesure elle parvient à faire jaillir, des sources profondes qui sont en chacun de nous, un certain maximum d'énergie et d'effort. L'action et la sanctification vont de pair, et se soutiennent l'une par l'autre. — Tu veux te sentir davantage en équilibre, au milieu des mille heurts de la vie libre : applique-toi à augmenter ton élan personnel, ta poussée vers le bien à réaliser autour de toi. Quand ta « force vive » morale sera ainsi accrue, les souffles discordants, qui te feraient osciller et hésiter *au repos,* ne te feront qu'à peine dévier, parce que tu seras *en mouvement.* — Tu ne sais comment pratiquer « l'abnégation en pleine activité ». Mais tu te donnes la réponse à toi-même : en agissant ! Le plus grand sacrifice que nous puissions faire, la plus grande victoire que nous puissions remporter sur nousmêmes, c'est de surmonter l'inertie, la tendance au moindre effort. L'action chrétienne détache et unit à N.S. par elle-même. Sans te préoccuper de renoncements théoriques, commence par te vouer à l'accomplissement de ta tâche, souvent écœurante, qui t'est assignée *par Dieu*. Lui t'aidera, te fournira (par son approbation cachée et, s'Il le permet par un guide en qui tu aies la consolation de Le sentir) le point d'appui nécessaire à ton labeur. Laisse-toi faire par Dieu. Tu pleures d'envie en voyant ceux qui mettent de l'éternité dans leur vie. Mais ta vie en est pleine, je te l'assure. — L'éternité entre dans notre existence consciente du jour où nous « mettons le cap » sur Dieu. Or, c'est ton cas, dès maintenant ; — les mille oscillations qui t'alarment parce qu'elles te font zigzaguer encore, tu ne les éviteras nulle part ; l'action seule, de plus en plus intense, dans le sens du vouloir divin, — même à contre-goût, — les réduira.

Merci des coupures de journaux sur Latapie [1]. Tu dois souffrir de te sentir humiliée, devant *Em. de M.* [2]. Bienheureux ceux qui souffrent de ne pas voir l'Eglise aussi belle qu'ils le voudraient, et qui n'en sont que plus soumis et plus suppliants. C'est une peine profonde, mais de haute valeur surnaturelle. On ne le redira jamais assez : le catholique est celui qui est sûr de l'existence de J.C. - Dieu à raison de certains motifs, et *malgré* beaucoup de scandales. — Pourquoi faut-il que trop d'esprits ne voient que les scandales et attendent de les réduire pour aborder les motifs ! — Attendons. — La *kultur* est quelque chose d'excessivement complexe. Qui sait si la réserve, douloureusement sentie par nous, du

1. Latapie, journaliste français, dont l'œuvre la plus connue est une enquête parue dans *La Liberté* en 1905 : *Sommes-nous prêts ?*
2. Em. de M. : Emmanuel de Margerie, géologue, de l'Institut.

St. Père, n'est pas le coup de frein nécessaire pour nous sauver d'un absolutisme sectaire...

A Dieu. Amitiés à Mme Parion. Mille choses aux tiens.

PIERRE.

Très bien pour l'œuvre des Bourses. Tu es une des seules à pouvoir pousser la chose, — et ceci c'est la compensation des ennuis de la Directrice, ceci paie cela.

P.-S. — A mon adresse, ajoute « 1er Bataillon » (voir l'enveloppe).

[*Zuydcoote*] 27 *juillet 1915.*

Chère Marg,

Un petit mot seulement, aujourd'hui, pour t'assurer que je végète toujours dans la verdure de ma ferme flamande, — et pour te dire que je demande à N.S. de te donner des vacances calmantes et fortifiantes. — Laisse-toi reprendre, sans scrupule, par la familière grandeur du vieux Cantal, et permets à la silencieuse paix des montagnes natales de t'envahir et de te fixer en elle. Tu as besoin de ce repos, pour reprendre bientôt l'action qui te demande et t'attend pour te sanctifier. Prise sous un certain aspect, la nature est une endormeuse, qui nous berce de nirvanâ et de tout le vieux panthéisme ; plus réellement, elle est une pénétrante invitation aux efforts lents, patients et méconnus, par où l'individu, porté par tout un passé, prépare humblement un monde

73

qu'il ne connaîtra pas. Moralement parlant, je voudrais, moi aussi, en ce moment, pouvoir me fortifier dans le don entier de tout moi-même à la grande tâche actuelle, au moyen de la contemplation sereine de l'œuvre de vie poursuivie par Dieu à l'aide de ses créatures. Mais l'encadrement, comme soldat, dans une compagnie au repos depuis deux mois (c'est-à-dire autour de laquelle a eu le temps de recroître le réseau formaliste des consignes de garnison), ne me laisse ni bien prier, ni bien penser, ni bien regarder. Et pourtant, ce ne sont pas les beaux spectacles qui manquent ici. Accoudé à la lourde barrière qui clôture notre ferme, je puis voir une véritable mer de blés, ondulant jusqu'à l'horizon de l'extrême « platitude » flamande ; au milieu, comme des îlots serrés, les fermes émergent, invariablement cernées de haute verdure ; de hauts clochers percent un peu partout, évoquant des noms à physionomie bizarre (Rexpoede, Hondschoote etc...), ou rappelant tout un joli passé lointain (Le Pont-aux-Cerfs). — Il y a quelques jours, j'étais assis dans les dunes, en face de la grande mer verte où les sous-marins glissent et où les mines dérivent ; à l'Est, sur Ostende et Dixmude, d'énormes nuages, frappés en plein par le soleil couchant, s'entassaient en floconnements à relief fantastique, piqués de petits points d'encre (des obus boches tirés sur quelque avion). C'était très beau, et cela donnait au cœur un grand besoin de vivre. Pourquoi faut-il laisser passer en soi tous ces souffles sans avoir le temps de leur faire rien produire, sans même avoir personne à qui les communiquer un peu !... C'est sans doute, une fois de plus, que, dans le conflit actuel, chacun doit oublier ce qu'il pourrait acquérir de perfectionnement égoïste, pour devenir le simple effort voué au labeur commun. La Providence, du reste, a eu l'attention de m'envoyer, sous forme d'un « aspirant » (élève-lieutenant) un charmant Père Blanc (diacre) qui me sert la messe, chaque matin, dans la maison que nous habitons ; sois sûre que je n'oublie à ce moment-là ni toi, ni tes deux familles. Bien à toi.

PIERRE.

[Dunes de Zuydcoote] 5-6 août 1915.

Chère Marg,

Je réponds à ta lettre du 1er août, qui fut la bienvenue ; et en échange de la bouffée d'air des montagnes qu'elle m'a apportée, je veux qu'en la présente soit inclus un peu du grand souffle de la mer. Voilà pourquoi, pour t'écrire, je suis venu m'asseoir au bord de la dune, là d'où on domine la grande Verte (presque bleue aujourd'hui) et la longue bande de sable qui s'étend depuis Dunkerque, à ma gauche, jusqu'aux sites, désormais légendaires, où, en novembre dernier, goumiers et cipayes arrêtèrent la ruée sur Calais.

Oui, tu as raison, c'est par son masque d'impassibilité que la Nature repose nos activités inquiètes ; le rythme de ses changements, trop lent pour la durée exiguë de nos vies humaines, nous fait croire qu'elle est immobile ; l'innombrable gamme de vibrations par où s'échafaude la matière, se synthétise pour nos sens en qualités stables ; la vie elle-même paraît s'envelopper de formes distribuées toutes faites, acquises et conservées sans effort. Cet immobile, ce stable, cet ordre, nous charment et nous détendent, par contraste avec le laborieux et obscur devenir que nous sentons s'élaborer en nous. — Mais sont-ils autre chose qu'une apparence, où nous « incarnons », plus ou moins à tort, nos rêves de définitif et de divin ? — Quand on la fixe bien dans les yeux, la Nature, sans paraître toujours aussi inexorable et cruelle qu'elle se montre à Taine ou à Vigny, laisse deviner en elle un presque angoissant effort vers la lumière et la conscience.

Ainsi l'a très bien vue le grand Bergson ; ainsi se révèle-t-elle à nous (comme à saint Augustin), non pas divine et adorable, mais humble et priante. « Non, je ne suis pas ton Dieu. » — Voilà ce que je me dis, en ce moment, quand je regarde la mer. Voilà ce que je te souhaite de lire dans les profils de tes pays et dans l'élancement de tes grands sapins. « *Natura ingemiscit et parturit ...* » dit à peu près St. Paul [1]. Quand tu souffres et travailles tu ne fais que joindre ton petit effort à Celui qui est l'âme de toute la Création. — Si tu comprends ce langage des âmes qui montent vers le ciel, tu reviendras, plus forte, à ton devoir et à tes soucis de Directrice. Crois-moi : par toute la lutte contre l'ennui et l'obscurité que tu soutiens, depuis longtemps, en toi, Dieu te prend, lentement et sûrement pour Lui. A ce travail d' « accaparement » divin concourent, sans

---

1. Saint Paul : *Romains*, viii, 22.

nul doute, la déception que tu as éprouvée au sujet des Xavier [1] (sur qui tes affections familiales fondaient tant d'espérance) et les autres expériences, déconcertantes à ton cœur, dont tu me parles sans les définir explicitement. De tels revers risquent de fermer et d'aigrir les âmes qui ne se décident pas à chercher, hors de leur entourage visible, un point d'appui à leurs efforts, un intérêt à leur vie ; toi, ils peuvent et doivent te *libérer*.

Maintenant, grâce à eux, tu es un peu plus rejetée vers Dieu, un peu plus unifiée en Lui, — un peu plus forte aussi pour semer le bien autour de toi : la charité, pour être inépuisablement sereine et aimante, doit avoir fait le sacrifice de toute rétribution cherchée dans la gratitude et affection des hommes.

Puisque je t'écris des Dunes, c'est donc que je suis toujours en Flandre — et au repos. Rien par conséquent à te dire de bien intéressant — sauf, peut-être, que la Brigade fut récemment passée en revue par Lyautey, et le régiment gratifié d'un drapeau par Poincaré en personne. Je n'étais malheureusement pas à la dernière de ces cérémonies, qui méritait pourtant d'être vue, puisqu'elle est devenue une des scènes classiques du front : « Survolée par des avions protecteurs, les troupes sont rassemblées près de la petite ville de X... Soudain, une auto apparaît. Alerte, un monsieur en casquette descend : c'est le Président de la République... etc... » Ainsi fut fait. Le lieu choisi pour la revue avait récemment été cherché par les 380 allemands ; ils n'ont pas su profiter de l'occasion pour recommencer. — Grâce à

---

1. Oncle et tante de Marguerite Teillard.

mon nouvel ami, le P. Blanc, je puis maintenant échanger quelques idées ; sur son dos j'expérimente le degré de solidité et de précision des quelques idées qui sont parvenues à se former en moi au cours des mois agités que nous venons de traverser.

C'est ainsi que, sur la demande d'un ami, j'essaie de mettre au point quelques brèves réflexions sur le problème du mal. « S'il y avait un bon Dieu, il ne permettrait pas la guerre. » Voilà ce qui hypnotise en ce moment nombre d'esprits, pas tous médiocres. Quand j'aurai mis debout deux ou trois pages sur la matière, je te les soumettrai. Plus encore que les *scènes* de la guerre, il faudrait fixer les *impressions* qu'elle éveille, les *jours* qu'elle jette sur le monde. — Je viens de lire le *Catholicisme et la Guerre Allemande* de Mgr Baudrillart[1]. Les articles de Goyau[2] (et même de Gaudeau[3]) m'ont satisfait. Mais qui donc arrivera à définir les relations de l'individu et de la société, à fonder la morale des collectivités ? Il me semble que dès qu'on passe de la conscience individuelle aux phénomènes collectifs, on retombe dans le fatal, dans l'aveugle, — comme si l'agglomération des sociétés humaines aboutissait à faire cristalliser autour de nous une nouvelle

1. Monseigneur Baudrillart était recteur de l'Institut Catholique de Paris.
2. Goyau. Georges Goyau, écrivain catholique qui avait été l'un des premiers à soutenir la politique du ralliement, conseillée par Léon XIII. Avait publié, entre autres, de remarquables études sur l'Allemagne religieuse.
3. Gaudeau, théologien français, de la Compagnie de Jésus. Appartenait à la tendance dite intégriste. Son livre sur *le Panthéisme contemporain* est de 1914.

matière... J'entrevois mieux du moins que c'est un des trésors du dogme de nous forcer à maintenir la primauté et la priorité sur toutes choses, des âmes, c'est-à-dire des centres individuels.

En somme, loin du feu, je me reprends à mener une petite vie normale ; je me réaccoutume à vivre avec un horizon de vie longue devant moi, il serait temps de retourner aux tranchées.

Merci de me donner des nouvelles de tes frères ; je suis heureux de l'activité de Robert et souhaite du mouvement au XIIIe corps. Tu sais que Gabriel, en désespoir de cause, ambitionne de monter en « saucisse » comme observateur ? Victor a eu le baptême du feu, — glorieusement, paraît-il. Je n'ai aucun détail. Tout cela on te le racontera à Sarcenat, dans quinze jours. Je n'attends pas de permission avant la fin de septembre. Moi aussi je voudrais te voir, mais je crains que le mode de voyager ne me permette pas d'arrêter à Paris. On verra cela, le moment venu.

Adieu. Je dis ma messe *at home*, toujours. Mais demain, 1er vendredi, nous serons en marche (retour des Dunes) et j'en serai privé. Je n'en demanderai pas moins à N.S. transfiguré qu'Il te fasse discerner toujours un peu plus ses ineffables et pacifiantes perfections.

Amitiés autour de toi,

PIERRE.

Je voudrais savoir que ton père a des vacances. Dis-lui que je ne l'oublie pas.

Chère Marg,

Merci mille fois pour ta si longue lettre du 17. Moi aussi, j'aimerais à pouvoir, dans une libre conversation, t'envoyer mes idées, à mesure que je te lis... Prenons, puisqu'il le faut, la plume trop lente, mais bienfaisante, qui force notre pensée à la précision, et la fixe plus solidement que la parole en face de ceux que nous voudrions faire voir, lire, dans nos convictions et notre plus intime façon de concevoir les choses...

Avant tout, au cas où tu garderais quelques inquiétudes à ce sujet, sache que je t'écris d'un lieu de tout repos. Depuis quelques jours, nous avons quitté la campagne désolée par où passe actuellement le front de l'Yser, et nous cantonnons placidement dans une ferme riante, d'où le regard, fatigué par les plaines uniformes, se repose avec prédilection sur les crêtes basses et chargées de moulins à vent des collines de Cassel. La semaine dernière fut, je te l'avoue, assez dure — non pas que les tranchées occupées par nous fussent le théâtre d'aucune attaque, — mais à raison de l'extrême proximité des Boches dont nous séparait, je te l'ai dit, la largeur d'un canal[1]. Pour accéder au groupe de cagnas et casemates qu'abritait le parapet (en sacs) de la 1ʳᵉ ligne, il fallait suivre 1800 m. de boyaux creusés dans un sol inondé à la moindre pluie, et trop souvent

1. Canal de l'Yser — Boesinghe.

envahis par l'odeur fétide des cadavres mal (ou pas du tout) enfouis. Arrivé « chez soi », on n'avait guère à redouter les obus (nous étions trop près des Autres pour qu'ils se risquassent à tirer sur nous des coups qui fussent probablement tombés chez eux), mais il fallait se mettre à jouer à cache-cache avec les diverses bombes et torpilles qui risquaient à chaque instant de s'amener sur nous, à peine annoncées par le petit bruit sec du coup de départ. Je ne parle pas de balles qui, à certaines heures, tombaient comme grêle sur le parapet, s'enfonçant dans la terre avec un bruit sourd, déchiquetant les sacs, claquant dans l'air comme un violent coup de fouet, mêlant leurs sifflements divers aux éclatements des bombes dont l'explosion ressemble à un énorme gémissement. — Je ne voudrais pas dire qu'à certaines autres heures, quand, brusquement, le calme se faisait, il n'y eut pas des minutes profondément douces et intenses, passées dans la contemplation du désert muet où deux armées invisibles se guettent dans les herbes jaunes ; de ces minutes, j'ai profité avidement, surtout quand le soleil descendait, tout rouge, sur la France, — avant que commençât la fusillade nocturne. — Dans l'ensemble, et malgré de réelles compensations offertes à la curiosité, à la poésie, à la vie intense, il reste que la situation était médiocrement agréable. — Trois officiers ont été écrasés à la fois, par une mine, dans un gourbi près du mien !...

Ceci dit pour te rassurer sur mon sort actuel, j'en viens à ta lettre. J'ai lu attentivement tes considérations sur la valeur de la guerre actuelle. C'est vrai : nous recommençons, à l'échelle des nations, le travail de moralisation si peu avancé encore chez les individus. Comme me l'écrivait hier Breuil[1], « nous sommes flottés, Boches et Alliés, vers une cataracte qu'un tournant nous cache, mais dont on entend le bruit. Après, on ne sait pas ce qu'il y aura. La civilisation est au creuset encore une fois ; mais nous ne connaissons pas le moule... »

En ce qui te concerne personnellement, écoute-moi, une fois de plus, te redire ce qui est une de mes plus chères convictions de cousin et de prêtre : « Ne t'inquiète pas de la valeur de ta vie, de ses anomalies, de ses déceptions, de son avenir plus ou moins obscur et sombre. Tu fais ce que Dieu veut. Tu lui offres, au milieu de tes inquiétudes et de tes in-satisfactions, le sacrifice d'une âme humiliée, qui s'incline, malgré tout, devant une Providence austère. Tu es privée même de la joie de sentir que tu es résignée, que tu acceptes, que tu aimes, et cependant tu veux te résigner, te montrer fidèle. N'aie pas peur : tout ce labeur t'est compté et remplit magnifiquement tes heures. Peu importe que d'autres fassent plus de bien que toi, et à moins de frais : l'essentiel n'est pas de faire du bien, mais de tenir la place, même inférieure, voulue par Dieu. — Peu importe que, dans l'intime de toi-même, tu sentes, comme un poids naturel, la tendance à te replier sur tes tristesses et tes défauts : nous avons bien d'autres pesanteurs « naturelles » en nous, celles qui ont pour nom jouissance, égoïsme, moindre effort ; la *vérité* ne consiste-t-elle pas cependant à s'en libérer, en dépit de l'attitude *forcée* que cette tentation nous impose ? — Peu

---

1. M. l'abbé Breuil, le célèbre préhistorien, grand ami du Père Teilhard.

importe que humainement, tu te trouves « ratée », si Dieu, Lui, te trouve réussie, à son goût. Je sais que c'est ce dernier point que tu contestes. Tu ne veux pas admettre que la souffrance te sanctifie, toi. Crois-en humblement, ce que te disent les promesses de N.S., l'exemple des Saints, les affirmations de ceux qui te parlent au nom de Dieu. Petit à petit, NS te conquiert et te prend pour Lui. Sans doute, la paix du cœur, sa dilatation au milieu de chaudes et reconnaissantes affections, est plus harmonieuse, plus normale, plus propre à l'action facile, que l'isolement et les brisures. (Ainsi en est-il de la santé relativement à la maladie...) Voilà pourquoi nous devons tendre, par nos efforts personnels, à nous assurer des appuis dans de bonnes et solides amitiés, à nous garder des infirmités du corps et de l'âme... Mais si Dieu intervient pour nous *sevrer* le cœur, pour détourner par force, sur Lui seul, l'appétit de bonheur et d'amour réciproque qu'Il a excité en nous pendant d'heureuses années de jeunesse, — alors, il ne faut pas s'en plaindre. N'en veux pas à NS s'Il désire faire de toi plus que ce que tu appelles « une simple chrétienne ». Parce que ton action doit porter loin, elle doit émaner d'un cœur qui a souffert : c'est la loi, douce en somme... Je t'en prie, quand tu te sentiras triste, paralysée, *adore* et confie-toi. Adore, en offrant à Dieu ton existence qui te paraît abîmée par les circonstances : quel hommage plus beau que ce renoncement amoureux à ce qu'on *aurait pu être !*... Confie-toi, perds-toi aveuglément dans la confiance en NS, qui veut te rendre digne de Lui, et y arrivera, même si tu restes dans le noir jusqu'au bout, pourvu que tu tiennes sa main, toujours, d'autant plus serrée que tu es plus déçue, plus attristée. Laisse de côté toute préoccupation exagérée d'esthétique intérieure, toute analyse énervante de ta plus ou moins réelle sincérité et unification morale. Nous traînerons, jusqu'au bout, avec nous, des incohérences et des inachevés : l'essentiel est d'avoir trouvé le centre d'unification, Dieu, et d'avoir loyalement essayé durant la vie de Le faire régner dans notre personne, — ce petit fragment d'être que nous régissons et qui est si peu à nous. Quand, un beau jour, qui viendra vite (il n'y a pas de vie longue) Jésus-Christ se manifestera au cœur de nous-mêmes, tous les éléments que nous aurons si laborieusement travaillé à orienter vers Lui achèveront de se grouper tout seuls, dans leur situation vraie. En un sens, la réussite de nos efforts compte peu (Dieu peut tout corriger en un clin d'œil) : ce sont les efforts qui ont du prix.

Adieu. Ci-joint une sèche esquisse de dissertation sur le problème du Mal. Si cette lettre t'atteint à Sarcenat, embrasse Guiguite... et soumets-lui la dissertation.

Je prie pour toi.

Pierre.

Je suis content de ce que tu me dis de Robert.

[*Basseux-Rivière*] *20 septembre 1915.*

Chère Marguerite

Te voici au moment de reprendre une nouvelle année scolaire, la première dans *ta* maison ; de mon côté, je suis à la veille de remonter aux tranchées, dans des conditions qui, peut-être, me rendront une correspondance, longue et reposée, un peu difficile, — au moins durant quelque temps. Je veux donc profiter de la tranquille après-midi qui m'est encore donnée ce soir pour te faire quelque chose comme des « recommandations ». Si jamais il m'arrivait un de ces coups qu'on appelle fâcheux, ou simplement si je venais à être dans le cas de m'y exposer, (ne crois pas que j'obéisse ici à un pressentiment spécial : je mesure simplement et objectivement les chances possibles), je me sentirais plus fort et plus tranquille à l'idée que tu es absolument fixée sur ma pensée à ton égard, laquelle, j'espère, est conforme aux estimations de NS, — au nom de Lui seul, j'ai toujours esayé de te parler et de te tranquilliser. Donc, et avant tout, je crois que tu es *à ta place,* à celle pour laquelle tu as été faite, et vers laquelle tu as été acheminée par une série d'événements, douloureux et chaotiques à ton cœur et à tes yeux, et cependant voulus par Dieu. Je crois que le fait de te trouver « à ta place » est *conciliable,* parfaitement, avec l'état persistant de révolte et de dégoût où NS te laisse végéter, et, par instants, t'enliser, — pour réaliser en toi quelle nuance de sainteté ? Je l'ignore, — certainement pour te faire plus humble, plus confiante, plus détachée, d'autant plus sanctifiante et puissante dans tes œuvres que tu croiras moins en toi, que tu te préoccuperas moins de ta réussite personnelle. — Je crois néanmoins (malgré que le contraire soit possible et ne devrait pas, au cas échéant, te déconcerter) que tu ne resteras pas indéfiniment dans cette épreuve ; il me semble, je te l'ai dit plus d'une fois, que tu es dans une *phase de transformation,* dans une crise, qui se dénouera un jour dans le calme et l'épanouissement d'un abandon total à la volonté de Dieu, lorsque celle-ci t'aura définitivement pénétrée, conquise. Seulement toute transformation, toute maturation, demande *du temps,* — un temps qu'il est impossible, physiquement, organiquement, de réduire au delà de certaines limites — un temps durant lequel on ignore où on va et si on arrivera, — et par lequel il faut cependant passer, les yeux fermés, porté sur la seule confiance. — Je crois qu'en attendant l'heure de Dieu, celle du calme et de la lumière, tu ne dois pas *te laisser aller* aux noirs, à la dérive intérieure du courage et de la joie, mais, bien au contraire, t'enraciner dans une confiance d'autant plus tenace et profonde que les ébranlements dus aux échecs extérieurs et la pente *pseudo*-naturelle de ton esprit voudraient émietter ton énergie et te faire glisser dans la tristesse. — Cette confiance en un Dieu qui, par des voies obscures et laborieuses, te ramène victorieusement à son centre divin — plus belle et réussie, chaque jour, à son regard, — je crois que tu la trouveras dans *une union* toujours plus grande avec NS, cherché avec foi et persévérance dans l'Eucharistie, entrevu et aimé dans sa Volonté qui passe, humblement prié pour que sa main se pose sur tes yeux et que son bras t'attire. — Pourquoi tant tenir à toi, dis, au point de te décourager si tu ne te trouves pas développée, favorisée, utilisée, autant que tu le voudrais ? Qu'est donc notre succès individuel auprès du bon plaisir divin ? Et puis, quelles ambitions sont les nôtres ? Etre vus, faire autour de nous quelque bruit, créer dans notre petite sphère d'action une agitation appréciable... Est-ce bien là vraiment ce qui mesure la valeur d'une vie ? Ou plutôt ne savons-nous pas que le prix réel de notre existence s'appréciera, finalement, au *degré de fidélité* et d'obéissance que nous aurons déployé en subordination à la volonté divine, *quelle qu'ait* été du reste la besogne brillante ou humble à laquelle nous aurons servi ? Sois heureuse fondamentalement, je te le dis. Sois en paix. Sois inlassablement douce. Ne t' « étonne » de rien, ni de ta fatigue physique, ni de tes faiblesses morales. Fais naître et garde toujours sur ton visage le « *sourire* », reflet de celui de NS qui veut agir par toi, et, pour cela, se substituer toujours plus à toi. Tu t'effraies de la durée de l'épreuve... Mais elle est presque passée, déjà, et, pendant que tu te plains, le temps passe, si précieux par ses peines autant que par ses joies. Voilà ce que je veux te répéter une n^{me} fois ce soir, en attendant, s'il plaît à Dieu, la $n+1^{me}$. Voilà ce pour quoi je prie souvent, demandant intensément à Dieu qu'il nous fasse coopérer à son règne et nous aider l'un l'autre à le mieux aimer. — Courage donc, pour ta belle et essentielle entreprise d'éducation, laquelle, si elle ne te rapporte pas tous les fruits que tu voudrais, est pour toi une large base d'action et d'influence. Et puis, que Dieu te bénisse et te donne sa paix. A bientôt un petit mot.

Bien à toi,

PIERRE.

Chère Marg,

Je profite d'une période d'accalmie pour t'envoyer quelques nouvelles plus substantielles que celles que supporte une carte postale. Si tu veux, aussi, cette lettre représentera une réponse à la tienne du 25 septembre.

Pour commencer par les nouvelles, je puis maintenant te dire, sans porter atteinte à aucun secret, que, jusqu'au 28 septembre, je me trouvais au Sud d'Arras, aux environs d'un village nommé Wailly. C'est là que, quinze jours durant, nous avons lentement vu venir sur nous le grand jour de l'attaque, que tout faisait prévoir, depuis le creusement des tranchées de sortie, jusqu'aux préparatifs en vue de l'évacuation des blessés. Je ne suis malheureusement pas de ceux qu'une offensive menace directement ; j'ai pourtant nettement senti, au cours de cette période, ce que c'est que de voir la vie devenir chose problématique au delà d'une date rapprochée. Alors, l'esprit ne sait plus s'arrêter à aucune perspective lointaine, et, petit à petit, on se surprend à vivre comme si on n'était plus de ce monde. A Ypres, on nous avait jetés dans la bataille sans que nous eussions eu le temps de nous reconnaître ; cette fois-ci, nous pûmes savourer à loisir la lente approche du grand jour, — et, pour tous ceux qui étaient capables de réflexion, l'àme s'est mûrie dans cette attente. La veille de l'attaque, j'ai parcouru les tranchées pour voir mes connaissances et donner quelques communions (tous ceux à qui je l'offrais l'acceptaient ; j'ai été limité par l'exiguïté de ma custode). Tu ne saurais croire quelles émotions j'ai connues alors, ni ce qu'on sent passer dans l'étreinte d'un homme qui vous donne la main, au détour d'un boyau, après qu'on lui a donné Dieu — cependant que, formant une véritable voûte sur les têtes, les obus passent, dans un susurrement continu, et vont démolir, 200 m. plus loin, les tranchées où il faudra marcher, dès que le bombardement s'arrêtera. Il n'y a point de doute à cela : le seul qui connaisse [éprouve] jusque dans son dernier fond le poids et la grandeur de la guerre, c'est l'homme qui monte à l'assaut, à la baïonnette et à la grenade. Evidemment, à cette heure-là, l'entraînement et une certaine griserie jouent un grand rôle ; il reste que le fantassin sortant des tranchées pour l'attaque est un homme à part, qui a vécu une minute que les autres ne soupçonnent pas.

J'ai honte, croirais-tu, de penser que je suis resté dans les boyaux pendant que mes amis partaient se faire tuer. Tant, parmi eux, ne sont pas revenus, à commencer par mon meilleur ami au régiment et le plus admirable soldat que j'aie encore connu, ce pauvre Commandant Lefebvre, qui, pour être sûr que ses Africains le suivent, est sorti le premier, levant son képi et criant « En avant, mes amis, c'est pour la France ! », et est tombé vingt pas plus loin, en faisant le signe de la croix...

— Personnellement, je n'ai couru que les risques ordinaires au bombardement des boyaux, où on est à l'abri jusqu'à ce qu'un obus tombe en plein dedans, ce qui arrive fréquemment. C'est le danger bête, passif, qui fond sur vous à l'improviste, au moment où on y pense le moins — tel ce soir où, revenant paisiblement à ma casemate, je n'évitai que d'une dizaine de pas la chute d'un projectile exactement sur moi. — Pour nous, la période dure de l'attaque, très meurtrière, fut très courte ; dès le surlendemain nous étions ramenés à l'arrière, et nous n'avons pas encore repris les tranchées. J'espère qu'en Champagne mes frères, Olivier surtout, sont indemnes ; mais je n'ai encore reçu aucune nouvelle d'eux, postérieurement au 25.

Que va-t-il résulter de cette lutte effroyable ? C'est de plus en plus la crise, et la désespérément lente évolution d'un renouveau de l'Europe. Mais les choses pourraient-elles aller plus vite ?... Offrons à Dieu notre existence, que ne gaspille ni ne gâte, mais qu'utilise, au contraire, au delà de toute attente, la lutte qui nous enveloppe. Te dirais-je que je n'éprouve pas de lassitude ? Ce serait mentir. Quand elle a perdu tout l'attrait d'une nouveauté, la tranchée devient facilement écœurante, — surtout peut-être lorsque, comme moi, on est voué à en voir, une à une, toutes les tristesses sans participer à la lutte et à la conquête. Prie N.S. qu'Il me donne la force pour tenir aussi longtemps qu'Il voudra. Quand pour la 3ᵉ fois, le régiment se peuple de figures nouvelles, il en coûte de recommencer à se faire des amis, des relations, en vue d'un conseil ou d'une absolution à donner au moment de la prochaine attaque. (N'est-ce pas la monotonie de tes rentrées que je dépeins ici ?...) Fasse Dieu que nous soyons jusqu'au bout ses ouvriers.

Au début de la présente, je te disais que je réponds ici à ta lettre du 25. Avec toi, j'espère que l'action aura secoué ta lassitude, et que, gaillardement, tu traceras, cette fois encore, le bon sillon, qui verdira à jamais pour le ciel, alors que tes dégoûts et tes révoltes seront déjà, même pour toi, chose oubliée. Tu me dis prier N.S. afin qu'Il t'aide à accepter sa volonté, et saisir au jour le jour les occasions de plier un peu plus amoureusement devant elle. Ceci est très bien. Aie confiance, je te le répète, et laisse faire le temps. Il t'est impossible, actuellement, de prévoir où tu seras demain, dans les dispositions de ton cœur et l'amour de Dieu ; je te le dis : tu n'as qu'à te laisser mener, attentive seulement à mettre le pas quotidien là où la Providence te marque. Tu arriveras à la paix.

J'ai lu avec intérêt ta conférence à l'Association Fénelon, et tes remarques au sujet du Problème du Mal. En lisant la première, je n'ai pu m'empêcher de songer (une fois de plus) que si tu pouvais faire entendre d'aussi sages paroles à un cercle un peu étendu, c'est parce que tu étais rivée à l'odieuse dignité de Directrice d'Institut. En ce qui touche la seconde, voici ce que je te répondrai : *1°*) La genèse naturelle du Mal et sa genèse historique ne s'opposent pas, mais sont deux choses diverses qui peuvent parfaitement se concilier dans une même réalité, dans un même monde. — De même que pour faire une âme sanctifiée (physiquement accrue, en vie, par la grâce) Dieu doit d'abord créer une âme naturelle, qu'il *surnaturalise ensuite,* de même (toutes proportions gardées), pour constituer le Cosmos « miraculeux » dont la souffrance devait être bannie, le Créateur a dû (?) prendre un univers où la souffrance était la condition naturelle de la vie et **du progrès ;**

— et c'est ce monde naturel qui a réapparu par suite de la faute originelle. — 2°) Tu me dis qu'on en revient fatalement à cette question : « Si Dieu pouvait faire un monde plus parfait, pourquoi ne l'a-t-Il pas réalisé ? » — Je réponds : C'est jouer sur le mot « plus parfait ». Chaque univers possible a sa nuance spéciale de beauté, incommunicable, par laquelle il est *plus parfait* que tous les autres. Un autre univers, avec moins de mal, serait qualifié par nous de « meilleur », parce que nous raisonnons comme des douillets, que l'effort épouvante. Serait-il un milieu apte à faire germer les saintetés qui naissent près de la Croix ?

Assez pour aujourd'hui. Je t'en ai assez dit pour te prouver que je ne t'oublie pas, ni l'Institut. A bientôt une carte, s'il y a du neuf. Je prie pour vous toutes.

PIERRE.

[*Corons du Maroc — Hersin-Coupigny*]
15 octobre 1915.

Chère Marguerite

Un mot au moins, pour accompagner des réponses dues à Mme Parion et Mlle Tardieu[1]. Je t'écris d'un « coron » minier, sis sur la ligne de feu. Beaucoup de petites maisons ouvrières régulières et aérées (où s'affirment si triomphalement les préoccupations et améliorations sociales de ces dernières années) sont encore intactes (les murs, j'entends) et nous y dormons confor-

1. Mademoiselle Tardieu, un des professeurs de l'Institut Notre-Dame des Champs.

tablement sur des sommiers, comptant sur la bonne main de la Providence pour écarter les obus de notre toit. Nos tranchées sont assez actives, et plutôt mauvaises ; elles sont en partie formées de tranchées allemandes, enlevées par les Anglais à la fin du mois dernier. Un grand crassier de mine forme entre les lignes, un terrain accidenté et disputé, où l'ingéniosité et la hardiesse des combattants peut se donner libre carrière. — Si on y réfléchit, ce panorama de maisons éventrées, de fosses minières dévastées, de terrains vagues sillonnées de boyaux, est lugubre. En fait, on n'y pense pas ; — et ce sont des propos joyeux que nous tenons d'ordinaire autour de la marmite où mijote une soupe faite avec les légumes des jardins abandonnés.

Sur mon avenir prochain, j'ignore tout ? — Resterons-nous dans le secteur ? y aura-t-il une offensive ? rejoin-drons-nous la vie calme des tranchées avec le régime des permissions ? — impossible de savoir. Les bruits les plus contradictoires et les canards les plus éhontés cir-culent constamment. Depuis trois jours, je suis privé de messe, et ne sais encore quand je pourrai recommencer à célébrer. Je tâche de compenser en faisant mentale-ment (trop rarement et négligemment hélas !) ces deux actes, fondamentaux de la religion, de l'offrande et de l'union, dont la messe est la réalisation la plus intime qui soit.

Que N.S. nous unisse si bien à Lui qu'Il transparaisse dans notre action, par sa douceur et sa bénignité [1] sur-tout, voilà ce que je lui demande pour toi, pour moi,

1. Cf., saint Paul à Tite, III, 4.

pour ceux que j'aime. L'offensive de septembre paraît avoir épargné la famille. Il n'en est pas de même de mes confrères jésuites. Les deuils sont nombreux chez nous, et déciment peu à peu la fleur de nos intelligences les plus belles. Je te parlais souvent l'an dernier de mon ami Rousselot [1] (professeur de théologie à l'Institut Catholique) ; je ne t'ai pas dit qu'il a disparu, en Argonne, depuis quatre mois ; on est très inquiet sur son sort. — *Tout* est vanité, vois-tu, sauf *tenir sa place fidèlement.*

A propos d'Institut Catholique, pourquoi n'irais-tu pas causer avec M. Verdier [2] dont la retraite t'a plu ? Tu as *besoin* d'un soutien, vois-tu, tu es trop seule, et moi je suis trop loin, sans compter que je ne suis pas ce qu'il faut, peut-être —. Au moins tu sais que je ferai toujour mon possible pour que tu sois plus près de N.S., n'est-ce pas ?

Bien à toi,

PIERRE.

[*Corons du Maroc*] *2 nov. 1915.*

Chère Marguerite,

Voilà trop de temps que je ne t'ai écrit... Je le ferai, au prochain repos, et t'y parlerai du *Sens de la Mort*, qui

---

1. Rousselot, Jésuite français, dont les œuvres principales sont une thèse sur *l'Intellectualisme de saint Thomas* (1908) et la partie consacrée à la religion chrétienne dans l'ouvrage collectif intitulé *Christus* qui était une réponse à *l'Orpheus* de Salomon Reinach.
2. M. V. Il s'agit de M. Verdier, sulpicien français, plus tard cardinal et archevêque de Paris.

est bien un livre de la date où je te trace la présente. — Nous avons quitté hier la première ligne, et vivons actuellement dans des maisons ouvrières plus ou moins détruites. La seule anecdote un peu marquante de ce dernier séjour aux tranchées fut qu'une marmite de 210 écrasa le gourbi face au mien (heureusement évacué par ses propriétaires) ; je n'eus que l'émotion et un peu de terre. — Temps détestable. — Nous allons, sans doute, avant peu, aller quelques jours à l'arrière. J'y aurai plus de facilité, ainsi que je t'ai dit, pour t'écrire un peu longuement. Tu sais que je ne t'oublie pas (ni l'Institut), surtout devant NS. — Souvenirs à ta famille, à Mme Parion...

PIERRE.

[*Hersin-Coupigny*] *7 novembre 1915.*

Chère Marguerite,

Par suite d'un certain enchevêtrement dans la relève, notre séjour aux tranchées se trouve agrémenté d'une prolonge. Pour « tirer » une après-midi de plus, — de celles qu'il me reste à passer ici, en 2ᵉ ligne, — je ne puis trouver meilleure occupation que de mettre en règle ma correspondance avec toi. Je t'écris d'une cave (assez médiocrement solide, il faut l'avouer), située dans les bas-fonds d'une maison passablement minée, comme toutes celles du voisinage. Là-dedans, à la lueur de quelques bougies, nous vivons, une quinzaine, sans compter une chienne et ses quatre petits. Nous avons un fourneau, des chaises, des sommiers, des tables. — N'était la monotonie d'une existence de taupe (je préfère de beaucoup faire le rat le long des boyaux), nous ne serions pas trop à plaindre, puisque nous avons sec et chaud. Tout de même, le signal du départ est toujours bien accueilli lorsqu'il s'agit de gagner quelque petit centre de l'arrière. J'espère que cette bonne fortune ne se fera pas trop attendre maintenant. — Ainsi que je te le disais sur ma dernière carte, du 2 novembre, les événements militaires sont, en ce qui concerne mon secteur, très pauvres de péripéties, actuellement. Visiblement, de part et d'autre, on se prépare à hiverner. Les boyaux sont creusés, — les petits postes établis. La physionomie de la ligne risque de ne pas changer, jusqu'au printemps. Il ne reste plus, pour alimenter l'intérêt de l'existence, que les événements d'ordre individuel, tels que, en mal, la descente, plus ou moins rapprochée, d'une lourde marmite ou d'un leste 88. et, en bien, l'imminence d'une permission, ou la rencontre d'un camarade. — En ce qui touche ma permission, je la prévois pour la fin du mois ; je te redis, malgré que tu n'en doutes pas, que je ferai mon possible pour passer au moins une heure chez toi. En ce qui concerne les camarades, (j'entends ici des confrères, vrais amis, et, plusieurs au moins, connaissances de vieille date) ils sont assez nombreux dans les parages, et, grâce à eux, je puis passer, de loin en loin, quelqu'une de ces heures où s'oublient délicieusement les longs jours passés dans une atmosphère asphyxiante pour l'esprit.

Le *Sens de la Mort* m'a procuré trois ou quatre de ces heures-là. Evidemment (ainsi que tu me le disais) le pragmatisme emprunté par Bourget [1] à la « Philosophie nouvelle » est un peu court, — puisque « réussir » est condition *nécessaire,* mais non *suffisante,* de la *vérité* d'une attitude. De plus, on voudrait être sûr que, dans l'esprit de l'auteur, cette notion même de « vérité » est bien intacte, c'est-à-dire qu'elle signifie, en matière religieuse, existence *objective* d'êtres et de degrés d'êtres supérieurs, tenant par *eux-mêmes,* et non pas seulement qualité énergétique supérieure d'une hypothèse, raccrochée par fiction et virtuellement à un monde transcendant dont la seule réalité serait de nous agrandir... (J'ai peur ici d'être un peu subtil et de ne me pas comprendre ; n'essaie donc pas de trop voir clair en ces lignes.) Ceci posé, il est excellent et fondamental de montrer aux positivistes qu'ils ne peuvent biffer le surnaturel qu'en détruisant leur dogme d'être les esclaves de l'expérience ; et il n'est rien de plus pressant pour imposer Jésus-Christ à une intelligence, qui a longtemps regardé et compris la Vie, que le spectacle d'une religion, seule capable de faire triompher de la mort (de sa crainte et de sa réalité) l'indéniable et inconfusible tendance au « plus-être, toujours » qui fait notre existence, à chacun et à tous. Le livre de Bourget fait penser, chrétiennement et intelligemment sur nos destinées. Il tend à résoudre le problème du Mal de la façon la plus efficace : en montrant que le mal et la diminution se muent, au nom de J.C., en bien et en élévation. A tous ces titres il m'a beaucoup plu, et aussi parce que l'élan d'une émotion sincère a balayé toutes les chinoiseries psycho-

1. Paul Bourget, de l'Académie française, romancier.

logiques et les sensualités inutiles qui encombraient encore le *Démon de Midi*. La guerre a mûri et grandi Bourget. Il est amusant de comparer le *Sens de la Mort* avec cet épais et malsain roman (j'ai oublié le titre : « Jean X... [1] ») que tu me fis lire, il y a 18 mois. Tu pourras taquiner Em. de Margerie en lui montrant combien il est fallacieux de se fier aux impressions élevées dans le cœur par la lecture de romans où l'auteur fait à son gré mourir l'athée en stoïcien (...) ou en déchu (Ortègue). Je m'empresse d'ajouter que je crois le roman de Bourget infiniment plus objectif et généralement vrai, même en ce qui concerne la psychologie de l'incroyant, que celui de Jean du Gard [2].

Que te dire encore, maintenant ? J'ai égaré ta dernière lettre, pour avoir trop soigneusement voulu la mettre de côté. Il me souvient encore de deux choses que tu m'y écrivais. D'abord que tu t'efforces de triompher des petites difficultés individuelles (et même de m'en destiner le mérite... Ceci m'est précieux, va. Ainsi, comme nous le disions en avril déjà, nous travaillons ensemble...) sans oser encore le mesurer avec la grande tâche de l'acceptation totale ; — et puis que la pierre d'achoppement pour toi n'est pas tant de ne point voir, que de ne pas arriver à surmonter une répugnance de volonté. — Il me semble que tout ceci est discerné et fait très humblement et très sagement ; — oui, tout d'abord, tu as raison de t'attacher patiemment aux petits

---

1. *Jean Barois* (1913), le roman de Roger Martin du Gard, traite du même problème que le *Sens de la Mort* (1915), de Paul Bourget.
2. Il s'agit probablement ici du roman de Roger Martin du Gard : *Jean Barois.*

efforts, cachés et banals. Tu ne saurais donner à NS de meilleure marque d'humble et suppliante bonne volonté que de t'attacher à ton « petit possible » ; petit à petit, tu gagnes du terrain sur le point capital, crois-le bien, de l'abandon sans réserve au Vouloir divin ; l'humiliation même qu'est pour toi cette idée que tu n'arrives pas encore à progresser assez sur l' « essentiel » doit être de ta part la matière d'actes d'une adoration très sincère et très intime. Plus tu te sentiras petite, plus tu adoreras bien, parce que tu parleras plus du fond du cœur ; et plus tu adoreras bien, plus Dieu entrera dans tes imperfections et se servira de toi, tout médiocre que tu sois, pour faire rayonner beaucoup de bien. — Tu t'inquiètes de voir, autour de toi, les vertus grandir, et toi demeurer stationnaire. Humilie-toi, prie, demande... Mais ne te *trouble pas !* L'essentiel n'est pas que ce soit *moi* l'âme la plus sainte, la plus aimée, la plus privilégiée. Tant mieux si NS est aimé beaucoup autour de moi (tu as la consolation de pouvoir ajouter « et, un peu, à cause de moi, qui ai gardé ces âmes dans une atmosphère active et religieuse »...) ; mon seul idéal est d'être le serviteur, la servante, à qui le Maître donne, dans son Cœur, la place qu'il veut, et qui ne désire que ceci : être fidèle. — Au fond de ton âme, place avant tout, immuable, comme base de toute ton activité, comme critère de la valeur et de la vérité des pensées qui t'envahissent, la Paix de Dieu. Tout ce qui te rétrécit et t'agite est faux, — au nom des Lois de la Vie, au nom des promesses de Dieu. — Tu penses inutile d'aller voir et consulter M. V. [1]

1. M. Verdier.

parce que en toi la volonté est atteinte, et non l'intelligence du devoir. Mais oublies-tu que l'appui d'un confident est une grande force ? L'ouverture de conscience est pénible ; mais, par elle-même, elle est salutaire, devient vite un soulagement ; en tout cas, par *elle-même* [seule], cette difficulté ne devrait pas t'arrêter. Ceci soit dit, évidemment, sans vouloir en rien peser sur ta décision.

Ici, je m'arrête. Tu trouveras ma calligraphie incertaine et ma pensée peut-être un peu fuligineuse. Il me semble que je n'ai pas su te dire tout ce que je voulais. C'est la faute de la cave, de son air appesanti et des bruits divers et dissonants qui l'emplissent. Je réparerai, quand la prochaine fois je t'écrirai. — D'ici là, je ne manquerai pas de prier souvent pour toi et tes deux familles.

Ai reçu une bonne lettre de Marcel, avant-hier. Profitez bien de sa permission. C'est si rare.

Bien à toi,

PIERRE.

Veux-tu dire à Mme Parion que j'ai reçu sa lettre, et y répondrai.

[*Coron du Maroc*] 2 *décembre 1915.*

Chère Marg,

Je t'écris de mon gourbi de 1ʳᵉ ligne, où, — par une transition qui ne m'a pas semblé déplaisante dans sa brusquerie salutaire, — je me suis vu ramener dès le lendemain de mon retour ici. J'ai encore le cœur tout

100

plein des délicatesses de l'Institut pour moi et du plaisir de t'avoir revue, et je ne veux pas tarder davantage à te le dire dans une lettre qui t'assure en même temps de mon heureux voyage. Sûrement le Seigneur est bon de nous donner de ces heureux moments, d'où l'activité sort reposée et fortifiée. Qu'Il nous fasse seulement bien comprendre, n'est-ce pas, que Lui est infiniment meilleur encore que tout cela, — et que le plus sûr moyen que nous ayons de progresser dans une amitié utile est de *converger* vers Lui, chacun de notre côté, en nous aidant mutuellement par la prière et l'effort pour mieux faire. — Après les bonnes causeries que nous avons eues, nous sommes à nouveau plus à même de nous comprendre. Tout ce que je puis penser à ton sujet se résume toujours en ceci : « *Pax tecum.* » Seulement, cette parole, il faut que NS Lui-même daigne te la dire au fond de l'âme. Dis bien à Mme Parion que j'ai été très sensible à sa délicatesse durant mon court passage dans votre joli home. Je lui écrirai un petit mot incessamment.

Sur l'Artois, que te dire ?... Je suis arrivé pour la fin du froid, qui ne marque plus guère que par un excès de boue dans les boyaux. L'après-midi du jour où je réintégrais H. [1], il y eut, sur la fosse dudit lieu, un bombardement qui coûta six poules aux Sœurs chez qui j'ai l'habitude de dire ma messe ; la plus belle me fut donnée pour mon pot-au-feu ; il y aurait de quoi me réconcilier avec les 210, ne penses-tu pas ? — Ainsi que je te le disais, je crois, le régime hivernal des tranchées

1. Hersin-Coupigny.

est aussi bénin que possible, spécialement sous le rapport de la durée. En conséquence, lorsque la présente t'arrivera, je serai sur le point d'être ramené en arrière, et peu éloigné de quinze jours de repos. Ainsi sois tranquille. Mieux que tout cela, pense que NS me gardera de tout mal s'Il le veut. Que s'Il ne le veut pas, ce sera encore très bien, même pour toi, parce que sinon pour tout le monde, au moins (C'est St. Paul qui le dit [1]) pour ceux qui aiment Dieu, *tout* coopère au plus grand bien de l'âme. C'est un « optimisme » restreint, mais bien consolant.

A Dieu. Bien des choses autour de toi, dans tes deux familles. Tu sais ma profonde affection en NS.

PIERRE.

[*Hersin-Coupigny*] *11 décembre 1915.*

Chère Marg,

Un petit mot seulement, cette fois-ci, pour te confirmer que tout va bien pour moi. Depuis trois jours nous avons quitté les tranchées, et nous en avons pour une semaine et demie encore à nous reposer ici. Je crois t'avoir dit que je suis très aimablement hospitalisé, à mes moments libres, par les Sœurs de Charité de la petite cité minière que nous occupons. Par suite d'un bombardement qui a fait évacuer leur local à une ambulance qui le monopolisait, les Sœurs nous reçoivent

1. *Ep. aux Romains*, VIII, 28.

maintenant (moi et quelques autres prêtres) beaucoup plus librement, et, si les Boches nous laissent à peu près tranquilles avec leurs obus, nous formerons avant peu, en ces lieux, un petit groupe très intéressant. Pour tromper l'ennui des quartiers d'hiver, la constitution de ce club (si j'ose dire), sera d'un précieux secours. La semaine de tranchées au début de laquelle je t'envoyai une lettre, et qui vient de se clore, s'est passée, en ce qui me concerne, sans encombre, mais non sans quelques désagréments et péripéties. Sans parler du bombardement, qui fut à certaines heures assez intense, nous eûmes à supporter une pluie persistante qui eut tôt fait de mettre les boyaux et les tranchées dans un état lamentable. Tu ne te figures pas l'effort que demande aux hommes, dans ces conditions, une vulgaire corvée de soupe : faire 1800 mètres de boyaux, marmite en main, en enfonçant dans la boue et l'eau jusqu'aux genoux, avec trop souvent des éclatements d'obus tout auprès des parapets éboulés, représente une véritable peine. Les soldats s'y plient, comme à une chose toute naturelle ; si seulement ils savaient endurer leur labeur avec une pleine conscience chrétienne ! — J'étais encore dans mon gourbi pluvieux, là-bas, au pied du Crassier-Double dont ont parlé de récents « communiqués », quand m'est parvenue ta bonne lettre du 30 novembre. Elle m'a fait grand plaisir et m'a bien touché. Oui, je crois que l'année qui vient de passer a encore rendu meilleure et plus forte notre amitié. Daigne NS la rendre toujours plus sainte, et plus utile à Sa cause. Les deux messes que j'ai dites à l'Institut, j'ai oublié de t'avertir qu'elles ont été pour la maison et sa Directrice. Tu sais que je n'oublie ni l'une ni l'autre chaque fois que je puis célébrer.

A Dieu. Et que NS te donne la paix, sa paix, qui va aux âmes de bonne volonté, — dont tu es, sois en bien sûre.

PIERRE.

J'ai écrit à Marcel.

[*Azincourt*] *24 décembre 1915.*

Chère Marg,

Je prévois que cette lettre va encore se croiser avec une des tiennes — preuve que nous avons souvent en même temps les mêmes idées — ; mais je préfère encore courir cette chance et que tu aies une preuve un peu « étendue » de mon souvenir pour toi et l'Institut, à la veille de Noël. — Sache d'abord que nous allons, nous aussi, avoir notre fête de Noël. Sur la demande spontanée des officiers et des hommes, je vais dire une messe de minuit dans la chapelle du village, fort joliment ornée par les soins de la fille et du fils du château ; — j'ai pu, avec les mêmes concours, apprendre quelques cantiques à mes hommes ; — des tartes aux pommes, habilement confectionnées par deux de mes poilus, attendent dans la salle voisine le moment de s'exhiber pour le réveillon... Que faut-il de plus pour oublier quelques instants la guerre et les tranchées, où nous devrions patauger à l'heure qu'il est, sans le revirement qui nous a expédiés dans ce tréfonds agreste du Pas-de-Calais ?

— A mon point de vue, je saisis avec empressement, dans ce Noël un peu religieux, l'occasion de me poser ouvertement comme prêtre devant les nouvelles couches du régiment, devant les officiers en particulier, avec la majorité desquels (les nouveaux, j'entends), je n'ai pas encore absolument pris un contact qui s'établira sans doute ce soir, à la table du commandant. Prie pour que sur ces hommes, dont vraisemblablement je verrai plusieurs mourir, je prenne et j'exerce une sainte influence.

Je n'ai pas à insister beaucoup pour te dire que ton souvenir sera présent à mes meilleures prières. Que NS conçu comme seul élément, seule conquête nécessaire et suffisante au succès de la vie, grandisse dans ton cœur. Tu ne saurais croire combien, lorsque j'arrive à me reprendre un petit peu pour penser et prier (ainsi que cela m'est arrivé, la dernière quinzaine, à Hersin), je m'aperçois de la lumière grandissante de cette vérité, simple mais indéfiniment riche et utilisable : Dieu est tout. En nous orientant de plus en plus intégralement et loyalement vers Lui, en tendant vers Lui de toutes nos forces, nous épuisons sans déchet toutes les énergies utiles de notre être ; — nous nous rapprochons sans erreur et sans danger de perte de ceux que nous aimons ; — nous nous rendons aptes à faire du bien autour de nous, à rayonner la paix et le bien... Par un seul acte, par une seule attitude, nous réalisons toute la complexité de nos aspirations et de nos devoirs. N'est-ce pas que cela est vrai, et qu'il est bon de se vouer à la bénie unité de Dieu, où tout et tous sont atteints, sans risques et sans retour ?

Un de ces jours, je te ferai passer un livre [1] (pas écrit par un jésuite !) où des idées analogues sont exposées d'une manière fort utile à une directrice d'Institut, non moins qu'à un prêtre-soldat. Tu me diras ce que tu en penses. — Comme nouvelles, je n'ai presque rien à t'apprendre. Tu trouveras sans doute suffisant de savoir que je vis à l'abri des marmites, même les plus lointaines. Les hommes se trouvent un peu perdus et dépaysés dans ces lieux où le vin est cher et le tabac absent. Moi, je me plais, dans cette campagne retirée qui est celle de mon enfance. Le château et ses charitables seigneurs ne sont-ils pas l'image de ceux que nous avons connus autour de nous ?... Tu me comprendras si je te dis qu'à certains moments, après avoir un peu vécu avec une châtelaine qui me fait penser à maman et une jeune fille qui est de l'espèce de Françoise ou Guiguite, je trouve un peu amer de retomber avec mes hommes, vulgaires et criards. Mais ceci est la vilaine nature, n'est-ce pas ? NS, s'Il n'avait pas condescendu, serait resté au ciel, sans venir, loyalement et affectueusement, frayer avec notre grossière nature. Je dois me dire, et je crois que j'arriverai à sentir, que jamais pour moi nuit de Noël n'aura valu celle que je vais passer ce soir sur de la paille, à côté d'hommes moins sympathiques que je serai d'autant plus sûr d'aimer par vraie charité.

A Dieu. Continue, dans la mesure de tes loisirs et de tes forces, à visiter les miséreux. Je penserai à ton arbre de Noël.

1. Cf. lettre du 8 janvier 1916.

Ai reçu la lettre de Mme Parion, annonçant un paquet. Je lui répondrai en accusant réception.

Bien à toi, et, si je n'avais pas le temps de t'écrire avant, bonne année. J'ai reçu la Revue hebdomadaire.

PIERRE.

[*Oost-Dunkerque*] *8 janvier 1916.*

Chère Marguerite,

Hier, je t'ai envoyé le livre de Dom Chautard[1] dont te parlait ma lettre du 24 décembre. Je te demande de le lire, lentement et jusqu'au bout : il me semble qu'il te fera du bien, de ce bien sérieux qui se mesure à une amélioration et rectification du cours profond de notre vie. — Je me permets cependant d'ajouter la recommandation que voici : garde-toi, en remarquant que ta vie pèche (nous en sommes tous là) par les défauts signalés par l'auteur, de te désoler, et de croire que tu n'as rien fait de bon jusqu'ici. Il ne s'agit pas de te déconcerter, mais de voir comment agir plus efficacement. Je te connais assez pour t'affirmer, au nom de NS, que tu as été, jusqu'à ce jour, pour Lui, une bonne servante, et que, dans la voie austère qu'Il t'a ouverte, c'est dans la paix et l'épanouissement que tu dois avancer. Seule-

1. Dom Chautard (J.-B.) fut abbé de la Trappe de Sept-Fons, près de Dompierre-sur-Besbre (Allier). Connu surtout par son ouvrage *l'Ame de tout apostolat*, et par le rôle qu'il joua, en 1902, lors de la discussion sur les Congrégations religieuses. Georges Clemenceau, dont il était l'ami, l'avait fait convoquer pour défendre la cause de la vie religieuse devant une Commission sénatoriale.

ment, il est toujours possible de faire mieux. En outre, il est certaines façons de « faire mieux » que Dieu ne nous découvre que petit à petit, parce que dès l'abord, nous ne les aurions pas comprises. — Il me semble que pour toi le moment est venu de mettre résolument l'action de NS au centre de ton influence, — de compter avant tout, pour le succès profond de ton œuvre, sur ton degré d'union avec la présence et la volonté du Maître. Tu ne doutes pas, j'espère, que cette prise de possession de toi par Dieu puisse se faire sans qu'il te faille prendre les dehors d'une religieuse. Je crois que tu peux rester très laïque (au bon sens du mot) et très près de NS par ta vie intime. Lui-même, petit à petit, modèlera ton atittude, à son gré. Ce qu'il faut pour toi, c'est l'adopter définitivement comme le Dieu de ta vie, qui Seul peut vivifier absolument tes activités.

Dans le livre de Dom Chautard, il y a évidemment certains points que j'aime moins, ou qui doivent être pris avec tempérament. C'est très bien de faire marcher un patronage par les seules ressources surnaturelles ; je fais facilement bon marché des fanfares... Mais il ne faut pas cependant pour cela, oublier la face naturelle de l'éducation (formation physique, ménagère, esthétique...) qui, normalement, fait les âmes plus aptes à connaître Dieu et à le servir. Là-dedans, il faut de la hiérarchie (l'un pour l'autre), mais pas de troncatures, ni d' « écourtements ». Le christianisme doit former et « informer » (comme dit la scolastique) l'homme intégral.

Je suis absolument de l'avis de Dom Chautard sur les avantages des rites et des cérémonies : il est essentiel au christianisme d'être un corps social et aussi d'avoir ces précieux sacrements dont l'action *ex opere operato* vient si divinement rassurer nos insuffisances et nos lassitudes. Mais le chapitre consacré par l'auteur à cette matière est, à mon avis, un peu flou et maniéré. On ne sait souvent s'il vise le caractère officiel, ou social des rites, ou bien seulement leur pompe (élément très secondaire et superficiel). La « vie liturgique » qu'on nous propose a l'air d'un mode un peu compliqué et bénédictin de présenter des vérités élémentaires, dont chacun est fort convaincu, pour peu qu'il ait de vie intérieure bien éclairée.

Je ne t'ai pas encore bien remerciée de ta lettre du 22 décembre. Oui, que NS soit de plus en plus la lumière de ta vie, celle qui grandit et qu'on chérit toujours plus, à mesure que s'ajoutent les ans, que se ferment, une à une, les « issues » rêvées de notre jeunesse, que se multiplient les désillusions sur nous-mêmes et sur les autres. — Tu as mille fois raison de travailler à faire régner, à l'Institut, l'amour du pauvre : c'est l'attitude la plus chrétienne, la plus sociale, la plus éducatrice, que tu puisses faire prendre à tes élèves. Les faire se pencher, avec vraie sympathie, sur les miséreux, c'est, en quelque sorte, leur donner par [en] une seule habitude, la quintessence de toute formation humaine et catholique. Tu n'exagèreras jamais dans ce sens.

Adieu. Je t'écris sur mon sac, donc mal. Demain, nous allons en ligne. Je t'enverrai quelques détails sur le secteur. Dans le livre envoyé, tu trouveras deux cartes postales : elles représentent des lieux où je passe souvent.

Bien à toi.

PIERRE.

[Oost-Dunkerque] 12 janvier 1916.

Chère Marguerite

Je réponds ici à ta lettre du 5 janvier, laquelle m'est arrivée, naturellement, une heure après que j'eusse mis à la boîte un mot pour toi. Merci pour tes souhaits de bonne année ; et puis, une fois de plus, que la paix de Dieu et l'amour envahissant de NS soient de plus en plus en toi ! Il se peut que tu te sentes très loin de l'idéale et si désirable unification de ton être en Dieu. Laisse-toi faire, patiemment. L'essentiel est que de désir, de prières, et d'effort, tu t'orientes et te soulèves vers le Centre de toute vie et de tout bonheur. Seule la bonne volonté, persistant humblement à travers les inextricables déterminismes et l'incurable mobilité de l'âme que nous devons gouverner, nous est demandée. Quand Dieu la trouve, cette bonne volonté, en quelque monade humaine, — tôt ou tard, fût-ce à la mort, il complète le travail de sa créature, et la prend.

Je t'écris de notre poste de secours, en ligne. Si tu me voyais, tu ne te douterais guère que je me trouve en si honorable situation. A part que la lumière est faible, (rapport aux nombreuses vitres cassées, remplacées par des planches et des sacs) l'appartement que j'occupe est tout ce qu'il y a de confortable : vaste cheminée de marbre blanc authentique, profondément sculpté, — table massive en beau bois dur, — bibliothèque vitrée « modern-style » où subsistent la moitié d'un Larousse et une belle collection de studio, — lampe électrique artistement drapée dans une courtine vieux-jaune... Nous nous sommes établis dans la partie intacte d'une jolie villa, complètement trouée et squelettiforme par sa façade tournée vers les Boches, un peu mieux conservée de l'autre côté. Et voilà qui nous change des gourbis pluvieux de l'Artois ! — Evidemment, notre si gentil intérieur n'est guère à l'abri d'une marmite ; mais il faut compter sur la chance, et jusqu'ici tout va bien. — Tu conçois facilement que le poste que je viens de te décrire n'est pas dans les tranchées mêmes (elles sont à 1/4 d'heure d'ici). Cela tient à une configuration particulière des lieux, et aussi à ma grandeur de caporal, laquelle fixe mon domicile actuel près d'un major, au lieu de me laisser aller nicher dans un gourbi de sacs, en première ligne.

Evidemment, ceci serait moins confortable que cela ; en revanche, je finis par m'ennuyer dans mon salon, où les péripéties habituelles à un séjour aux tranchées disparaissent vraiment trop complètement. Aussi je m'échappe quand je puis. Le jour, on ne laisse pas beaucoup circuler, (pour ne pas attirer l'attention des Boches sur les divers boyaux rudimentaires et multiples passerelles par où se fait la circulation dans notre secteur marécageux). Le soir, entre chien et loup, ou par les nuits claires, je me rattrape. Il faut bien que je me reconnaisse, dans le dédale de chaussées et de canaux que possède le secteur ! Et voilà une raison honnête à de solitaires et combien poétiques « noctambulies ». Hier soir, en particulier, je fus favorisé par une lune admirable. Pas un bruit, sauf celui de mes godillots boueux

111

faisant sourdement résonner le plancher des boyaux. Seulement de la lumière et des ombres : surfaces argentées des marais bordées de la ligne noire des chaussées ; — jet étincelant des fusées, s'élevant de loin en loin, tout le long du front ; — pinceau du phare d'Ostende, tournant, dans l'éloignement, au profit de quelques sousmarins. Ce voile de poésie jeté sur l'affrontement redoutable de deux civilisations heurtées, là-même, l'une contre l'autre, je le goûtai comme une impression rare. Et au lieu de m'en retourner à ma villa, j'eusse voulu demeurer avec quelques amis dans les huttes de sacs élevées au milieu de la solitude miroitante, là où on s'arrêtait de plaisanter pour écouter les Boches travailler, causer, tousser, sans se gêner le moins du monde, eux non plus.

Nous quittons ce soir les lignes, pour la relève, à destination de quelque camp dans les sables. Dans une région aussi tranquille, le repos est moins désirable et moins goûté. J'en profiterai sans doute pour revoir trois jeunes jésuites soldats des environs ; ce ne sont pas de ces amis ou de ces confidents avec qui on se détende et s'épanche, mais plutôt de ces belles âmes, qu'il fait bon regarder sans doute, mais qui surtout attendent d'un aîné conseils et confort... C'est moins agréable et moins reposant, mais plus utile et plus plaisant à Dieu. Il faut bien laisser les autres s'appuyer sur nous, même quand nous nous sentons bien vacillants et tout préoccupés de trouver nousmêmes un soutien ! Nous après. — J'espère que le *Voyage du Centurion* m'arrivera pour ce moment-là. L'article de la Revue Hebdomadaire sur Psichari m'en fait désirer la lecture.

A Dieu. Je prie pour toi, et tes deux maisons. Affectueux souvenir à Mme Parion.

PIERRE.

P.-S. — Mes idées évoluent quelque peu relativement à l'opportunité d'une « aumônerie ». Je *commence* à la désirer. Mais sera-ce possible ? Je ne vois qu'une porte en ce moment. Et je ne sais si elle est ouverte.

[*Nieuport-Ville*] 22 *janvier 1916.*

Chère Marguerite

Je t'écris de ma villa en ruines, au décor inchangé, en attendant que paraisse la relève qui va me renvoyer dans un camp, au milieu des sables. — Très calmes, suivant l'usage du secteur, ont été les jours passés ici, — à peine marqués par une légère mauvaise humeur des Boches, remis un peu durement à leur place à la suite d'avances conciliantes manifestement déplacées. — Il est heureux, vraiment, que tout, dans la vie que je mène, borne l'horizon prévisible et invite à l'existence coulée au jour le jour ! Sans ce raccourcissement des préoccupations (fait, à la fois, d'engourdissement physique et de désintéressement pour un avenir incertain), la guerre deviendrait par trop longue et fastidieuse. — En fait, les jours, pour moi, passent vite et sans peine, confusément illuminés par la conviction obscure qu'ils se dépensent [perdent] utilement dans l'œuvre essentiellement impersonnelle qui, depuis 18 mois, dévore tant d'existences,

113

pour mener les hommes, Dieu sait où. — Pour être sincère, je dois cependant t'avouer qu'il se produit quelques fissures dans cette belle placidité. A défaut d'espérances solides d'atteindre à aucun poste d'aumônier, je commence à nourrir des velléités de profiter du calme présent pour faire un peu œuvre intellectuelle. Il me semble, à certains moments, que j'ai le cœur plein de choses qu'il faudrait dire, sur « la grande Nature », sur le sens et la réalité de ses appels et de sa magie, sur la réalisation totale et inespérée accordée par le christianisme aux aspirations panthéistiques (bien comprises) qui s'éveilleront toujours plus intenses au cœur de l'homme, sur les diverses faces de la matière, etc. C'est ambitieux... mais n'est-ce pas la seule façon de s'adresser intelligiblement aux hommes, à leur cœur, et en suivant le chemin de ce cœur ? — Qu'adviendra-t-il de ce sursaut de pensée, né sans doute d'un travail d'accumulation lente, et de réaction contre un étouffement prolongé de la vie de l'esprit individuel ? Je n'ose trop le pronostiquer. En attendant, je prends des notes, et je m'efforce d'ouvrir mon âme au contact de Dieu. Un peu plus de sensibilité à Son influence, un peu plus d'union à Lui : quel enrichissement plus consistant que celui-là [1] ?

Avant-hier, je reçus une lettre de Boussac [2], en partance, une n° fois, pour une destination inconnue. Si je te parle de cela, c'est que, comme les nouvelles de Breuil,

1. Tout ce paragraphe annonce les thèmes qui inspireront *La Vie Cosmique.*
2. Boussac, géologue français, gendre de Pierre Termier. Il était titulaire de la chaire de géologie, à l'Institut Catholique de Paris, que devait occuper plus tard le Père Teilhard de Chardin.

les communications venant de ce côté-là ont le don de me ramener à la conscience de mes petits intérêts et projets personnels. Oui, vraiment, Dieu avait mis sur mon chemin des intelligences sympathiques et amies, en compagnie desquelles il eût été bien doux de faire œuvre chrétienne et scientifique. Permettra-t-Il que nous nous retrouvions quelque jour, ou bien veut-Il, même de cela, le sacrifice, meilleur souvent que la réalisation ?... Je crois que la dernière hypothèse ne me déconcerterait pas. Tant d'autres, depuis le commencement de la guerre, ont su « perdre leur vie », et pour la seule Patrie. Que ne devons-nous pas être capables de faire, d'abandonner, si nous croyons en Jésus-Christ ? — Excuse-moi si je t'écris cette fois-ci, comme un « fâcheux », qui abuse d'une oreille complaisante pour causer interminablement de choses égoïstes et creuses. Je sentais, ce soir, le besoin de m'extérioriser, de me préciser un peu à moi-même ; j'ai eu recours à ton indulgente amitié. Tu vois que j'ai confiance en toi.

Je ne sais si j'ai répondu à la lettre où tu me dis avoir commencé tes visites à M. V. Cette nouvelle m'a fait plaisir. Poursuis l'expérience loyalement, jusqu'à y voir clair, pour ou contre. Pour cet effort humble et peut-être coûteux, tu seras sûrement bénie, et tout ce que tu fais aussi.

Vraisemblablement, je recevrai un mot de toi avant peu, — peut-être même au moment précis où je te ferai partir la présente. Tu es sûre d'avance qu'il sera le bienvenu.

Chaque jour, franchissant l'Yser, je puis dire ma messe dans une chapelle installée par les marins (je

115

crois te l'avoir déjà dit) dans la ville effondrée[1]. Je prie alors pour toi et les tiens.

PIERRE.

[*Nieuport-Ville*] *2 février 1916.*

Chère Marguerite

Pour répondre à ta lettre du 24 janvier, j'aime à choisir ce jour de la Présentation, — cette Chandeleur de nos bons aïeux — qui pour moi, cette année-ci, se passe dans l'atmosphère grise et le recueillement morne des rives de l'Yser. Le Rosaire à la brume. — Plus que jamais, les hommes souffrent et accumulent la matière d'un ineffable sacrifice. Pourquoi faut-il qu'il manque à leur peine l'élément d'adoration et d'offrande par où s'explique et se transfigure le travail si lourd de coopérer à la Vie ! — Tu auras aimé, j'en suis sûr, ce matin, à prendre, comme en tes mains, ta bonne volonté, tes espoirs, tes ambitions, tes craintes aussi, et tes répugnances, et tes dégoûts, et à présenter tout ce faisceau si vivant, si sensible, si frémissant, au discernement, au bon plaisir, à l'influence purifiante de NS. — Cette offrande de tout toi-même, je désire qu'elle ait été unie à celle qu'il m'était donné de faire de l'unique Hostie du Monde, à la même heure, dans la petite cave-chapelle de Nieuport. Nous disons souvent à Dieu : « Je *me* donne à Vous, je veux *m*'unir à Vous... » Parlant ainsi,

---

1. Nieuport.

nous sommes sincères, mais n'oublions-nous pas que Lui seul peut se donner, et hausser un être jusqu'à un peu d'union avec Lui ? L'attitude qui nous met pleinement dans la vérité, c'est bien celle de la Présentation, par où nous nous exposons humblement au rayonnement de l'Etre infini, avec l'ardent désir qu'Il nous pénètre et nous transforme en Soi.

Je te remercie des encouragements que tu me donnes à laisser un peu de jeu à mes pensées personnelles, et dans le sens que je te disais. Il y a vraiment, je crois, une saine réconciliation à faire de Dieu et du Monde, des aspirations détachantes du Christianisme et de l'indéracinable passion qui nous fait vibrer tout entier quand nous éprouvons quelque chose de l'âme du grand Tout dont nous faisons, indéniablement, partie. Mais au-dessus des vastes horizons que ces visées ambitieuses font apparaître à l'esprit et au cœur, ma pensée erre encore — telle un vol de canards sauvages tournant au-dessus de l'Allier — sans trouver encore le point précis, central, où se poser. Tu as raison de voir en St. Paul le grand appui, le plus sûr théoricien, d'un certain panthéisme chrétien (il faudrait en dire presque autant de St. Jean). Pour lui, toutes les énergies se tiennent, se soudent en profondeur, et l'humanité de N.S. vient les reprendre et les refondre dans une transcendante et personnelle unité. St. Paul parle en fonction du Monde au moins autant qu'en fonction de l'Individu. Et voilà une des raisons pour laquelle sa lecture me captive par-dessus toutes les autres.

Inutile pour le moment de m'envoyer autre chose que la Revue Hebdomadaire (et, quand il paraîtra, *le Voyage du Centurion*). Je ne suis pas encore sorti de l'*Apologie* de Newman. As-tu remarqué ce qu'il est dit, en ce dernier livre, sur la tendance de l'auteur à immatérialiser le monde, à ne voir partout que l'esprit et l'action des Esprits. Je ne crois pas encore, pour ma part, que le domaine des Anges soit la mystérieuse région qui, sous la dénomination vague d'Energies, relie entre eux, à des degrés divers, l'atome physique et la monade sociale. Mais il y a là une idée peut-être féconde, apte à être corrigée ou transposée.

Sur ma vie extérieure, rien de notable à te raconter. Depuis quelques jours, nous sommes remontés en ligne (je n'ose pas dire que pour moi ce soient les tranchées !), et l'existence y est fort calme, encore que les Boches se montrent hostiles à toute tête qui se montre trop aux créneaux. — C'est Paris maintenant qui devient dangereux ! Vous voilà maintenant sacrés du baptême du feu. Je serais curieux de savoir si, aux environs de N.-D. des Champs, il y a eu de l'alerte.

A Dieu. Fais à Mme Parion et à tes sœurs mes meilleures amitiés. Tu sais que pour mes frères tout va bien. Comme Robert, Joseph vient de voir sa permission retardée. Avant-hier j'ai reçu une lettre d'Anne-Marie [1] et hier je me suis hâté de lui répondre.

Bien à toi

PIERRE.

1. Anne-Marie de Cathelineau, cousine des Teilhard.

[*Nieuport-Ville*] *27 mars 1916.*

Chère Marg.

Par le même courrier, je te renvoie, recommandé, ton manuscrit [1]. Tu verras que je l'ai lu très soigneusement, et tu ne t'effraieras pas du nombre des annotations. Je t'ai lue comme je me serais lu moi-même, refaisant ou accentuant certaines phrases, — comme si je me corrigeais moi-même. Evidemment, je ne t'impose aucune de ces retouches, ni ne prétends qu'elles soient toujours meilleures que ton inspiration première.

Avant tout, que je te dise ceci : ta conférence est fort belle et de ton très catholique et très élevé. Tu auras sûrement rendu plus fiers de leur foi et plus aimants de N.S. tous ceux qui t'auront écoutée. Et tu ne saurais souhaiter meilleur succès et plus riche récompense. — Toute la dernière partie de ton travail (depuis *l'Etape* surtout) est excellente, et me fait désirer que dans quelque travail pleinement personnel, et non plus entravé par des citations et le souci de suivre la pensée d'un autre (s'appelât-il Bourget) tu fasses un peu passer la plénitude de tes expériences personnelles, d'autant plus vibrantes et passionnées, et donc d'autant plus contagieuses et « prenantes » qu'elles se teintent de plus de souffrance intime. Si tu nous donnais à ton tour, *ton* livre — celui de ta vie — comme Psichari ?

1. Ce manuscrit n'a pas été retrouvé.

Pour en revenir à ta conférence, et une fois bien établi qu'elle m'a beaucoup plu et même ému, voici les améliorations de détail que je te propose (elles sont exprimées plus en détail par les annotations mêmes dont j'ai surchargé ton manuscrit) :

a) Veiller à embellir la forme, non seulement en évitant les fausses consonances et les redites de mots, — mais en enrichissant le vocabulaire, en donnant du relief aux expressions : il est des verbes d'aspect essentiellement banal (être, faire, avoir...) auxquels on peut deux fois sur quatre trouver des remplaçants plus expressifs et plus nerveux. Tu le sais mieux que moi.

b) Eviter un usage obscur, amphibologique des pronoms et adjectifs démonstratifs : ce, cette, etc...

c) T'efforcer de scander clairement la marche de ta pensée, au moyen de transitions non seulement connectives, si l'on peut dire, mais synthétiques, — résumant, en une ligne, ce qui a été dit et ce qui va suivre, — marquant le palier atteint et indiquant la marche nouvelle. Ceci est d'un art déjà beaucoup plus difficile, et suppose d'ordinaire une grande netteté et maturité dans la conception des idées. Très nécessaire pour que le fil de ta démonstration ne soit pas perdu au milieu des citations.

d) La première partie de ton étude, spécialement la description de l'état d'esprit des intellectuels (pessimisme — naturalisme) après 1870, aurait besoin d'être abrégée peut-être, et, en tout cas, clarifiée, condensée. Je t'ai indiqué quelques corrections. C'est la seule retouche un peu sérieuse que je crois nécessaire. — Tu pourrais faire remarquer qu'à cet état d'esprit a correspondu, dans l'art de Bourget, le stade de la Science, tout court. — Après, s'est levée et opposée la conscience, comme tu dis fort bien.

En somme, ton travail conserve encore quelques négligences dues à une rédaction rapide, et au fait que tu l'as *parlé*. Pour l'imprimer (ce que je souhaite qui arrive), il a besoin de légères améliorations de forme et de tenue, d'abréviations, aussi, sans doute, de citations, qui ne doivent pas te prendre grand temps à lui donner.

En ce qui touche la valeur apologétique de la *réussite* du Christianisme, remarque (je t'ai exprimé ceci en quelques lignes en marge de ton travail), remarque qu'elle est réelle, bien qu'inadéquate, si on *admet* (ce que bien peu de gens, surtout en cette époque de Bergsonisme, refusent de croire) que la Vie ne se trompe pas, ne peut pas se développer avec succès autrement que dans le sens du Vrai (d'où il suit que le Vrai doit exister, [être cherché] *dans le nombre, dans le sens* des choses qui réussissent). Ce *Vrai* du reste doit avoir la même *consistance,* la même objectivité que la Vie qu'il soutient et les tendances qu'il excite et supporte : si Dieu N.S. n'était qu'une imagination factice, une *illusion* n'ayant d'autre réalité et vérité que d'aider notre action, il faudrait dire que *les conditions de viabilité* de notre existence sont moins réelles que cette existence, ce qui est absurde. Autant dire que nos poumons pourraient respirer un air immatériel...

Et voilà. Merci de m'avoir communiqué avec autant de confiance ton travail. Merci aussi à toi et à

Mme Parion du paquet. Le camphre a été utilisé sans retard [1].

Une prochaine fois, je te parlerai des progrès de mes idées au sujet de la « Vie cosmique » [2]. Cela se précise et commence à se rédiger. Ton observation sur le rôle de la musique et de la poésie est *très juste.* Ces arts-là ne nous entraînent pas exclusivement à l'effusion panthéistique et païenne. Ils excitent seulement *d'une manière générale* l'âme à chercher du plus beau et du plus grand : *ils la sensibilisent* à l'égard du Tout, ils la « cosmisent » si on peut dire, soit en la faisant se perdre dans le nirvanâ inférieur, soit en la faisant s'unir passionnément au grand effort vers les sphères supérieures. Est-ce exact, cette fois ?

Tout va bien, pour moi. Le calme toujours. — Je prie toujours beaucoup pour toi. Que la paix substantielle de N.S. demeure en toi ! —

J'ai été très heureux des interviews de M. Verdier sur le féminisme. — Laisse faire la Providence. Ta vocation se dessine et ta place se fait, petit à petit.

PIERRE.

Au sujet de l'apologétique de la réussite vitale, j'ai lu jadis une *plaquette* de Joergensen [3] (traduction d'Armailhacq, chez Plon ? épuisée, mais que tu trouverais sans doute dans les bibliothèques), dont le nom

1. Contre les poux !
2. *La Vie cosmique* est datée du 24 avril 1916. (Cf. Claude Cuénot : *Pierre Teilhard de Chardin* (Plon).
3. Joergensen, écrivain danois, protestant. Il a été surtout rendu célèbre par ses livres consacrés à saint François d'Assise. Ils avaient paru en 1909 et 1910.

m'échappe en ce moment, où l'argument est présenté avec une netteté et un appareil quasi-biologique, impressionnants.

Chère Marguerite,

Je réponds ici à ta lettre du 4 avril. Mais avant de t'en remercier et de t'en parler, je veux te dire tout de suite combien j'ai été douloureusement surpris en voyant annoncée, sur le journal d'aujourd'hui, la mort de M. Auffray [1], le père de tes amies. Tu voudras bien transmettre à M. de Margerie mes condoléances. Mais je pense à toi surtout qui perds, je crois, un protecteur et un ami. Je ne sais pourquoi (ou plutôt je sens trop facilement pourquoi !), nous nous imaginons que le cadre de notre existence doit être aussi durable que nous-mêmes. Ceux que nous avons toujours connus, ou que nous avons, un jour, comptés parmi les supports et les environnements définitifs de notre personne, nous ne pouvons admettre qu'ils disparaissent avant nous... Comme si les innombrables brisures qui se font chaque jour sous nos yeux devaient toujours se produire en respectant la petite sphère de nos affections. — Je voudrais que cette nouvelle peine et déception, — se surajoutant à tant d'autres, ne te déconcerte pas. Nous n'avons pas d'autre demeure permanente que le Ciel : c'est la vérité

1. M. Auffray, allié de la famille de Margerie, amie de M. Teillard-Chambon.

toujours ancienne et toujours à apprendre, — qui ne s'assimile qu'à coups de douloureuses expériences. Je ne sais si je t'ai raconté que, en septembre 1914, pendant que j'aidai Boule[1] à mettre à l'abri les plus précieux trésors du Muséum, en palpant d'une façon aussi immédiate et aussi crue la fragilité des espoirs humains, je me suis senti gonflé d'une sorte de joie triomphante : parce que Dieu, sa Volonté, inattingibles à toutes diminutions, attingibles au contraire malgré tous les désastres et toutes les ruines, m'apparaissaient comme la seule réalité absolue et désirable... Et cette même joie triomphale, faite de conviction en la transcendance de Dieu, je la conserve, aux mauvaises heures, en face des pires éventualités menaçant le pays. Oui, même si, contre toute attente, la guerre finissait mal, non seulement pour nous, mais même pour le progrès réel du Monde (Dieu sait pourtant si je crois au succès final du Monde et au progrès, malgré tout, de la Vie, — j'ai foi en la Vie) ; même alors, j'aurais envie de répéter, sur toutes ces apparences de maux, le vieux cri des fêtes grecques : « *Io, triumpe.* » Et pourtant j'aime les belles choses, la science, le progrès, presque naïvement ; je suis homme autant et plus que personne. Mais voilà : nous autres, qui croyons, nous avons la force et la gloire d'avoir, plus profonde que notre foi en le Monde, la foi en Dieu : et celle-ci se dégage et reste, même si celle-là venait à tomber sous le coup de certaines expériences. J'ai dévié un peu de ce que je voulais te dire, et peut-être tu vas me trouver dur et sauvage. Retiens seule-

1. Marcellin Boule, directeur du Museum d'Histoire naturelle, professeur de paléontologie humaine.

ment que je dirai au moins une messe pour M. Auffray et les siens, et que je demande à NS de te faire sentir qu'Il peut et veut remplacer pour toi tous les appuis humains qu'Il t'enlève.

J'en reviens à ta lettre. La sorte de dégoût que tu éprouves pour un travail fini, je le connais comme toi ; et tout le monde, je pense, en éprouve les atteintes. Et pourtant, si on veut arriver à une production sérieuse, il faut savoir reprendre la forme, accentuer les idées (qui ne sont souvent vraiment claires dans l'esprit qu'après une première rédaction), se résigner même parfois à la douloureuse épreuve d'une refonte. J'espère que tu tireras parti de ta conférence (qui m'a fait un vrai plaisir, je te le répète), et je ne désespère pas (quoi que tu dises) que petit à petit, s'ébauche et se dessine en toi quelque œuvre absolument personnelle, — qui réconforte la foule des pauvres jeunes filles à qui les horizons ordinaires n'ouvrent aucun espoir, aucun intérêt à vivre. Si la figure de femme que tu cherches à décrire passe devant moi, je te la montrerai, — bien sûr.

Et maintenant, une fois de plus, courage pour tes efforts auprès de tes anciennes. Ce que tu m'en dis me cause une vraie joie, parce que je crois voir que petit à petit, Dieu te fait venir là où Il veut. — Je suis heureux de penser que tu vas aller à Sarcenat ; si rien ne vient troubler l'ordre des choses (or, nous sommes à une époque de l'année plutôt critique !) je pense aller en permission au début de mai. Je ferai mon possible pour te voir. D'ici là, j'aurai peut-être fini les quelques pages où je rédige en ce moment mon « testament d'intellectuel [1] », et je te les confierai vraisemblablement.

Dernièrement, c'est-à-dire hier, j'ai eu une tristesse : un jeune et exquis petit jésuite, brigadier d'artillerie, que je voyais souvent ici et qui me charmait par son entrain et son âme tout ouverte aux belles choses, a eu les jambes brisées, dans son observatoire, par un obus. Je crois qu'il est sauvé, mais on a dû l'amputer. Je l'avais encore vu la veille ; et quelques jours avant, il m'avait fait les honneurs de son observatoire. Je vais tâcher de le joindre, car son hôpital est près de nos cantonnements d'arrière. Je n'ai du reste aucune inquiétude sur son moral (à un de ses cousins, un enseigne de vaisseau qui m'a fait prévenir, la première parole qu'il a dite fut celle-ci : « Tu sais, mon vieux, je n'ai plus de pattes »), mais c'est une grande peine de voir entravée (en apparence, toujours) une si belle activité.

A Dieu. Je prie pour toi et pour les tiens.

PIERRE.

[*Esnes*] *18 juin 1916.*

Chère Marg,

Ecrivant à Mme Parion un accusé de réception du saucisson de Nîmes et d'une lettre, je ne puis ne pas t'envoyer un mot sous la même enveloppe. Je t'écris du fond d'un gourbi solide, à demi enterré dans le sol d'un plateau désolé aux environs du bois d'Avocourt. Dehors,

1. Ce « testament d'intellectuel » est *la Vie cosmique*, comme en témoigne Marguerite Teillard-Chambon dans son Introduction sur la guerre.

un beau soleil a durci la boue invraisemblable où nous nous enlisions les premiers jours. La situation est très tolérable, et du reste ne va pas se prolonger beaucoup maintenant. Voilà pour te rassurer sur mon sort extérieur. — Intérieurement, je ne suis pas encore absolument sorti de l'espèce d'engourdissement où m'a enveloppé une existence faite, depuis que je t'ai vue, de perpétuels déplacements, vers ou dans une région à la fois désirée et redoutée. De nouveau, je me suis senti, non plus la monade individuelle et pleine de plans d'action personnelle, mais la monade perdue dans le grand heurt des peuples et des énergies brutales ; cela m'a un peu comme étourdi et dépersonnalisé. Ajoute la privation de sacrement, — un peu compensée depuis que je porte sur moi la Sainte Réserve. — J'ai cru voir avec plaisir, que je trouvais une source de vraie énergie dans mes pensées cosmiques. Mais, évidemment, la guerre est un cas extrême et anormal de renoncement aux droits et aux aspirations de l'individu. — Ce qui a caractérisé mon séjour ici, c'est l'absence d'événements sensationnels soit pour le régiment, soit pour moi : une lente et obscure exposition à un danger médiocre, où tout, (sauf quelques grands événements à droite ou à gauche) passe inaperçu, voilà la formule de ces dix jours. Tu comprends que cela manque de « tonique ». Je n'ai eu que deux ou trois moments d' « excitation ». Ne crois pas que je sois déprimé ; le serais-je, il me semble que cela ne me toucherait pas, tellement, *dans un certain sens*, il me semble que je me désintéresse de moi-même... Je t'écris cela comme en une causerie et pour essayer de me débrouiller moi-même, en me forçant à réfléchir un peu sur moi-même. — Je pense que je comprends mieux en ces circonstances, les difficultés de vie intérieure que tu rencontres dans ton existence si brassée.

A Dieu. Que N.S. qui est sur mon cœur te bénisse et te donne sa joie et sa paix. Savoir que tu as du courage et de l'entrain m'est une force.

Bien à toi,

PIERRE.

[*Esnes*] *19 juin 1916.*

Chère Marg,

Je t'ai écrit hier un mot un peu plus long que les précédents, en même temps qu'à Mme Parion. Mais voici qu'à la nuit on m'a remis ta longue lettre du 15, et je ne peux m'empêcher d'y répondre de suite. Merci, avant tout, pour tout ce que tu me dis de fortifiant et de chrétien. Oui, tu me soutiens vraiment, plus que tu ne peux penser, en me parlant de la valeur du sang du Christ, et en m'invitant à converger avec toi vers le Cœur de NS. Sans aucun doute, à certains moments, les besognes sont partagées : en ces jours, tu pries et tu penses pour moi, qui vis un peu comme une machine.

Si je ne t'ai envoyé que de brèves cartes, c'est d'abord, comme tu l'as deviné, faute de commodité pour écrire. Et puis, jusqu'à mon arrivée ici, je vivais en quelque sorte (et je vis encore un peu) tout « penché en avant », dans une attitude peu compatible au reploiement de la réflexion et aux épanchements. A vrai dire, il y avait là une certaine faiblesse ; — et cela m'eût été salutaire de t'écrire plus à fond, pour me forcer à préciser mon attitude intérieure, à reprendre contact avec le fond de moi-même. Mieux vaut tard que jamais. Je sens déjà que de t'avoir écrit hier et de t'écrire maintenant, m'est bienfaisant. — Je te le disais, et je ne puis que te le répéter, j'ai encore assez de peine à m'analyser et aussi à secouer une certaine torpeur due à un excès d'extériorisation. Je suis convaincu que cette phase (si les circonstances sont favorables) sera suivie d'une période de réaction plus consolante et plus féconde. Pour le moment, il n'y a qu'à patienter et à lutter un peu.

Ce qui a caractérisé jusqu'ici mon séjour aux environs de Verdun (bien près de finir) c'est une sorte de médiocrité dans le danger (je te le disais déjà hier), sans consolation apostolique, ni occasions à un dévouement quelque peu singulier. Rien qui fouette ou surexcite ou fasse rendre à la volonté des sons d'une profondeur insoupçonnée.

Des bataillons voisins ont été à la peine et à l'honneur ; le nôtre est demeuré dans un coin obscur. Si NS l'a voulu ainsi, c'est plus humble et c'est mieux. Seulement, tu le comprends, cela laisse le moral à plat, ou en proie facile à tous les agacements. Tu vois que je te parle sincèrement. Prie pour moi, et puis, crois bien que, grâce à Dieu, je n'ai pas le cafard. Je constate, simplement, que Verdun a été pour moi, surtout la prose, — ô combien salutaire, peut-être. Quand nous serons à l'arrière, je t'enverrai quelques détails plus concrets sur les lieux et l'existence là où nous sommes. Sache que pour le moment le beau temps continue, et notre gourbi est à peu près sec.

Une idée qui m'est venue, depuis quelque temps déjà, sur la Volonté de Dieu : as-tu pensé qu'Elle est en quelque sorte matérialisée, ou même incarnée, au plus profond de nous, par *le temps* (ou la durée, comme dirait Bergson), le temps qui nous entraîne et qui nous rythme, le temps qui passe trop vite ou trop lentement, le temps qui sépare impitoyablement d'une date désirée, ou fait s'écouler trop vite les heures de réunion ; le temps qui s'oppose à ce que nous réalisions en un clin d'œil les perfectionnements rêvés en nous et autour de nous ; le temps qui nous fait vieillir... C'est l'action créatrice de Dieu qui est à la source de ce déterminisme fondamental et universel : reconnaissons-la et aimons-la.

T'ai-je dit que petit à petit, nous avons entamé avec Boussac une correspondance d'idées sur les sujets que tu devines (relations et alliance de la vie de foi et de la vie d'homme) ? Lui est beaucoup plus individualiste et beaucoup moins cosmique que moi. Il voit plutôt en noir la guerre et le progrès. Mais, dans le fond nous avons les mêmes idées, et, surtout, les mêmes aspirations.

C'est avec Breuil que j'aimerais maintenant à me retrouver.

Adieu. Oui, ne te laisse pas déconcerter par les « minuscules soucis » qui t'encombrent et, souvent sans doute, te submergent ou te désarçonnent. Cette puissance des petites choses pour influencer notre vie n'est pas une illusion. Et puis, comme tu dis, elle ne t'empêche pas de faire œuvre utile. Bonne chance pour le

Correspondant. Pour ce qui est du travail personnel, tâche de nourrir patiemment quelques idées chères, qui finiront, tu verras, par se détacher, toutes mûres. Que NS te bénisse.

Bien à toi,

PIERRE.

[*Beurey-Meuse*] *25 juin 1916.*

Chère Marg,

Depuis deux jours nous sommes cantonnés dans un village exquis, malgré qu'en partie incendié (en 1914), des environs de Bar-le-Duc. Le soir, je vais me promener le long d'une petite rivière aux eaux lisses mais puissantes, qui coule, muette et vigoureuse, entre des bois et de grands foins mûrs. Nous avons des couchers de soleil d'or cru, sur des verdures plus crues encore. La campagne sent comme quand j'étais petit. C'est vraiment de la détente, après Verdun. Il ne me manque qu'une chose, — la principale : quelqu'un avec qui je puisse causer à cœur ouvert, et me détendre de bien des choses. Sur ce point j'en suis réduit, si l'on peut dire, à NS et à des correspondants tels que toi.

Je t'ai promis quelques détails sur ma vie à Verdun. En fait, j'ai très peu de choses à te dire, car notre séjour là-haut a été d'une espèce banale. Notre bataillon occupait une position privilégiée entre la cote 304 et le bois d'Avocourt où ne s'est produite aucune attaque. Une seule fois nous avons été bombardés avec du gros calibre ; mais heureusement sans casse. Presque tout mon temps s'est passé dans un abri obscur creusé sur le plateau d'Avocourt. Je n'en sortais guère que pour aller faire un tour aux premières lignes, ou, en arrière, à Esnes. De là-haut la vue était splendide et captivante (allant de l'Argonne à Vaux), mais combien triste. Les crêtes où on se bat sont complètement bouleversées, et comme galeuses : on dirait des côtes incendiées parmi les ondulations si vertes et si richement boisées de la Meuse. Plus en arrière, le pittoresque l'emporte sur l'affreux. Les grandes ondulations de terrains, à demi noyées dans les futaies où se croisent les pistes des ravitaillements et courent d'innombrables et mystérieuses lignes téléphoniques, ont une étrangeté captivante. C'est le « sentier de la guerre », partout. La guerre a complètement envahi ce pays Les villages à proximité de la ligne de feu sont des nids à marmites, dont on ne s'approche qu'avec un certain tremblement. Je t'ai cité Esnes, où est le centre des ambulances du secteur : en ce lieu, les obus tombent presque continuellement, émiettant les ruines et abîmant trop souvent quelque vivant. Croirais-tu que j'ai assisté, d'une hauteur, à un tir à la cible, en règle, sur nos autos sanitaires, à coups de 77 et de 105 ? La route d'évacuation étant visible un instant aux Boches, chaque auto qui apparaissait était tirée et suivie d'obus, à l'aller et au retour. Au bout de deux heures de ce jeu, ils ont fini par faire mouche (on a heureusement pu sauver la plupart des blessés). A part les bombardements en règle, le danger, dans les parages où nous étions, tenait aux nombreux petits obus envoyés un peu tout le temps, au hasard, sur les rares et mauvais boyaux reliant les tranchées à l'arrière. On finit par ne faire presque plus attention au sifflement des marmites grosses ou petites, — à moins qu'il ne se rapproche tout à fait immodérément. En somme, je n'ai couru aucun danger spécialement sérieux ; mais, peut-être par indisposition physique ou morale, ce séjour à Verdun (que je ne regrette pas) m'a fortement lassé. C'est le cas d'apprendre à dire avec St. Paul : « C'est quand je me sens faible que réellement je suis fort [1]. » Il n'est pas mauvais, n'est-ce pas, de se sentir perdre pied : on se raccroche plus sincèrement à la main de NS. Je vais tâcher, d'ici vendredi, de me rapprocher, autant que posible (avec toi, c'est entendu) du Cœur de NS. Mon besoin est grand de retremper en Lui mon âme, pour avoir plus de foi, de dévouement, et de bénignité. — Dis-moi que je ne te déconcerte pas, en te parlant ainsi, en toute franchise, de mon très pauvre courage. — Mon cerveau est encore assez vide d'idées et d'attraits, — et je ne sais si le repos durera assez longtemps pour que reprenne le courant des pensées familières. Nous ignorons tout de nos destinées, et pour l'instant, il n'y a qu'à profiter du repos. Moi, je profite en outre de l'église, où j'ai recommencé à dire ma messe, depuis trois matins. Tu n'es pas oubliée, ni tout ce qui te touche.

A Dieu. Je t'écrirai encore d'ici.

PIERRE.

1. II, *Cor.*, xii, 10.

Chère Marg,

Je réponds ici à ta bonne lettre du 22 qui m'est parvenue le jour même où je t'envoyais ma dernière. J'ai été très sensible à ce que tu me dis d'affectueux et d'encourageant. Je te répète que tu peux beaucoup pour m'aider, il arrive toujours des moments où personne n'est fort pour soi. — Je crois que tu as parfaitement raison en estimant que la sève de ma pensée et de mon action est encore plus sensible qu'intellectuelle. Encore que la distinction des deux puissances « affective » et « appréhensive » soit bien moins claire qu'il puisse sembler au premier abord, et que sentir intensément entraîne presque nécessairement une vision très intime de ce qui est éprouvé (mon pauvre ami Rousselot [1] estimait que toute connaissance est « sympathique » et donc réductible à l'amour), il y a évidemment des tempéraments chez qui l'intuition naît d'un excès de tension ou ardeur vitale, bien plus que d'un effort méthodique ; et sans doute, je m'en rapproche. Je suis passionné beaucoup plus que savant (excuse le gros mot, démesuré pour ma valeur). Tu m'as bien jugé. — Or ceci est une grande faiblesse en même temps qu'une force précieuse ; et je l'ai bien expérimenté, en ces derniers temps. Ce goût, cette passion de vivre, que tu m'envies

1. Cf., lettre du 15 octobre 1915.

(et que je dois certainement, en partie, au fait d'avoir en général toujours réussi, et, aussi, rencontré autour de moi de l'aide et de la sympathie), — ce goût et cette allégresse d'agir, donc, nous n'en sommes absolument pas les maîtres : c'est une source qui jaillit en nous sans nous, que nous pouvons bien utiliser, canaliser, mais non entretenir et nourrir. Si cette énergie première s'appauvrit au fond de nous-mêmes, aucun raisonnement, ni aucune industrie ne peut la restaurer. « *Si sal evanuerit in quo salietur ?...* » C'est un « *primum datum* », analogue dans la vie pratique, à la perception des premiers principes pour la vie intellectuelle. — Que NS nous garde donc au fond de l'âme, la tension vers le progrès et le plus-être ; — et, en même temps qu'Il tourne cette tendance profonde vers Lui seul ! — De cette double vigueur fondamentale Il est seul Maître et Dispensateur, étant source de la Vie... Je te le répète, j'ai profondément expérimenté cette dépendance, cette impuissance qui est la nôtre de nous donner le goût (si nécessaire) de vivre. C'est là que je me suis senti touché. N'est-ce pas là, un tout petit peu, l'ennui mortel dont agonisa NS ?

Je me sens porté, depuis quelque temps, par les questions qui me sont posées et les nécessités où je me suis trouvé, à approfondir cette question de l'ennui, du dégoût, de l'état d'une âme naturellement aigrie et débordée par la vie. Evidemment, cela aussi est utilisable pour Dieu, éminemment sanctifiable. Mais il doit y avoir une théorie psychologique de cela, nécessaire à une saine ascèse. — et une théorie « philosophique » aussi, justifiant ces états... Je m'empresse de te dire que mes idées sont encore vagues. Mais j'ai toujours remarqué que, pour un problème, l'important est moins de le résoudre que de se le formuler nettement... Au point de vue pratique, je suis heureux que demain se trouve être la fête du S. Cœur. Lui, Il est par-dessus tout le Maître de la Vie intérieure. Il me semble que c'est avec un renoncement absolu à toute confiance en moi que je Lui demanderai de me vivifier l'âme (et celle de ceux qui me tiennent de plus près). Et puis, s'Il préfère que nous nous traînions sans allégresse possible, qu'Il nous conserve au moins le goût d'aimer à faire sa Volonté, pour Elle-même. — En fait, j'ai très sensiblement repris mon « assiette » morale. Si l'avenir était moins brumeux, je me remettrais même peut-être à travailler d'une façon suivie ; malheureusement, la situation pour nous est encore trop peu stable pour entamer quoi que ce soit de sérieux. — Aujourd'hui, fête de St. Pierre, mon glorieux patron. J'en reviens toujours à la parole que NS lui dit (Jean 21) à la fin de l'Evangile : « Quand tu auras vieilli, un autre te ceindra et te mènera là où tu ne veux pas... » Il est étrange combien, malgré mes raisonnements et mes affirmations contraires, je me sens une préférence instinctive, inéluctable pour le déterminisme du Monde, pour « la Main de Dieu sur nous »... Voilà encore une de ces dispositions premières fondamentales, qui sont le nerf de notre vie, et sur la naissance ou la continuation desquelles nous ne pouvons rien...

Adieu. Je prierai demain NS pour toi et tes intérêts plus que je ne saurais le dire. Dans les moments où pèsent, menaçantes et implacables, les grandes malfaisances de la guerre, les plus attentives sympathies humaines peuvent paraître bien fragiles et bien vaines ; mais, si elles s'appuient sur NS, elles sont bien puissantes, en réalité.

Nous suivons tous passionnément les lents développements de la grande offensive. Plus que jamais c'est le moment de s'ancrer dans la conviction que seule la plus grande gloire de Dieu sortant de tout ce chaos importe, — et dans la foi, aussi, que cette plus grande gloire fait plier à soi les événements, et sait en extraire toute la moelle et la sève de bien durable...

J'ai reçu les chaussettes et la boîte adjointe. Merci à toi et à Mme Parion. Bon courage pour la fin de l'année. Nous sommes toujours au même cantonnement paisible.

Pierre.

[*Bois Saint-Pierre*] *10 juillet 1916.*

Chère Marg,

Je réponds ici à ta bonne longue lettre du 4, qui m'a été remise quelques instants après que je t'eusse envoyé mon petit mot, inclus dans la lettre à Mme Parion. Depuis, j'ai encore reçu de toi quatre *Revues hebdomadaires* et le *Daily Mail*. Un grand merci pour cette pâture intellectuelle, très appréciée de moi et de beaucoup autour de moi. En lisant l'article de Richet sur l'alcoolisme (je n'ai pas encore lu celui de P. Bureau sur la dépopulation), j'ai été très frappé de cette nécessité qu'il y a, pour beaucoup de gens, d'être maintenus ou remis *par force* dans les conditions et les voies de la santé et du bien. Evidemment, dans le cas de la religion, où est requis un acquiescement intérieur, et où les certitudes ne sont pas d'ordre expérimental, l'usage de la contrainte est infiniment délicat ; mais enfin, on comprend mieux, par comparaison avec l'abus des poisons savoureux, la légitimité des mesures préventives (Index, éducation agencée pour donner un « pli »…) qui révoltent au premier abord, mais qui rentrent parmi les privilèges de la vérité et de la lumière. Je suis en tout cas de plus en plus convaincu que l'humanité n'est pas mûre (si jamais !) pour être conduite par la raison, et que la masse a besoin d'être, longtemps encore, tenue en lisière.

Je t'écris par un admirable soleil, et toujours d'un bois, — celui-ci dans la zone des marmites, qui, une dizaine de fois le jour et la nuit, viennent s'affaler dans la futaie avec un fracas de tonnerre, sans du reste créer la moindre émotion. Une dizaine de saucisses flottent dans les airs au-dessus de nous. Par ailleurs, le front paraît extraordinairement calme ; ce qui nous promet un séjour en ligne peu mouvementé : car, — il semble bien, — nous allons finalement reprendre une seconde fois les tranchées, au même endroit que précédemment. Tu n'as aucune raison de t'inquiéter spécialement à mon sujet. Prie seulement plus instamment NS pour qu'Il me fasse bien exactement, durant ces jours, adhérer à sa Volonté, et réaliser ce qui peut Le servir. C'est bon, quand on y pense, d'être le « galet roulé » par l'Océan Divin. Et puis, comme tu me dis l'avoir « vu » plus clairement, tout ce qui se perd, de nous-mêmes, en service commandé, est un gain solide, une part de notre être mise définitivement en sûreté. — N'est-ce pas qu'elles sont précieuses et douces, les lumières qui, de temps à autre, nous font voir et vraiment assimiler quelqu'une de ces vérités fondamentales, répétées par toutes les bouches, mais si lentes à pénétrer jusqu'au cœur ? As-tu essayé, quand elles te viennent, de les fixer par écrit ? Petit à petit, se dessine ainsi la physionomie que NS cherche à donner à notre âme. Par le petit effort de la rédaction, la lumière entrevue se précise, se concentre, sous une forme que nous ne saurions peut-être pas lui donner plus tard ; elle amorce des prolongements d'elle-même ; — dans les moments plus sombres, on se raccroche aux paroles où se sont exprimées les pensées de joie et de clarté. — Je me suis toujours trouvé très bien de noter ainsi les étapes, même minimes, de ma vie intérieure [1].

Croirais-tu que j'ai eu avant-hier la chance extraordinaire et la grande joie de rencontrer Boussac, dont le bataillon est venu, de l'Aisne, occuper les emplacements mêmes que nous quittions. Malgré qu'il soit un de ces hommes avec qui j'écris plus facilement encore que je ne cause, une conversation avec lui m'a été un véritable soulagement, — mêlé, tu le comprendras, d'une pointe aiguë de regret pour toutes les passionnantes occupations dont la guerre nous sèvre. Oui, tu as raison de me le rappeler, un avenir captivant m'attend, pour après la guerre ; mais, vois-tu, le développement et le succès

1. Le mois suivant, il écrivait la *Maîtrise du monde et le règne de Dieu* ; déjà les idées en mûrissent ici.

personnel ont fini, presque naturellement, par me paraître secondaires ; je ne suis plus guère ému que par les Intérêts et les Causes à défendre (et sans doute comprends-tu les choses ainsi !)... Il est vrai que ces Intérêts et ces Causes sont bien plus passionnants encore qu'une simple réussite individuelle. — Je pense, comme toi, et je le disais à Boussac pour dissiper ses sombres pronostics : ce qui nous fera éviter une révolution et une lutte de classes (au moins immédiate), c'est la joie avec laquelle les poilus se retrouveront dans le cadre des travaux familiers, et la ferveur nouvelle avec laquelle la majorité d'entre eux s'y livreront. — Donc, j'ai trouvé Boussac toujours un peu assombri par la guerre. Comme dernièrement j'essayais de lui prouver qu'en travaillant à la bataille il coopérait en somme aux progrès de la Nature qu'il aime tant, il m'a répondu que « jamais il ne confondrait, jamais même il ne pourrait comparer les œuvres brutales des militaires et les palabres insincères des diplomates avec les nobles et silencieuses transformations de la Nature ». Et pourtant ne faut-il pas établir cette comparaison, opérer cette fusion ? J'éprouve souvent l'impression de révolte de Boussac, mais je crois qu'elle repose sur une illusion... Oui, le développement moral et social de l'Humanité est bien la suite authentique et « naturelle » de l'évolution organique. Il nous paraît laid ce développement, parce que nous le voyons de trop près, et que le libre arbitre a ses corruptions particulières et exquises, mais en fait, il est l'aboutissement normal d'un travail qui n'est sans doute si « noble et silencieux » que parce que nous le voyons de très loin, — comme les shrapnells autour d'un avion semblent être, vus à grande distance, une scène d'agrément, purement ornementale. Toutes les perversités morales sont en germe dans l'activité la plus « naturelle », la plus passive (en apparence) entre les mains de la Cause première ; elles y sont assoupies mais point encore traversées, surmontées, ni vaincues.

Je crois que Bergson, dans des conférences, a amorcé cette étude de la nature, de la place et de la consistance biologique de l'évolution morale ; autrement, j'essaierais de creuser le sujet.

Je suis heureux de tes succès, et aussi de l'approche de tes vacances ; j'aime toujours à te savoir à Sarcenat. Tu verras combien Caro [1] est gentille.

Adieu. Mille choses aux tiens et à Mme Parion. Dis-lui que son saucisson de Nîmes, mangé ici dans les bois, a provoqué des admirations unanimes.

Bien à toi.

PIERRE.

[*Esnes*] *14 juillet 1916.*

Chère Marg,

J'ai reçu ce matin ta carte du 9, et j'y réponds du fond de mon gourbi, en ce glorieux jour de la fête de la République. Depuis avant-hier, le bataillon est en 1re ligne, aux mêmes emplacements que la dernière fois. Le secteur paraît sensiblement plus calme qu'il y a trois

1. Caroline Jeannerod, épouse de Gabriel Teilhard de Chardin.

semaines ; et à part une attaque peu énergique subie il y a deux jours par le bataillon que nous avons relevé, les lieux paraissent, en ce moment, presque aussi peu dangereux que les environs de Nieuport. Seule la boue règne encore en maîtresse ; et c'est ainsi qu'hier tu eusses pu me voir circulant, empêtré jusqu'au-dessus des genoux dans une boue gluante, au fond d'un de ces fossés aux rives éboulées et trouées de marmites qu'on décore du nom de boyaux de communication. Vivement le beau temps !

Personnellement, je suis un privilégié, puisque, pour me reposer et me sécher, j'ai l'abri relativement confortable du poste de secours au lieu d'être réduit, comme les camarades, à coucher dans un remblai boueux. — Avec cela, le moral est bon. — Tout de même c'est un peu humiliant d'avoir passé en ces lieux sans rien avoir expérimenté d'un peu excitant ou héroïque. Mais pour un chrétien, n'est-ce pas, la reine des vertus est l'humilité ? Je n'éprouve jamais peut-être autant la douceur d'être à Dieu que lorsque je me remarque ainsi lié par la volonté divine à une destinée moins glorieuse que je l'eusse rêvé, et que je songe à l'accepter au lieu de m'en tourmenter. Par mesure de sûreté, au cas d'un « coup de chien », j'ai repris avec moi la Sainte Réserve ; et c'est ainsi que je demande avec plus de confiance que jamais à NS qui est si près de ma plume et de cette lettre, d'y joindre, pour toi et ton œuvre, une efficace bénédiction. Ce matin, en songeant au Maître si proche de moi, et pourtant si incomplètement encore uni à moi, j'ai été tout pénétré, une fois de plus, de l'infini mystère du contact et de la fusion des êtres.

Un certain rapprochement ou du moins une certaine liaison dans la matière est à la base de l'union. Mais les degrés sont indéfinis dans l'intimité [le progrès] de la pénétration : l'un dans l'autre les deux êtres peuvent couler indéfiniment, comme une pierre dans la mer, — et, quand il s'agit de l'union avec Dieu, c'est en entraînant tout le monde avec soi qu'on avance dans le sein de Dieu ; et ce sein lui-même est en toutes choses, et toutes choses, épurées et concentrées, se rencontrent et sont retrouvées au plus intime de Lui...

A Dieu et courage pour la fin de l'année. Ne te trouble pas d'être sans force et sans ferveur sensible... Mais, comme tu le dis très bien, demande avec confiance à NS de te fortifier et de te suppléer.

Bien à toi. Souvenir autour de toi.

Pierre.

[Sermaize] 22 juillet 1916.

Chère Marg,

Je viens de recevoir, avec joie, ton petit mot du 17, de Sceaux. Nous sommes encore dans le brouhaha de l'arrivée au cantonnement de repos, condition défavorable à l'élaboration d'une lettre ; mais je ne veux pas différer de t'écrire, pour que tu saches sans tarder que je suis revenu sans encombre des environs de la 304. Ainsi que mes petits mots de là-haut te l'ont fait savoir, j'ai eu, cette seconde fois, un séjour beaucoup moins dur, moralement, que le premier. Et je l'attribue, en même temps qu'à un état physique meilleur, à ce double fait d'avoir su agir et me donner davantage. Il n'y a pas à dire : plus on renonce à se préoccuper trop de soi, plus on fait passer les autres avant soi, plus on est doux et bon, — plus on est heureux et puissant sur les autres. Il faudrait savoir toujours sourire.

Nos dernières journées en ligne ont été agrémentées par un temps magnifique ; j'aurais voulu que tu eusses le dernier regard que je conserve du bois d'Avocourt : le soleil descendait, énorme et rouge, derrière une futaie plus dénudée qu'en décembre ; et il montait des arbres avec des déflagrations déchirantes qui faisaient trembler le sol, la fumée des torpilles. C'était l'heure de la lutte à coups de bombes : il y a, par bonheur, des moments bien plus calmes. — Maintenant, donc, nous nous retrouvons au repos, dans un village exquis, pas loin de Revigny. Bien probablement, nous en avons fini avec Verdun, au moins avec la rive où nous étions ; or, c'est toujours un agrément pour l'esprit, en même temps qu'un supplément de repos, de vivre dans la perspective d'un certain indéterminé, porteur de nouveauté ou de changement. Le village où je demeure n'a pas de curé, mais une église, où je célébrerai à partir de demain. Ce matin, j'ai redit pour la première fois la messe dans la localité voisine, (desservie par l'ex-curé des Eparges, un prêtre jeune et fort gentil). Je ne t'ai point oubliée ; et tu étais, comme toujours en bonne place, dans le flot d'intentions amassées depuis vingt jours, que j'ai soumises à l'action bienfaisante et toute-puissante de NS. J'espère que Cécile est reçue. Pourquoi faut-il que la tyrannie des foins oblige papa à faire remettre votre séjour à

144

Sarcenat ! (C'est une lettre, pleine de regrets, de Guiguite, qui me l'apprend). J'aurais voulu que, toi au moins, tu montes là-haut. Mais évidemment, c'eût été là une mesure un peu délicate à prendre... Pour tromper l'ennui des tranchées, j'ai lu *Newman catholique* de Thureau-Dangin, que m'avait envoyé Guiguite. Plus que jamais j'ai sympathisé avec le grand Cardinal, si hardi, si croyant, si « plein de vie et de pensée », comme il le dit lui-même, — et si contredit, en même temps. Et j'ai senti, de nouveau, au fond de moi, le souffle qui appelle à la grande œuvre de la conciliation de l'Amour suprême et définitif de Dieu et de l'Amour inférieur (mais légitime et nécessaire) de la Vie embrassée sous ses formes naturelles. — Une foule d'idées de Newman — « Il est plus important de lutter contre des déviations fondamentales de la pensée que de faire quelques conversions ou de se confiner dans des querelles confessionnelles ». — « L'action intellectuelle de l'Eglise consiste surtout à éliminer, à trier, à sélectionner dans l'œuvre le développement dogmatique positif réalisé surtout par le Corps des croyants. » — « Ceux qui veulent faire triompher une vérité *avant son heure* risquent de finir hérétiques, »)... ces idées et d'autres semblables, si larges, si franches, si réalistes, donc, elles sont entrées dans mon esprit comme dans une demeure depuis longtemps habitée par elles. Et il m'était d'autant plus réconfortant de trouver cette communauté de tendances et d'appréciations que celui qui les a si vivement éprouvées a durement expérimenté, sans se scandaliser, la dure tentation d'être né avant l'heure ou la saison de sa pensée.

J'ai lu des vers, aussi, dans une anthologie ramassée au hasard des tranchées. Il m'a semblé que Musset avait des faiblesses d'idées déconcertantes, sous son harmonie. C'est finalement Ronsard et Vigny (surtout) qui m'ont bercé le plus mollement. Je crois aussi que je lirais avec grande satisfaction Maeterlinck (chut) ; mais je ne le connais point assez. — Il y a quelques jours, j'ai reçu une bonne lettre de Robert. Je lui répondrai incessamment.

Adieu. Passe de bonnes vacances ; et que la Nature te soit calmante. Laisse-toi te détendre dans la contemplation qui extériorise, et dans la pensée qui se déroule capricieusement, suivant sa pente familière...

Bien à toi,

PIERRE.

[Sermaize] 4 août 1916.

Chère Marguerite,

Tu auras sans doute trouvé, en arrivant au Chambon, une lettre de moi. Elle date d'assez loin déjà pour que je te donne d'autres nouvelles, — sinon des nouvelles extérieures (tu n'en as que faire au sortir de Sarcenat), au moins des nouvelles intérieures (qui sont les vraies). — Que je te dise d'abord mon plaisir en constatant que j'avais mal compris les plans de ma famille, et que tu avais pu aller à Sarcenat ; je crois que rien ne pouvait plus avantageusement te détendre de Paris que la société tranquille de Guiguite et Caro. Tu me diras sûrement ton impression sur cette dernière.

Je suis toujours au repos près de Sermaize, mais brusquement, depuis hier, des rumeurs de départ circulent, — pour où ? on ne sait. Ces bruits me laissent calme. S'il y a du neuf, tu ne seras pas longtemps sans recevoir un mot de moi. — Evidemment, un départ pour les lignes n'a plus rien, pour moi, des attraits de la nouveauté... Mais, le moment venu de l'action, il est bien rare que ne surgisse pas un regain de vieille ardeur. Et puis, on nous destine peut-être à quelque opération intéressante : il serait temps, si vraiment (?) la guerre est sur son déclin.

Depuis que je t'ai écrit la dernière fois, mon existence est demeurée semblable à elle-même, à peine interrompue dans sa forme de tranquille monotonie par une apparition de Boussac (événement heureux) et une première piqûre de vaccin anti-paratyphoïdique (événement déplaisant). Ai également noué des relations fort cordiales, et destinées vraisemblablement à se resserrer, avec un colonial-prêtre, nouvellement arrivé (en fonction d'aumônier) à un régiment de ma brigade : il est d'un esprit franc, décidé, ouvert, nullement « ecclésiastique » avec lequel j'ai immédiatement sympathisé ; et à Vaux, il a eu déjà le temps de faire ses preuves.

Cependant, j'ai tâché, dans la solitude amie de la forêt voisine, ou dans la fraîcheur calme et un peu moisie de la petite église de notre village, de faire se développer ma pensée. Je me sentais un certain besoin de progresser (et sans doute aussi, de jouir) intellectuellement, et j'ai répondu à l' « appel », aussi fidèlement que possible. A vrai dire, aucun filon bien nouveau, aucun centre d'idées bien satisfaisant n'a été rencontré dans ce sondage exécuté sur moi-même. Tout de même, j'ai prospecté certaines questions dont telle ou telle pourra m'acheminer vers des pensers utiles. D'abord, il m'a semblé, à l'appui de mes théories sur la collaboration chrétienne au Progrès, qu'il existait une véritable loi ou obligation naturelle de « la recherche jusqu'au bout ». Ne penses-tu pas que c'est une question de loyauté et de « conscience », de travailler à extraire du Monde tout ce que ce Monde peut contenir de vérité et d'énergie ? *Rien ne* DOIT *rester « intenté »* dans la direction du plus-être. Le ciel veut que nous nous aidions [nous l'aidions]. — Il me paraît inadmissible que la Révélation soit venue pour nous dispenser du devoir de la Poursuite ; et, dans le gros défaut (disons mieux, dans la tentation) de l'extrinsécisme des hommes d'église (qui veulent décider théologiquement et *a priori* de tout le réel) je vois autant de paresse que de suffisance. Non seulement par enthousiasme cosmique, mais *par strict devoir moral naturel*, il faut lutter pour *y voir* plus clair, pour *agir* plus puissamment. Il faut sous peine de péché, essayer tous les chemins... [*tout sonder, même depuis* N.S.J.C.].

Après cela, j'ai observé que je serais bien embarrassé de défendre, rationnellement, ou du moins scientifiquement (au sens large), le précepte de la charité [1]. Généralement, parce qu'elle est conforme à une sentimentalité facile ou admise, ou, si l'on est chrétien, parce qu'elle est le précepte par excellence du Seigneur, on

1. Le Père Teilhard a, plus tard, développé et précisé sa pensée sur la Charité dans *Le Milieu Divin*, pages 183 et 184 (Ed. du Seuil).

accepte sans critique la loi de la fraternité et de l'amour. Mais pourquoi pas, au-dessus de tout, la force qui organise, qui discipline, qui sélectionne ? (Excuse-moi de parler aussi boche qu'un Nietzsche...) Est-ce parce que, mettant la douleur au-dessus de tout mal, nous voyons l'idéal moral dans un universel apaisement [adoucissement] ? J'aime à croire qu'il y a à la philanthropie une base plus honorable. Est-ce alors que l'amour mutuel, la loi d'amour, serait le *sens* même, le fruit ultime, attendu de l'Univers, l'amour mutuel étant une valeur [une harmonie], une perfection en soi ? Peut-être... J'en suis là. Et toi ? — Heureusement que les faits priment la théorie, et qu'il est entendu et décidé, par la bouche même de NS, qu'il faut aimer son prochain comme soi-même. Peu importe l'explication : on en fabriquera toujours une. Tout de même, je mettrais presque le précepte de la charité sur le pied de la révélation d'un mystère...

Sais-tu que j'ai encore rongé intérieurement mon frein, ces temps-ci, d'être dans la Croix-Rouge. C'est évidemment un rôle extrêmement divin et sacerdotal d'être employé à verser l'huile et le vin sur les blessures de la Lutte pour la Vie ; mais je ne puis m'empêcher de constater que j'ai bien plus la nature du foret qui perce que celle de l'huile qui adoucit la marche du Progrès.

A Dieu. Que NS te donne de reposantes vacances. Je t'ai une fois de plus recommandée à Lui, en ce vendredi.

Bien à toi,

PIERRE.

Mille choses aux habitants du Chambon, spécialement à mon oncle et ma tante.

[*Nant-le-Grand*] *23 août 1916.*

Chère Marg,

Je t'écris d'une vieille maison campagnarde à l'entrée d'un petit village perdu dans la partie la plus montagneuse du pays de Bar-le-Duc. Nous avons débarqué là hier, de nos autos poudreuses, et si des vides trop réels et trop nombreux n'étaient là, béants autour de moi, je pourrais croire que les quinze jours écoulés depuis notre départ de Sermaize, sont un mauvais rêve. Je veux commencer mon repos en t'écrivant quelques mots de « mise au point » sur ma situation, sans préjudice de lettres ultérieures où je reviendrai sur diverses idées que me suggère ta lettre du 11.

Donc, on nous a expédiés, cette fois-ci, sur la rive droite, entre Thiaumont et Fleury, et nous sommes restés une dizaine de jours en ces lieux redoutables. Il m'est évidemment interdit d'entrer ici dans aucun détail sur les opérations dont j'ai été témoin, mais je puis au moins te dire que j'ai vécu là des heures à la fois pénibles et extraordinaires, au cours desquelles j'étais comme purement machinal, presque absolument extériorisé dans les événements. — Le cadre est celui des pires champs de bataille de Verdun. En avant de ravins encore vaguement couverts de bois décharnés où les arbres sont réduits à l'état de poteaux, s'étend la

150

zone où il y a des herbes. Au delà, plus aucune végéta-
tion, pratiquement ; mais de la pierraille retournée, et,
plus souvent de l'argile crevée et labourée sur deux ou
trois mètres de profondeur : un vrai relief lunaire. C'est
la région où les tranchées cessent, et où l'on se cache
dans des trous d'obus, vaguement reliés entre eux, et
dont il faut trop souvent expulser, pour y prendre place,
un cadavre boche ou français. — Par bonheur, nous
avons eu beau, frais, et à peu près pas de pluie : une
grosse épreuve nous a donc été épargnée. En revanche,
les bombardements, attaques, tirs de barrage, ont été
plus que quotidiens. J'ai passé deux jours dans un trou,
encadré durant des heures entières par des obus qui
tombaient jusqu'à moins d'un mètre de moi. A cette vie,
tu comprends que les nerfs se tendent un peu. NS m'a
toutefois gardé le moral bon. — Evidemment, une petite
compensation à l'horreur de ces choses est le spectacle
de manifestations extraordinaires d'énergie mécanique
et morale. Pendant 48 heures, j'ai habité un trou placé
un peu en nid d'aigle au flanc d'une colline, d'où je
voyais, de fort près, la ligne depuis Thiaumont jusqu'à
Fleury, lequel était à 200 mètres de moi. Au moment
du tir de barrage, toutes les côtes et les ravins se met-
taient à fumer : on eût dit un grand volcan aux flancs
percés d'innombrables solfatares. Et puis, tout d'un
coup, à une centaine de mètres de moi, j'ai vu sortir,
au pas, les vagues de fantassins qui rentraient dans
Fleury, sans hâte, curieusement, jetant des grenades
dans les trous... Nous avons eu pas mal de pertes, et douloureuses. Beaucoup de mes meilleurs amis du bataillon
ne sont pas redescendus de là-haut. Dans le chaos d'ar-

gile défoncée où nous nous agitions, les balles sont traîtresses : on ne sait jamais exactement si l'on est vu ou pas vu. — En montant et en revenant, j'ai passé par Verdun, visite qui m'a fort intéressé. La cathédrale a ses tours intactes, mais un des côtés de l'abside est absolument défoncé.

Je te disais que mon moral est resté bon. Sauf aux moments de bombardements intenses, où la vie devient plus animale, absorbée et concentrée dans les sifflements et les explosions, j'ai gardé le goût de penser. Mon regret est de n'avoir pas su assez, peut-être, fortifier et consoler tels ou tels de mes amis. Mais jusqu'à ce qu'on apprenne brusquement qu'ils ont reçu une balle dans la tête, cela paraît si peu vraisemblable que ceux qu'on rencontre pleins de santé, sur la ligne, doivent finir si vite, qu'on est souvent gêné pour parler carrément de fin prochaine... Je ne sais pas quelle espèce de monument le pays élèvera plus tard sur la côte de Froideterre, en souvenir de la grande lutte. Un seul serait de mise : un grand Christ. Seule la figure du Crucifié peut recueillir, exprimer et consoler ce qu'il y a d'horreur, de beauté, d'espérance et de profond mystère dans un pareil déchaînement de lutte et de douleurs. Je me sentais tout saisi, en regardant ces lieux d'âpre labeur, de penser que j'avais l'honneur de me trouver à l'un des deux ou trois points où se concentre et reflue, à l'heure qu'il est, toute la vie de l'Univers, — points douloureux, mais où s'élabore (je le *crois* de plus en plus) un grand avenir.

Je ne t'en écris pas plus long aujourd'hui parce que je suis submergé de réponses à faire à toutes sortes de gens.

Je t'écrirai bientôt. Tu sais que je prie pour toi. Hier, après quinze jours sans célébrer, avec tant d'âmes amies à recommander, pour remercier de tant de dangers évités, dans la conscience de si grands besoins et de si amères douleurs du Monde, j'ai dit la messe la plus fervente peut-être de ma vie.

Bien à toi,

PIERRE.

Je viens de recevoir ta lettre du 20. Merci.

[Nant-le-Grand] *29 août 1916.*

Chère Marg,

Un mot seulement pour te faire prendre patience, en attendant une lettre un peu plus développée. Je suis toujours au calme et au repos, — mais, justement, semble-t-il, pour m'empêcher de jouir de la solitude d'une chambre que le Curé d'ici m'a fournie, — toutes sortes d'occupations parasites mangent mon temps, ces jours-ci. Sans parler d'une deuxième piqûre anti-paratyphoïdique, subie hier, et qui abêtit toujours un peu durant quarante-huit heures, je suis dans l'horreur des préparatifs d'un office pour les tués du régiment, office devant avoir lieu après-demain. Le venin de la chose, c'est que l'idée a été prise en main par quelqu'un d'excellent, mais qui veut donner à la cérémonie un lustre gênant : assistance d'officiers supérieurs, — artistes de passage, — piano amené de Bar-le-Duc (ô liturgie !). J'en serai de mon petit discours où je voudrais glisser

153

quelques idées saines. Prie pour cela. Tu conçois que je regrette la tranquillité féconde et la réflexion paisible qui semblaient m'attendre ici. Tu as si bien l'expérience d'un pareil renoncement !... J'espère, après jeudi, avoir des loisirs un peu moins troublés.

J'ai reçu et lu avec intérêt ta dernière *Revue Hebdomadaire*. L'article de Boutroux[1] sur la liberté de conscience m'a pénétré une fois de plus, de la nécessité qu'il y a à concilier, sur le terrain d'un amour sincère du Progrès naturel, les prétentions et les absolutismes des Croyants et des Incroyants, — chacun pouvant donner ultérieurement, à son travail humain, les principes et les prolongements que sa bonne foi plus ou moins éclairée lui révèle. Mais que dis-tu de la crasse ignorance religieuse d'un esprit aussi élevé que Boutroux quand il dit que la « religion » communément entendue « dénie aux créatures toute existence propre et toute valeur intrinsèque » (p. 434) ? Sous la formule grossièrement fausse, on reconnaît la défiance fondamentale à l'égard d'une Foi qui déflorerait le Monde en enlevant à son évolution naturelle toute valeur absolue. C'est bien là ce que j'ai entrevu en écrivant la « Vie cosmique ».

L'article sur le féminisme m'a plu, et j'y ai reconnu les qualités qui te font désirer le conserver dans tes papiers. J'espère que l'auteur, dans le détail de ses vues, saura nous montrer ultérieurement qu'une certaine

---

1. Boutroux, philosophe français, parmi les œuvres duquel sa thèse sur la *Contingence des lois de la nature* (1874) et son livre *Science et religion dans la philosophie contemporaine* (1908) étaient particulièrement capables de retenir l'attention du P. Teilhard de Chardin.

émancipation, tout à fait désirable, de la femme, peut se réaliser sans la masculiniser, ni surtout lui enlever le caractère de puissance illuminatrice et idéalisatrice (excuse l'affreux mot) qu'elle exerce par simple action de présence, et comme au repos. La vieille conception française (un peu étroite sans doute et jalouse) qui faisait de la femme une influence lumineuse et inspiratrice, et la mettait en dehors des tumultes et de la prose de l'action, est, à mon avis, la plus perspicace de toutes : et il faut la sauvegarder en la rajeunissant.

Cette lettre ira, je pense, te trouver à Bagnoles. Puisses-tu, là-bas, te reposer à fond, pour la tâche nouvelle, ou plutôt, pour la continuation de la tâche toujours la même ! — C'est vrai, on est souvent fatigué de soi, et on voudrait recommencer un travail « à neuf ». Voilà une servitude de plus, par où se manifeste en nous la Main créatrice de Dieu, — et qu'il faut accepter en esprit d'adoration, — sans oublier que le fond le plus sacré et le plus vivant de notre âme (sinon le cours de notre vie et l'enchaînement des habitudes) peut être en un instant renouvelé et rajeuni par la grâce ! — Tu as raison de résister à la tendance, bien amèrement douce, de t'attendrir sur ton passé. Je connais bien cette pente... Oppose-lui la vigoureuse conviction que le bonheur et la Vie sont en avant, en Dieu.

Adieu. Une autre fois, si j'ai quelques idées là-dessus, nous parlerons Action Française. J'ai remarqué ce que tu me dis sur tes désirs de vie plus autonome et moins chargés de commandement et d'autorité. Mais je ne vois pas encore clairement que te conseiller. Je prie avec toi NS de t'éclairer. Il me semble que pour un pareil changement, étant donné tes charges actuelles, il faudrait une *occasion*, une insinuation des circonstances, qui te présenteraient une situation nouvelle sans que l'ancienne fût désertée.

Bien à toi. Finalement, je t'ai écrit quatre pages.

PIERRE.

Je te renverrai la *Revue Hebdomadaire*. Mme Parion m'a écrit une lettre fort désolée. Je lui ai répondu.

Envoie-moi l'adresse de Marcel.

J'en suis à ta carte-lettre du 25.

[Nant-le-Grand] 8 septembre 1916.

Ma chère Marguerite,

Ceci est une date heureuse pour répondre à ta bonne longue lettre du 4, reçue hier. Dans ma messe de ce matin, j'ai eu une fervente intention pour que, par l'intermédiaire de ND, la lumière et la paix descendent en toi, au cours de ta « retraite » silencieuse dans la campagne normande. T'ajouterai-je que, en conformité avec les idées que nous agitions ensemble ces derniers temps, j'ai demandé aussi à NS, par Celle qu'Il a voulu placer au-dessus du Monde et de l'Eglise comme une perpétuelle aurore, que la Femme devînt, parmi nous, ce qu'elle doit être, pour le perfectionnement et le salut de l'âme humaine. J'aime beaucoup offrir la messe pour quelques-uns de ces grands intérêts du Monde ; il me paraît que c'est un objet bien plus digne, et bien plus réconfortant de la piété que la trop constante recommandation de causes souvent fort mesquines, ou du moins trop individuelles...

Je commencerai par te donner, sur un de mes plus chers amis, une fâcheuse nouvelle. Il y a trois jours, une lettre de Mme Boussac (Jeanne Termier) m'a appris la mort de son mari. Le 12 août, pendant que j'étais sur la rive droite, il était remonté sur la rive gauche, et revenait des travaux de nuit, quand un éclat d'obus l'a atteint dans le dos, à l'entrée de Montzéville, de sinistre mémoire. Transporté dans une ambulance du front (Jubécourt), il y est mort au bout d'une semaine, — sans que je m'en doute. Tu sais que je l'avais encore vu aux environs du 5 août... Pour moi, cette perte est un événement, non seulement douloureux, mais déconcertant. Avec Boussac, c'est un des piliers de mon « avenir » qui disparaît. Au premier abord, j'ai entrevu pour moi, le rejet dépité de tout ce que j'avais « adoré ». Au lieu de travailler à des améliorations et conquêtes terrestres (dans l'esprit que tu sais), ne vaudrait-il pas mieux abandonner à son espèce de suicide ce monde absurde qui détruit ses meilleures productions, — et ensuite uniquement préoccupé des vues surnaturelles, chanter le péan sur les ruines de tout ce qui paraît beau et précieux ici-bas ?... Et puis, je me suis repris. J'ai songé que, constamment, même quand il s'agit des entreprises notoirement les plus saintes, Dieu permet la disparition prématurée des instruments les plus adaptés à procurer Sa gloire. Je me suis dit que le labeur humain, sous toutes ses formes, doit être essentiellement tenace, patient, doux, — et que c'est à force de réparer sans murmure les désordres et les accrocs, qu'un Ordre nouveau, sans doute, s'élabore et se fraie péniblement une place au monde, — ordre grâce auquel les heurts brutaux et les fatalités aveugles seront réduits au minimum, qui froissent encore et écrasent si souvent les fleurs humaines écloses au sein du chaos des déterminismes. Et je me suis dit que je continuerais, si Dieu me garde, à travailler du travail de la terre. — Seulement, voilà. Avec la mort de Boussac, je vois se détendre un des liens les plus forts qui me retenaient à la Géologie. Or, depuis quelques mois déjà, je commençais à me demander s'il était vraiment trop tard dans ma vie pour aborder quelque voie nouvelle, plus riche d'interrogations et d'espoirs, que l'*Histoire* de la Vie sur la terre. Cette Histoire a donné, dans ses grandes lignes, tout ce qu'on attendait d'elle. Il me semble qu'il y a d'autres directions de recherches, plus aggressives, plus synthétiques du réel Nous sommes suffisamment orientés dans le monde, aujourd'hui. L'heure est venue de prendre directement à partie la matière, la vie organique, la vie collective, et de la maîtriser, de l'expérimenter, de lui faire rendre ses secrets et sa puissance. Ce travail sans doute est déjà commencé ; et, dans beaucoup de ses branches, physique, biologie et psychologie expérimentale, il faut, je le reconnais, un trop grand bagage de technique pour que j'aie le temps de m'y engager, à 35 ans. Mais il y a peut-être autre chose à tenter que je ne vois pas clairement, — mais que je pressens. Maintenant que disparaissent les points d'appui que j'avais trouvés pour ma carrière géologique, c'est avec entrain que j'aborderai, si elle s'ouvre, la voie qui mène le plus droit au cœur du réel terrestre, — ou du moins que je la signalerai et la montrerai aux autres.

Tu me feras un très grand plaisir en m'envoyant les pensées de Tourville [1] ; un tel livre est exactement ce qu'il me faut. Etant à Ore Place [2], j'ai lu une petite vie de l'auteur ; et, sans me rappeler distinctement ce qui m'y avait plu, je me souviens avoir été très satisfait, — particulièrement, me semble-t-il, par une certaine révélation que j'eus alors de l'intérêt des phénomènes sociaux. Pour l'article de Fonsegrive [3], tu feras bien d'attendre, pour me le faire passer, que nous entamions une nouvelle période de repos, celle-ci étant sur le point de se clore.

De ce que tu me dis dans ta lettre je crois déduire que tu as reçu non seulement la première, mais aussi la seconde lettre que je t'ai écrites d'ici. J'ai peu de choses à ajouter aux détails que je te donnais sur mon existence actuelle. Pourtant, il y a eu quelques extras. D'abord, l'office funèbre pour les tués du régiment à Verdun a eu lieu, avec plein succès extérieur. Mme Scott (alias Nelly Martyl, de l'Opéra Comique), femme du dessinateur, laquelle est aussi depuis Nieuport, caporal clairon honoraire (! !) au 4ᵉ Zouaves (régiment de notre division), a chanté avec une très louable modestie, — et j'ai dit quelques mots qui ont eu le don de plaire aux

---

1. L'abbé Henri de Tourville, sociologue contemporain, fut un des premiers disciples de Le Play, créateur de l'Ecole dite « de la Science sociale », fondée sur la méthode d'observation.
2. Ore Place, résidence des Jésuites à Hastings (Angleterre).
3. Fonsegrive, philosophe français qui, dans de nombreux ouvrages, s'est efforcé de montrer que le catholicisme n'est incompatible, ni avec la science, ni avec la démocratie ; mort en 1917.

« huiles » présentes. — Le lendemain, j'ai assisté — spectacle à voir, au moins une fois — à une séance du Théâtre aux Armées chez les Coloniaux de notre Brigade. Comme je l'écrivais à Sarcenat, il faut avoir perdu l'habitude de s'étonner de rien pour ne pas demeurer stupide devant cette scène : des artistes de Paris s'exhibant, sous des marronniers de village, à une assistance de Sénégalais, Martiniquais, Somalis, Annamites, Tunisiens et Français... J'ai rapporté de là une conviction très nette que la guerre, entre autres résultats, aura eu celui de mélanger et de forger ensemble, d'une manière que rien d'autre, peut-être, n'eût pu obtenir, les peuples de la terre. Avec certains Africains, sans doute, la soudure est désagréable ; mais elle portera peut-être ses fruits. En tout cas, avec les Russes, Australiens, etc... la fusion aura de précieuses conséquences. — En attendant, le village meusien qui abrite tant de sauvages offre un aspect des plus pittoresques. Il y a le quartier nègre, des Somalis, le quartier jaune, des Annamites, groupés ensemble, ces divers exotiques gardent leur cuisine, leurs usages, leurs cérémonies même. Je m'empresse d'ajouter qu'un groupe d'Annamites est catholique : on les voit prier à l'autel de la Sainte Vierge dans une attitude angélique, ou murmurer en groupe des prières sans fin avec une ferveur de néophytes orientaux.

Lundi, j'ai eu la grande joie de voir arriver Joseph, qui n'a pas reculé devant une soixantaine de kilomètres en bicyclette pour venir me voir. Je ne l'avais pas rencontré depuis janvier 1915, alors qu'il menait à Moulins une triste vie de bureau. Dans son uniforme d'aspirant, il avait l'élégante allure que tu penses. Son secteur, au

Nord de St-Mihiel, est toujours relativement calme ;
mais je doute qu'il y reste bien longtemps encore.

Avec tout cela, et quelques autres promenades encore,
je vais quitter Nant-le-Grand sans avoir écrit rien de
sérieux. Ce sera pour la campagne d'automne et d'hiver.
J'ai bien dressé un plan d'études morales (interprétation et légitimation, du point de vue de l'Evolution
naturelle (complété par les vues de foi), de la moralité,
de la chasteté et de la charité) ; mais je n'ai pas encore
abordé un essai de rédaction. Un premier chapitre que
je traiterai sans doute à part, sera celui-ci : « *Du devoir
de la Recherche.* » Il me semble que c'est une obligation
fondamentale, pour l'homme, de tirer de soi et de la
terre tout ce qu'elle peut donner ; et cette obligation
est d'autant plus pressante que nous ignorons absolument quelles limites, peut-être très éloignées encore,
Dieu a posées à notre connaissance et à notre puissance
naturelles. Grandir et se réaliser le plus possible, telle
est la loi immanente à l'être. En nous ouvrant des aperçus sur une Vie plus divine, je ne puis croire que Dieu
nous ait dispensé de poursuivre, même dans son plan
naturel, l'œuvre de la Création. Il me semble que ce
serait « Le tenter » que de laisser le Monde aller son
train, sans essayer de mieux le dominer et de mieux le
comprendre. Il faut s'efforcer de diminuer la mort et
la souffrance. Il faut, par une critique plus approfondie
de la vérité, faire progresser, dans son sens, le dogme
révélé. J'oserais presque dire que la foi religieuse n'est
légitime que dans une Humanité qui fait constamment
une telle pesée sur l'Inconnu que toute autre Divinité
que Notre Seigneur adoré apparaîtrait, si, par impos-

sible, Elle se dissimulait encore... Ce serait une telle objection à la vérité de l'Eglise de pouvoir lui jeter à la figure qu'elle fait des paresseux !...

Tu me feras un très grand plaisir en m'écrivant ce que tu entrevois comme orientation un peu nouvelle [plus libérée] de ta ligne de conduite. Cette confiance ne m'étonne pas, étant donné notre bonne amitié ; je voudrais seulement t'être de bon conseil. NS récompensera ta foi, sinon mes mérites.

Du train dont vont les choses, il se pourrait que j'aie une permission à la fin du mois, ou au début d'octobre. Mais étant donné l'incertitude des opérations à venir, ne compte pas encore trop sur ma venue à cette époque.

Adieu. Et que ces huit pages ne t'empêchent pas d'écouter, dans le silence, NS dont un mot vaut plus que toute la diffusion du langage humain.

Bien à toi,

Pierre.

[*Nant-le-Grand*] *18 septembre 1916.*

Chère Marguerite,

J'ai reçu hier et lu avec infiniment de plaisir et d'attention ta longue lettre du 12. Et malgré que je ne juge pas mes idées encore assez tassées pour te répondre bien utilement, je tiens à t'écrire au moins un accusé de réception, sans parler d'un remerciement très vif pour les *Pensées* de l'Abbé de Tourville, arrivées à bon port, un jour avant. J'ai déjà commencé à feuilleter le

162

petit livre. Je crois bien que si tu m'avais envoyé un double de ton exemplaire, j'aurais deviné la place de tes coups de crayon, — sans compter que les miens eussent noté, souvent, les mêmes phrases. — Oui, c'est très encourageant de trouver un vraiment saint homme qui n'hésite pas à vous recommander d' « être vous-mêmes », résolument... Elle est bien un peu dangereuse, sans doute, cette voie. Mais ne faut-il pas, par amour pour Dieu, savoir risquer (si possible) même sa sainteté ou même sa parfaite orthodoxie ?...

Et Dieu, du reste, peut-il laisser se séparer de Lui ceux qui tâchent d'être « pionniers » sans orgueil ni ambition personnels, par amour de l'Eglise et de la Vérité, avec absolue confiance en Lui et préférence pour sa divine Volonté ?... Prions, l'un pour l'autre, n'est-ce pas, afin que le Seigneur nous garde également humbles et hardis, suprêmement unis surtout à Sa Divinité, source de toute activité vraiment féconde... On serait désolé, parfois, ne trouves-tu pas, en sentant au fond de soi tant de puissances, tant de lumières, qui demeurent ensevelies, étouffées parmi la multitude impénétrable des hommes, qui nous entourent sans nous connaître, ni nous entendre... Quelle paix alors de savoir qu'il est un Centre vivant de toutes choses, par où nos désirs et nos vues, sans doute, peuvent passer et se répercuter au plus profond des âmes, de chaque âme en particulier, — anonymement, mais divinement.

Ce m'est un grand regret d'être un ignorant et un philistin en matière d'éducation, au point de ne pouvoir t'apporter dans la question réellement vitale qui se pose à toi, aucun éclaircissement vraiment autorisé

En principe, il me semble que je suis entièrement de ton avis sur l'opportunité d'une part beaucoup plus grande à laisser à la spontanéité des caractères aux dépens de l'autorité (apparente et menaçante). Je crois, comme tu le dis, que tu dépasses d'un seul coup les conceptions statiques de 9/10 des éducateurs en apercevant que les méthodes actuelles peuvent être dépassées et améliorées. Seulement voilà : dans quelle mesure est-il possible d'appliquer, en pratique, les théories qui te paraissent être « celles de l'avenir » ? à quelles catégories d'élèves ? dans quel enseignement ? — Il y aura toujours une forte proportion d'esprits amorphes ou vicieux qui exigeront qu'on les *force* dans les *moules de la vérité*... L'expérience peut-elle commencer autrement que par des *essais individuels ?* Et, dans ce cas, ton organisation de l'Institut n'est-elle pas assez souple, et toi assez haut placée pour soustraire telle ou telle élève aux méfaits de l'uniformisme et de la réglementation par le correct ? — Les objections que tu m'énumères contre une « révolution » de méthodes, sont très sérieuses ; l'expérience serait trop grave pour être tentée brusquement sur un organisme aussi constitué que ta maison actuelle. Ce que je vois provisoirement à te conseiller (en attendant d'autres idées, et, s'il plaît à Dieu, une bonne conversation) c'est de nourrir tes idées, de les contrôler auprès de gens expérimentés et non timides, de les essayer autour de toi, graduellement et individuellement, de les défendre par la voix et la plume, si possible... et de prier pour que te vienne l'indication providentielle d'un changement, si Dieu le juge bon. — Si tu savais combien je partage ta répugnance à sévir « parce que presque toutes les formes de vie sont belles et défendables »... Pour une raison analogue, je n'ose, presque, anathématiser aucune proposition. Evidemment, au point de vue de l'action, c'est un peu une faiblesse... Mais il faut bien que quelques-uns l'aient, cette faiblesse, pour compenser ceux qui frappent trop franc et trop dur.

Adieu. Je te le répète, ceci n'est pas une vraie réponse à ta lettre. Je penserai encore à ce que tu me dis ; et il y a des points que tu touches auxquels je n'ai pas fait allusion ici, malgré qu'ils demandent que je t'en cause.

Suis toujours au repos. Tout va bien.

PIERRE.

[*Nant-le-Grand*] *9 octobre 1916.*

Ma chère Marguerite,

J'ai à te remercier de ta lettre du 6, si pleine de vraies bonnes choses, — et à t'assurer que, pour moi, le calme continue. J'imagine que le mauvais temps est cause de cette prolongation de notre repos ; et je me demande même si, au lieu du coup de chien attendu et désiré, nous ne subirons pas, le moment de bouger enfin venu, un prosaïque tour de garde aux tranchées. — Oui, je te dirai, dans la mesure du possible, toute la vérité sur ma situation. Seulement, tu sais, il arrive parfois que ce n'est qu'au dernier moment que la réalité militaire se découvre ; or, autant j'accepte l'idée que tu saches l'exis-

165

tence d'un danger pour moi quand ce danger existe, autant je m'en voudrais de te donner de fausses alarmes.

En attendant que viennent les heures boueuses ou sanglantes, j'ai repris le cours des heures calmes, dans ma chambre de la cure, à Nant-le-Grand. D'avoir causé avec toi a ravivé et remis en branle bien des idées et des images, dans ma tête. — Pour tracer une figure, aussi belle que je puis, de N.S. au cœur des choses, — tel que je me le représente, — il m'est venu une imagination qui me plaît singulièrement. Ce seraient trois récits à la manière de Benson (Lumière invisible), trois espèces de visions (Le tableau — l'Ostensoir — la Custode) où le Christ apparaîtrait nimbé de tout ce qu'il y a d'élu dans le Réel, et indéfiniment attingible et actif en toute créature... Ce serait trop long de te développer ici mon idée, ou, plus exactement, les intuitions ou impressions que je veux faire naître. — Au prochain repos, j'espère que je mettrai sur pied ce petit travail, qui me plaît comme je t'ai déjà dit, beaucoup et alors tu le liras [1]. Ne penses-tu pas, aussi, qu'il y aurait lieu pour étoffer mes (nos) idées, de tracer quelques figures de ces Saints dont nous parlions, où, plus particulièrement, a transparu, sanctifiée, une profonde passion pour tout ce qui était la vie de leur temps ? (St François d'Assise, Ste Angèle de Foligno, Ste Catherine de Sienne, etc.). Evidemment, ce ne seraient pas des biographies d'ensemble : mais des biographies à un point de vue particulier : « La Sainteté alimentée par une intense commu-

---

1. Il s'agit de *Christ dans la Matière* et *Trois histoires comme Benson*, datées de Nant-le-Grand, 14 octobre 1916.

nion avec la Terre ». — Mes idées sont encore vagues. Mais tu pourras m'aider à les préciser et à les documenter... Ce serait une sorte d'histoire du « Sentiment cosmique Chrétien » qu'il faudrait écrire... Je crois que ce serait facile et passionnant. — Toi qui lis beaucoup plus que moi, note pour moi ce que tu trouves, — veux-tu ?

Que de plans, n'est-ce pas ?... Heureux sommes-nous de penser que NS récompense et fait fructifier les bons désirs, dussions-nous ne jamais les réaliser. — Une chose m'a paru particulièrement vraie et fortifiante dans ta lettre : c'est cette idée que nos chemins coïncident trop bien pour que leur rencontre soit fortuite, et non providentiellement voulue de Dieu. « Évidemment », comme tu dis, le bon plaisir de NS est là.

Tu m'en voudrais que je ne transmette pas le texte de ma citation à l'armée. Le voici (sans critiques, que, à priori, tu déclarerais déplacées...) « Modèle de bravoure et d'abnégation et de sang-froid (je t'assure que je rougis d'écrire cela...) Du 15 au 19 août 1916 a dirigé les équipes de brancardiers sur un terrain bouleversé par l'artillerie et battu par les mitrailleuses. Le 18 août est allé chercher à une vingtaine de mètres des lignes ennemies, le corps d'un officier tué, et l'a ramené dans nos tranchées. »

Voilà pour aujourd'hui. — Bon courage, n'est-ce pas, pour le travail monotone, et aussi pour le travail personnel et le travail des conférences. Mille choses à Mme Parion et à ta famille.

PIERRE.

[*Nant-le-Grand*] *13 octobre 1916.*

Chère Marguerite,

Je ne serais pas étonné de recevoir un mot de toi, avant peu. Je préfère ne pas l'attendre pour t'envoyer quelques nouvelles, rapport à la poste qui pourrait bien n'être pas très régulière ces jours-ci.

Nous allons remonter incessamment, pour un coup dur. Si tu vois sur les journaux que cela « barde » là où j'étais en août [1], tu pourras te dire que j'ai bien des chances d'être spectateur ou acteur. Je t'enverrai des cartes, mais cela pourra n'être pas toujours facile. Alors, ne t'étonne pas d'un silence possible.

Après tout, l'affaire sera peut-être plus simple que je ne pense. En toute hypothèse, je vais tâcher de m'engager dans cette nouvelle passe comme au sein d'un vaste et bienveillant courant de volonté divine, qui me portera et m'affectera là et comme il lui plaira. Le seul essentiel n'est-il pas d'adhérer à l'Action Divine, atteinte partout, et d'autant plus adorable que notre destinée se trouve plus enlevée à notre prévision et à notre contrôle ?... J'aime à penser que, ces jours durant, tu seras de ton côté également souple et confiante en Dieu, non seulement en ce qui me concerne (ce serait vraiment trop peu) mais pour toutes choses.

Si je t'écris sous le coup d'une fausse alerte, et que

1. Fleury-Thiaumont près Verdun.

nous restions encore ici, je t'enverrai une carte après-demain.

Bien à toi. Amitiés autour de toi.

PIERRE.

[*Nant-le-Grand*] *15 octobre 1916.*

Chère Marguerite,

Nous sommes toujours en place ! Rapport, semble-t-il, au mauvais temps. Cela peut durer comme cela jusqu'au printemps, si on attend quinze jours de soleil en ce pays de brumes... J'ai reçu hier ta, ou plutôt, tes lettres, avec la « Méditation ». Celle-ci m'a beaucoup plu, et est, comme tu t'en rends compte, dans le sens de mes idées. Seulement, tu sens, aussi bien que moi, combien ces questions sont complexes, et demandent à être traitées en union avec l'esprit et la vivante tradition de l'Eglise... Jusqu'ici, je me suis occupé surtout de la conciliation de l'Effort humain et du détachement. Toi, tu abordes un problème analogue et connexe, mais bien plus délicat encore : l'alliance de la jouissance (au sens le plus noble et le plus large) et de la perfection chrétienne. — Tout ce que tu me dis est parfaitement juste et *doit* être dit et répété avec insistance. « *Amo quia odiosum* » exprime une fausse idée très répandue, au moins parmi ceux qui nous observent du dehors : elle est née d'un excès chrétien dans la réaction contre l'égoïsme. — Il reste que, pour aimer notre prochain « autrement que le font les païens », il faut savoir surnaturaliser nos

169

sympathies ; et cette surnaturalisation sera toujours suspecte ou incomplète si elle ne s'auréole pas d'un amour allant aux misérables, aux moins intéressants, aux moins sympathiques. Sur ce domaine particulier la charité triomphe, et s'isole de tout revêtement humain. (Même alors, du reste, elle demeure sentiment vraiment humain : le miséreux chrétiennement aidé et entouré est vraiment aimé en soi, avec discernement et appropriation, comme membre de Jésus Christ.)

L'exemple de NS, qui rend ta thèse irréfutable, la complète : en même temps que NS avait *des amis de cœur*, il montrait *une prédilection* certaine pour les malades et les pécheurs... Il me semble que ces deux sortes de prédilections ont chacune leur fonction spéciale. La première *achève* l'âme en l'associant à d'autres âmes qui lui sont destinées ; — la seconde marque un effort de l'âme (complétée et fortifiée par de saintes amitiés) pour faire rayonner Dieu. — C'est toujours la même conclusion qui se dégage : le Règne de Dieu utilise *tout*, le succès *et* la souffrance, les sympathies *et* les répugnances. Il triomphe surtout dans celles-ci ; mais il s'appuie également sur celles-là. — « Les déviations », dont tu parles, et « les attractions d'en bas » sont éliminées de la charité aimable, que tu décris, dans la mesure où cette charité nous arme pour un amour plus vaste, plus universel, et nous donne davantage de sève pour cet amour moins soutenu par l'agrément naturel.

Tout ce que je te dis là est encore confus. Mes idées sont loin d'être nettes, et auraient besoin d'un fort contrôle de la part de gens très saints et très humains. — En tout cas, continue à fixer ainsi par écrit ce que tu penses. Si tes pensées actuelles, si les miennes n'ont pas encore la perfection chrétienne que nous voudrions, Dieu saura les y amener peu à peu, dès lors que notre bonne volonté est entière. — Après tout, qu'importent les idées agréables. C'est la substantielle réalité de Dieu qui doit faire l'intérêt et la joie de notre vie.

Je te renverrai ton petit écrit avec le livre de Maurras. Il pourra te servir. — S'il me vient quelques nouvelles lumières à ce sujet, je te le dirai.

J'ai terminé hier un brouillon de ce que je t'ai dit : « Le Christ dans la Matière. 3 récits comme Benson [1]. »

Bien à toi.

PIERRE.

Bon courage pour tes entreprises. Tu y emploies un temps bien précieux devant Dieu, sois-en sûre.

[*Nant-le-Grand*] *20 octobre 1916.*

Chère Marguerite,

J'ai reçu hier ton bon petit mot de lundi dernier. Tu auras su depuis que mon alerte avait été fausse, et que je continue à habiter ma vallée, très humide et boisée. Merci de penser à moi près de NS et de songer à me dire que la paix et une certaine douceur enveloppent ton premier mois de l'année scolaire. Aucune nouvelle

---

1. Cf., lettre du 9 octobre 1916.

ne pouvait me faire plus de plaisir. — Ce calme et cette clarté, remarque-le bien, sont *la vérité*. Dans quelque temps peut-être, ils se troubleront ou se voileront plus ou moins : alors, ne pense pas avoir été dans l'illusion, ou devoir changer les vues que tu avais adoptées dans la paix de ton esprit. C'est le trouble et l'inquiétude (au moins dans le cas des âmes de bonne volonté) qui sont *l'anormal, le moins vrai*. Ainsi parle St. Ignace, dans ses *Exercices* : et c'est une vérité très précieuse pour nous aider à nous déchiffrer et à nous juger nous-mêmes.

Tu auras reçu, je pense, ma réponse à ce que tu m'as communiqué de tes vues sur la « charité surnaturelle ». Il me semble que je t'ai bien exprimé le fond de ma pensée, et, à la réflexion, je ne vois guère autre chose à dire. Il faut faire ceci et ne pas négliger cela. Il faut utiliser précieusement et accueillir avec reconnaissance les amitiés que NS met sur notre chemin, soit en nouant avec elles un *nouveau principe* d'action et de renoncement chrétiens, soit en les faisant servir à sanctifier plus efficacement certaines âmes, grâce à la communauté de vues, de goûts, d'action qui nous « destine » providentiellement (comme tu le dis très bien), à ceux-ci plutôt qu'à ceux-là. Et puis, en même temps, il faut prouver aux autres et à nous-mêmes que la sève de notre puissance d'aimer n'a pas ses racines dans l'égoïsme, mais vient de Dieu et va à Dieu : voilà pourquoi il y a lieu d'aimer les moins aimables, eux aussi, — par « offensive » spirituelle contre la jouissance inerte d'abord, — par besoin aussi de montrer à NS, bien clairement, que nous l'aimons par-delà toutes les choses agréables du monde. Cette affection témoignée à des

172

êtres peu attirants ou rebutants, mis sur notre chemin comme une » vocation » eux aussi, est, l'expérience le prouve, très possible, très humaine, très sincère. Elle est le sel de toutes nos autres affections, et par elle, beaucoup plus peut-être que par tous nos efforts de pensée et d'action, nous rendons le Monde meilleur et plus heureux. Rappelle-toi Françoise [1] et ses vieux !... Tout cela, j'en suis convaincu, était sous-entendu dans ta Méditation. Si je te le dis, c'est par besoin de me remettre moi aussi devant la complexité du problème de l'affection humaine, à diviniser et à utiliser.

Au début de la semaine, j'ai envoyé à Guiguite (en souvenir de notre admiration commune pour Benson [2]) mes Histoires, dont je t'ai parlé, et je lui ai dit de te les renvoyer ensuite. Tu remarqueras que la deuxième histoire fait allusion à ton petit salon de l'Institut, ou du moins se raconte à la lumière de sa lampe. Et tu auras le bon sens, comme je recommandais à Guiguite, de voir en ces lignes une fantaisie de pure imagination, — où j'ai cependant mis beaucoup de moi-même.

Hier, j'ai reçu une lettre de mon ami de Bélinay, capitaine au 8e Chasseurs à pied, qui vient de faire ses derniers vœux à Paray. Je te transcris ces lignes qui m'ont beaucoup frappé : « Oui, je vous dirai que j'ai « presque peur de cet achèvement sur toutes les lignes

1. Françoise Teilhard de Chardin, Petite-Sœur des Pauvres, morte à Shanghaï le 7 juin 1911.
2. Robert Hugh Benson, romancier et prélat anglais ; fils d'un archevêque de Cantorbéry, converti au catholicisme romain. Il a écrit de nombreux romans apologétiques, que le Père Teilhard avait dû lire lors de son séjour en Angleterre. Le plus célèbre est *la Lumière invisible*. Mort en 1914.

« entreprises apporté par cette profession (religieuse),
« par cette ivresse de porter une compagnie d'élite sous
« le feu et d'enlever un village (Berny-en-Santerre).
« J'ai eu toute ma vie l'impression douloureuse d'être
« un gosse, un puéril, et que l'âge du maximum de la
« vitalité passait sans m'apporter cette virilité dont la
« privation est si sensible, je veux dire si indéniable,
« si facile à toucher. Et voilà que la guerre m'apporte
« le tout. Quoi qu'il m'arrive, je bénirai éternellement
« NS de m'avoir laissé voir ce que j'ai vu, et de m'avoir
« donné ce sentiment de force et de confiance, et cette
« confiance des hommes qui est si prenante... Vous
« trouverez, dans *le Correspondant* du 10 octobre
« un article de moi (Hearty) qui est drôle par la fusion
« et l'opposition du prêtre et du reître. » — Que voilà
bien, n'est-ce pas, une belle alliance du naturel et du
surnaturel, et une démonstration vivante de leur fécondité, quand on les unit (ne serait-ce que pour en souffrir, parce que la Providence ne fournit pas aux grands
désirs qu'on nourrit l'occasion de s'épancher et de se
réaliser) ?

Ainsi que je te le disais au commencement de cette
lettre, rien de nouveau pour nous. Le temps, depuis ce
matin, est au beau froid. En mettant les choses au mieux,
nous en avons encore pour plus d'une semaine avant de
bouger [1]. Il vaudrait mieux plus d'activité et de mouvement. Ce calme prolongé tend à replacer l'esprit dans
ses préoccupations de temps de paix, lesquelles ne sont
permises ni par les ressources présentes, ni par les

1. Le lendemain, 21 octobre, le régiment était transporté en
camions à Verdun...

174

ombres à venir. Alors on est dérouté. Par ailleurs, il me semble éprouver plus vivement le goût de Dieu, en cette solitude des lieux et du cœur.

Bien à toi,

PIERRE.

[*Verdun*] *30 octobre 1916.*

Chère Marguerite,

Je pense que tu auras reçu ma carte d'avant-hier, où je te disais que nous étions relevés. Cette relève est encore incomplète, car je t'écris du fond des casemates de Verdun. Mais je pense que nous ne tarderons pas à aller nous rafraîchir plus à l'arrière. Je t'écrirai alors quelques détails plus circonstanciés sur ces dernières journées de bataille, où j'ai vu bien des choses extra-ordinaires, et, naturellement, couru pas mal de risques (pas excessifs pourtant). — Pour cette fois, sache que je vais fort bien. Là-haut, mon moral n'a pas été aussi haut et fort que je l'aurais voulu... C'est vraiment la difficulté suprême de consentir à disparaître dans la mort, fût-ce pour la plus belle des causes et sur le plus magnifique des théâtres ! Quand on se sent vraiment au pied du mur, ou au bord du fossé, si tu aimes mieux, les appréhensions se font sentir, — et on sent que NS seul peut nous donner la vraie abnégation, sincère, profonde et réelle. — En fait, je crois que ces appréhensions sont pires que la réalité, — car tous ceux que j'ai vu mourir, l'ont fait si simplement ! — J'ai reçu ici, avec grande

175

joie, tes diverses lettres (dimanche — mercredi — jeudi). — Si tu savais le plaisir que cela me fait de te sentir heureuse *dans ton action sur les autres !* Encore une fois, si quelques nuages passent sur ces rayons, peu importe. Maintenant, *tu as vu clair.* Quand je pourrai t'écrire plus au calme, je tâcherai de reprendre avec toi quelques-unes des idées que tu me suggères sur la nature de la vraie et *totale* charité, qui conserve et purifie la nature, — qui ne tue pas la joie d'aimer, mais en empêche les reploiements égoïstes... Merci de m'avoir envoyé le livre sur Lotte [1] ; il m'est arrivé, mais je n'ai pas encore commencé de le lire. Ton idée d'une Etude sur la littérature péguiste est intéressante. Que cela ne t'empêche pas d'être personnelle et de nourrir et de présenter *tes idées à toi.* — Oui, je crois les « femmes nouvelles » bien intéressantes. Aime-les et défends-les.

Adieu. Je suis heureux que mes contes t'aient plu.

PIERRE.

Merci de m'avoir remplacé à la messe ! Fais-le encore : je ne sais si je pourrai célébrer pour la Toussaint et les Morts. — Prions les uns pour les autres en ces jours plus intimes de Communion des Saints !

---

1. Joseph Lotte, professeur à Coutances, ami de Péguy qu'il avait connu au collège Sainte-Barbe, fondateur du *Bulletin des professeurs catholiques de l'Université,* dont le premier numéro parut en janvier 1911.

[Ménil-sur-Saulx, Meuse] 2 novembre 1916.

Chère Marg,

Me voici à peu près installé dans un petit village du Barrois, pas loin de Nant où j'étais il y a quinze jours. Malgré que je ne sois pas encore établi dans le calme favorable à la correspondance, je veux t'écrire quelques mots, pour t'assurer d'abord que je suis en plein arrière, — et puis aussi pour te donner quelques détails sur la dernière bataille ; ceci fait, je pourrai passer l'éponge sur ces souvenirs un peu mouvementés, et reprendre, dans la solitude des bois d'ici, la cure de silence et de réflexion qui, à défaut de société, me repose, — et, je l'espère, m'aide à ne pas trop perdre mon temps. — Par mes cartes, tu as su que j'ai participé à la dernière offensive de Verdun. Mon régiment a pris le village de Douaumont ; les Coloniaux de ma brigade ont enlevé le fort. Tu vois que nous avons été à l'honneur, et cela presque sans pertes, au moins pendant l'attaque elle-même. Mon bataillon était en réserve, de sorte que je n'ai pas vu l'assaut lui-même, qui a, du reste, été complètement invisible dans la fumée, la brume, la boue où se mouvaient des hommes couleur de boue. Ce n'est que le lendemain, à l'aube, que j'ai été prendre position sur le terrain conquis. Et je dois dire que ce n'était pas le meilleur moment. Tout auprès de la ferme de Thiaumont, dans un trou d'obus, j'ai passé, auprès de mon commandant, une fort vilaine journée, sous un bombar-

177

dement lent et continu qui semblait méditer de nous tuer « à petit feu ». Ces heures-là sont le revers du triomphe et de l'attaque.

Que te dirai-je de mes impressions ? Je suis embarrassé pour les préciser et les analyser. Dans le fond, j'observe que j'ai passé par une certaine dépression et une certaine inertie, dues en partie au rôle peu actif que jouait mon élément. Cette moindre-activité, ce moindre-entrain, se sont heureusement corrigés petit à petit, grâce à l'entraînement de l'occupation. Il reste que je ne me suis pas senti l'âme bien héroïque.

A un point de vue plus spéculatif, et presque « dilettante », j'ai goûté profondément, par courtes bouffées, le pittoresque des lieux et de la situation. Quand on oublie qu'on a un corps à y traîner comme une limace sur la boue, la région de Douaumont est un spectacle passionnant. Imagine-toi une vaste étendue de côtes absolument mornes et nues, sauvages comme un désert, plus remuées qu'un champ. Tout cela, nous l'avons repris. Je revoyais les lieux où, en août, je me tapissais dans des trous que je puis encore discerner, — où sont tombés des amis. Maintenant, on peut y circuler sans crainte : la crête, au-dessus, et deux kilomètres plus loin encore, est occupée par nous. Presque pas de débris boches visibles, — sauf, aux environs de certains abris, quelques visions affreuses mais que le regard rencontre sans broncher : tout a été enterré par les obus. Pour évacuer, pour ravitailler, il faut (en attendant que s'aménagent quelques boyaux) avancer pendant trois-quatre kilomètres à travers ce chaos de trous énormes et de bourbiers glissants, en suivant quelques pistes de fortune. J'étais en train de te parler pittoresque : je tombe sur ce qui a été la grande souffrance de la bataille, l'océan de boue dans lequel il a fallu circuler et s'aménager, au risque de se perdre et de tomber à chaque instant. De loin en loin, quelques abris bétonnés subsistent, jalonnant la route douloureuse. Tu ne te figures pas combien curieux était le spectacle de ces refuges perdus dans le chaos du champ de bataille, la nuit surtout. Comme en des auberges de grands chemins ou en des cabanes auprès de glaciers, toute une population bigarrée de blessés, de perdus, de noctambules de toutes sortes s'y entassaient pour essayer de dormir quelques instants, — jusqu'à ce qu'un devoir impérieux ou la voix courroucée d'un officier fît faire un peu de place, — bien vite reprise par quelque nouvelle ombre ruisselante et timide, sortant de la nuit noire. Drôle de vie, et bien dure, que celle qui se mène là-haut, à Froide-terre, où sans parler des marmites, qu'on oublie réellement (sauf quand elles vous guettent, immobile, dans l'inaction), la terre oppose une telle inertie aux déplacements d'un homme, même seul, et sans autre charge que sa carapace de boue, qu'il lui arrive (et combien souvent !) de tomber épuisé, les larmes aux yeux... Voilà toujours Verdun. — J'ajoute que de toutes ces peines, je ne garde qu'un souvenir de rêve. Il me semble qu'on le vit tellement immergé dans l'effort présent que peu de chose d'elles passe dans la conscience et le souvenir. Ajoute que la disproportion est telle entre l'existence de la bataille et la vie normale de la paix, ou, au moins, du repos, que celle-là paraît toujours, vue de celle-ci, une imagination et un songe.

Et pourtant, les morts, eux, ne se réveillent pas. Mon bataillon a eu des pertes relativement faibles. D'autres, à côté, ont eu moins de chance. Le petit P. Blanc qui était allé à l'Institut, vous voir, en février dernier, a été tué. Prie pour lui. Me voilà de nouveau seul prêtre au régiment.

Merci encore de ton souvenir et de tes lettres, — et de tes prières, et de celles de l'Institut. Dans quelque temps, je t'enverrai une autre lettre moins pleine d' « extériorités ».

En ouvrant ton paquet, j'ai vu qu'il contenait, non Lotte, mais trois Revues Hebdomadaires. Elles sont les bienvenues.

Ici je puis dire ma messe facilement, tous les jours.

PIERRE.

[*Ménil-sur-Saulx*] *6 novembre 1916.*

Chère Marguerite,

Je réponds à ton petit mot du 3, arrivé hier. Oui, je t'avais écrit de Verdun en même temps qu'à Mme Parion ; peut-être la lettre te sera-t-elle parvenue, avec seulement un peu de retard. En tout cas, je t'ai écrit encore, et plus longuement, d'ici, le 1er ou le 2 novembre. J'espère que cette dernière missive aura eu plus de chance et de régularité que la précédente. — Sais-tu que je m'en veux un petit peu de t'avoir envoyé mes *Contes* avant de monter à Douaumont ? Le dernier t'aura impressionné sans raison. Mais, que veux-tu, je l'ai écrit sous l'impression du moment ; il était vrai ainsi...

Me voici donc à nouveau dans le calme automne, au milieu des bois, sans l'ombre qui voilait mes derniers jours à Nant. Alors, la vie semblait si problématique, au delà de quelques semaines, ou même de quelques jours, que toute réalité terrestre semblait s'embrumer. Je crois qu'il n'est pas mauvais de passer de temps en temps par une semblable expérience. Peu à peu, une certaine habitude se contracte de faire entrer la mort dans la vie ; et cette alliance n'est pas sans produire une grande force et un grand élargissement. Tout de même, dans la fraîcheur d'émotion que je sens à jouir du bel automne sauvage, des rivières encaissées dont les méandres bordés de prairies émeraude ondulent à travers les forêts couleur de rouille, il y a pour beaucoup la joie de renaître et de revivre. Je me grise de l'odeur humide des feuilles mortes... — et je vis dans la quiétude, sans guère penser à notre destinée, qui a de nouveau les charmes d'une destination inconnue et à échéance lointaine. — Tout cela me remet dans une atmosphère favorable au recueillement et à la pensée ; seule l'obligation d'assurer un peu le service de la paroisse, notamment de dire quelques mots à la prière du soir, vient me distraire du soin de suivre mes pensées habituelles. — Fondamentalement, j'éprouve, avec une intensité renouvelée, l'intense joie et désir d'adhérer à Dieu à travers tout. Plus clairement que jamais, le grand et triple effort naturel du monde (effort de domination du réel, effort d'organisation sociale, effort d'endurance dans la douleur) me paraît être la sève à sanc-

tifier, — celle qui, surnaturalisée, doit faire croître le
royaume de Dieu. C'est là la moelle sacrée de l'Univers, l'Effort Humain. C'est là qu'il faut frapper. — Ne
penses-tu pas qu'au lieu de travailler directement sur
les âmes, il y aurait avantage, souvent, à s'attacher ainsi
à transformer *leur milieu*, c'est-à-dire à faire prévaloir,
à vulgariser, certains points de vue, certains courants
d'idées, qui captiveraient et entraîneraient vers Dieu,
sans qu'il y ait besoin de les y pousser extérieurement et
autrement, tous ceux qui y participeraient ? Prêcher
avant tout l'effort, la sanctification de l'effort, n'est-ce
pas, immanquablement, faire désirer et faire régner le
Christ, tout en parlant le plus noble et le plus cher langage humain ? Evidemment, il y a effort et effort... Mais
sur le sens du *bon* effort, qui est victoire sur l'égoïsme
et libération de la mauvaise matière, il ne peut y avoir
une discussion sérieuse... Pour celui, en tout cas, qui a
compris que l'infinie Réalité divine est appréhendée
[appréhensible] au terme de tout labeur de conquête,
de toute charité sociale, de toute souffrance endurée,
quelle solidité, quelle consistance, quel intérêt ne prend
pas toute Vie !... Tu seras amusée de savoir que Maurras
est venu l'autre jour à mon secours, dans une conversation touchant la Religion. C'était au plus profond de
la citadelle de Verdun, au mess des officiers. Je prenais
un bock confortable avec un lieutenant de mes amis
tout en regardant curieusement la mission espagnole
qui se fondait en congratulations autour d'un *five
o'clock*. Petit à petit, notre causerie dériva sur la vie
morale ; et alors je vis que mon ami était un fervent
disciple de la « religion de l'esprit ». Son attitude est

182

celle-ci : il croit à NS, il lit sans cesse l'Evangile, il offre toutes ses actions à Dieu comme autant de prières... Mais il ne veut ni dogme, ni rites, ni « confessionalisme ». Il est au-dessus de tout cela... Sans grand succès, j'ai essayé de lui montrer combien son attitude était contradictoire, puisque sans tradition dogmatique, c'était purement arbitrairement qu'il choisissait, parmi les innombrables physionomies du Christ, celle-ci (la catholique) plutôt que celle-là (de Renan ou d'Harnack [1]). (En fait, il vit, par sentiment, de l'élan reçu jadis dans une famille très catholique.) Je lui ai fait remarquer que le dilemme est de plus en plus flagrant : ou catholicisme intégral, ou libéralisme agnostique. Je ne crois pas l'avoir convaincu, — telle est l'insouciance des hommes, même les plus intelligents (car celui-ci l'est, et beaucoup), à mettre un peu de lumière et d'ordre dans leur attitude profonde et leur pensée.

Seulement, pendant que je parlais des rites, et de la pratique, et des institutions extérieures, dont la nécessité est moins évidente que celle des dogmes, — je ne pouvais m'empêcher d'être séduit de cette forme plus spiritualisée en apparence, d'une religion qui serait tout entière contenue dans le cœur et l'intention (il faut te dire que j'ai toujours eu un faible pour cette conception-là). C'est alors que j'ai remarqué que j'étais en train de faire comme Isocrate (cf. *Quand les Français ne s'aimaient pas,* p. 334...) qui tua l'esprit d'Athènes en voulant le séparer de son substrat politique. Et je me suis redit, en la transposant, cette vérité puisée aux

1. Harnack, illustre exégète et théologien allemand, dont la pensée a fortement influencé le protestantisme libéral. Mort en 1930.

183

sources positives de l'Action Française, que l'esprit libérateur de l'Église est lié indissolublement à son existence en corps organisé, quelles que soient les vulgarités et les inconvénients inhérents à cette corporéité, intrigues vaticanes et oripeaux de sacristie... Et si mon ami n'a pas été convaincu, je me suis senti plus sûr de moi.

J'aurais encore diverses choses à te dire, notamment sur quelques pages que je médite d'écrire, et qui feraient un chapitre au moins d'un recueil que je voudrais intituler : « Le Livre de la Paix. » Ce sera pour une autre fois, si cela se précise.

En attendant, excuse-moi de te parler si longuement de moi. Je le fais par amitié ; car, autrement, si tu savais comme je me sens petit, et impuissant, et indigne...

Je prie beaucoup pour que NS soit avec toi et bénisse ton effort à l'Institut, spécialement ton « jardin d'enfants ».

Très à toi,

PIERRE.

P.-S. — Dis à Robert que j'ai bien reçu sa dernière lettre. Je lui répondrai. Amitiés à Marcel.

[*Ménil-sur-Saulx*] *13 novembre 1916.*

Chère Marguerite,

Je réponds ici à ta longue lettre du 5 novembre, dont il est bien inutile de te dire si elle m'a fait plaisir. Depuis huit jours, mon existence n'a rien présenté de bien remarquable, à aucun point de vue... Les présentes lignes te diront au moins que je ne t'oublie pas.

A propos de ce que tu m'écris, je noterai d'abord que, en ce qui me concerne, l'appréhension de la mort n'a pas exactement la forme que tu penses. Non, ce qui m'effraie, ce n'est pas la destruction apparente et sentie de l'édifice plus ou moins précieux que j'ai pu élever au fond de moi-même ; ce n'est pas la rupture des points de contact multipliés par la recherche et le culte du Vrai et du Réel qui m'apparaît comme spécialement douloureux. Il serait vraiment trop naïf de mettre ses espérances et sa joie dans les « arrondissements » et l'enrichissement d'une personnalité aussi fragile et aussi condamnée que la nôtre... Ce qui me passionne dans la vie, c'est de pouvoir collaborer à une œuvre, à une Réalité, plus durable que moi : c'est dans cet esprit et cette vue que je cherche à me perfectionner et à dominer un peu plus les Choses. La mort, venant me toucher, laisse intactes ces Causes, ces Idées, ces Réalités, plus solides et précieuses que moi-même ; la foi en la Providence par ailleurs, me fait croire que cette mort vient à son heure, avec sa fécondité mystérieuse et particulière (non seulement pour la destinée surnaturelle de l'âme, mais aussi pour les Progrès ultérieurs de la Terre). Alors pourquoi craindre et me désoler, si l'essentiel de ma vie n'est pas touché, — si le même dessin se prolonge, sans rupture, ni discontinuité ruineuse ?... — Ce que j'appréhende, dans la mort, c'est (pourquoi ne l'avoue-rais-je pas) avec la souffrance, la crainte de l'inconnu, du changement de Monde (ou au moins de face du

Monde). Comme tu le dis équivalemment, les Réalités de foi n'ont pas la même consistance sentie que celles d'expérience... Donc, inévitablement, providentiellement, il y a de l'effroi et du vertige quand il faut laisser les unes pour les autres.

Mais alors c'est le moment de faire triompher l'adoration, et la confiance, et la joie de faire partie d'un tout plus grand que soi. Il me semble que si quelque chose peut adoucir la mort, c'est, encore et toujours, ce culte (sainement entendu) des passivités dont je t'ai souvent entretenue. Par la mort, nous ne rentrons pas dans le grand Courant des choses, suivant la béatitude panthéiste. Mais cependant nous sommes repris, envahis, dominés par la puissance divine, — incluse dans les forces de désorganisation intime, — présente surtout dans l'aspiration irrésistible qui entraînera notre âme séparée sur les chemins ultérieurs de sa destinée (aussi nécessairement que le soleil fait monter la vapeur détachée de l'eau qu'il illumine)... La mort nous livre totalement à Dieu ; elle nous fait passer en Lui ; il faut, en retour nous livrer à elle en grand amour et abandon, — puisque nous n'avons plus, quand elle est là, qu'à nous laisser entièrement dominer et mener par Dieu. — Ma pensée se cherche, pendant que je t'écris ceci ; là est le pourquoi de son expression embarrassée et de son aspect banal ou chaotique. Tout de même, je sens qu'il y aurait quelque chose à dire sur la joie (saine) de la mort, sur son harmonie dans la Vie, sur la liaison intime (et en même temps la séparation) du Monde des Morts et du Monde des vivants, sur l'unité de l'un et de l'autre en un même Cosmos. La Mort a été trop traitée comme un thème à mélancolie, ou comme un objet d'ascèse, ou comme une entité théologique un peu vaporeuse... Il faudrait lui donner sa place de Réalité vigoureuse et de phase, dans un Monde et un Devenir qui sont ceux-là mêmes que nous expérimentons.

J'ai beaucoup goûté et approuvé ce que tu me dis sur la sympathie renouvelée (et supérieure) que tu éprouves pour ton entourage vu à la lumière de la bienveillance divine. Ceci est vraiment une surnaturelle et sainte charité, qui te rend vraiment maternelle et éclairée... Entretiens soigneusement cette précieuse disposition. As-tu observé que, ce faisant, tu te transportes un peu en Dieu, dans son Cœur, puisque tu confonds ton affection avec la Sienne (tout de même qu'en faisant Sa volonté tu identifies ton activité avec Son opération) ? Il n'y a pas de communion plus parfaite, plus intime... Non seulement tu aimes *comme* NS mais tu aimes *par Son* amour *lui-même*. La fusion des êtres ne saurait aller plus loin... Continue dans cette voie, et prie Dieu qu'Il t'aide à être toujours plus à Lui en travaillant courageusement à être toi-même. Parle-moi de ton jardin d'enfants et des progrès « contagieux », dans ta maison, des idées nouvelles. Tu sais que je m'y intéresse.

Oui, je t'enverrai le prochain écrit que j'arriverai à mettre debout. Pour le moment, je ne vois encore aucune idée suffisamment mûre. Mais cela peut venir. J'en suis à la période des pensers divers et incohérents, sans rien encore qui domine, centralise, pénètre et anime tout cela...

Bien à toi et courage, pour Péguy et surtout pour « le reste »,

PIERRE.

187

Chère Marguerite,

Je n'ai rien reçu de toi, depuis la lettre où tu m'annonçais ton grand chagrin ; et je comprends du reste très bien que tu aies autre chose à faire qu'à m'écrire. Mais je veux t'envoyer encore un petit mot, pour te prouver combien je suis uni à ta peine, et combien je désire que tu sois forte, consolée, chrétienne, dans ta douleur. Je n'ai pas cessé, ces jours-ci, notamment à ma messe, de prier pour toi, pour vous tous, pour l'âme [1] qui vous est si chère. Tu verras que NS saura transformer le sacrifice qu'Il vous impose en grâces de courage et d'union. Des morts comme celles de mon oncle ébranlent, en quelque sorte, le passé de toute une famille. Rien, après cela, n'est plus tout à fait comme avant, parce que le cadre ancien de nos souvenirs et de notre demeure terrestre est altéré ou brisé : voilà qui nous fait pleurer ou qui nourrit notre mélancolie. Est-ce sage de nous abandonner sur cette pente ? Et n'y a-t-il pas plutôt une économie providentielle de toute la vie, qui brûle derrière nous nos vaisseaux, et nous chasse en avant, par un perpétuel détachement (lequel a son sens et sa douceur, quand on sait qu'il mène à une demeure éternelle, où de nombreuses places nous attendent) ? Cette marche perpétuelle en avant, bien sûr, a son angoisse méritoire

---

1. Cirice Teillard-Chambon, père de Marguerite, décédé le 16 novembre 1916.

et nécessaire. Je la sentais plus particulièrement ces jours-ci, moi aussi, — soit à cause des deuils de famille qui laissent, peu à peu, subsister si peu de chose de notre jeunesse, soit parce que de nouvelles morts d'amis, tués dernièrement à l'ennemi, me faisaient réaliser combien précaire est mon lendemain à moi aussi. — Et il m'a semblé que la seule et grande prière à faire, en ces heures où le chemin s'obscurcit devant les pas, c'est celle du Maître en Croix « *In manus tuas commendo spiritum meum* ». Dans les mains qui ont rompu et vivifié le pain, qui ont béni et caressé, qui ont été percées ; — dans les mains qui sont comme les nôtres, dont on ne saurait jamais dire ce qu'elles vont faire de l'objet qu'elles tiennent, si elles vont le briser ou le soigner, mais dont les caprices, nous en sommes sûrs, sont pleins de bonté, et n'iront jamais qu'à nous serrer jalousement pour soi, — dans les mains douces et puissantes qui atteignent jusqu'à la moelle de l'âme, — qui forment et qui créent, — dans ces mains par où passe un si grand amour, il fait bon abandonner son âme, surtout si on souffre et si on a peur. Et il y a un grand bonheur et un grand mérite à faire cela. Faisons-le ensemble, n'est-ce pas ?

Je te quitte, parce qu'un exercice intempestif me réclame pour la journée. Mais je ne t'oublie pas.

PIERRE.

[*Ménil-sur-Saulx*] *5 décembre 1916.*

Chère Marguerite,

Je réponds à ta lettre du 29 qui m'a apporté, sur le lendemain de notre séparation, les détails que je désirais savoir. Je suis particulièrement heureux que tu aies pu parler à tes maîtresses, pour leur dire ce que tu sentais sur la charité. Quand ton cœur sera plein d'autre chose, comme cela, à leur faire savoir, laisse-le encore s'épancher, librement et fidèlement. Aucune lumière ne nous est donnée pour nous seuls ; et, quand nous la communiquons, elle s'alimente en nous.

Pour en revenir encore à notre réunion, sois bien sûre, tout à fait sûre (je te le disais en partant), que je t'ai quittée meilleur, et plus fort, heureux de t'avoir trouvée telle que je te voulais et que tu désires. Tu te trouves maintenant dans les jours les plus durs, peut-être, ceux où le vide de l'absence, comme tu dis, vient remplacer le sentiment de présence, et n'a même plus des sympathies aussi nombreuses et aussi éveillées qu'au début pour se combler un peu. J'aimerais que tu penses que mon souvenir désire grandir à la mesure de cet isolement croissant où tu te sens peut-être. Par-dessus tout, j'espère que le silence qui se fait, douloureusement peut-être, dans ton âme plus consciente de son « asseulement » soit favorable à une intimité plus irrésistible avec NS. « *He and I* », dit quelque part Newman dans son *Apology,* en parlant du sentiment profond qui lui fut donné, à un moment donné, des deux seuls Essentiels en présence, — ceux en qui se résume et entre qui se règle tout le Reste. Puisses-tu éprouver qu'en toi s'accélère cette fondamentale et pacifiante simplification du Monde ! Je prie beaucoup pour cela, — pendant cet Avent au bout duquel est la fête de la Paix. Tu ne t'étonneras pas que, par le temps qui court, je trouve un sens particulièrement profond à cette expectation de Celui que je risque de trouver au premier détour du chemin... Il me semble que ma seule assurance, alors, sera de penser que, si j'ai fait plus d'un faux pas, ce sera dans un effort maladroit pour trop aimer la Vie et la Vérité. Et puis, en tous mes efforts, il me semble que c'est vraiment la Volonté divine que j'ai eu la passion de réaliser, — malgré que peut-être pas d'une manière toujours assez chrétienne, comme il eût fallu... Puisque nous en sommes à la Liturgie, laisse-moi te dire, aussi, que j'aurai un souvenir particulier pour toi le 8. L'Immaculée Conception, pour moi, est la fête de l' « Action immobile », celle, veux-je dire, qui s'exerce par simple transmission de l'Energie divine à travers nous. La pureté est une vertu essentiellement active, malgré les apparences, parce qu'elle concentre Dieu en nous et sur ceux qui sont soumis à notre influence. En ND, tous les modes d'activité inférieure et agitée disparaissent dans cette seule et lumineuse fonction d'attirer, de recevoir et de laisser passer Dieu. Pour être active de cette façon et à ce degré, la Sainte Vierge a dû recevoir son être au sein même de la grâce, — aucune justification secondaire, si hâtive fût-elle, ne pouvant remplacer cette perfection consti-

191

tutive et native d'une pureté qui a présidé à l'éclosion même de l'âme. Voilà comment je me représente l'Immaculée Conception. Que ND te donne, et à moi aussi, un peu de sa transparence, si efficace, à l'action divine !

Rien à te dire d'intéressant sur ma situation actuelle. Le calme se prolonge, bien qu'avec quelques bruits de retour aux tranchées. Je te tiendrai au courant de tout, comme tu le désires. Naturellement je ne sais encore rien sur l'accueil fait par *les Etudes* à mon « paper »[1]. Je n'ai encore rien de net sur le chantier. Je vois bien des choses utiles à rédiger sur l' « évolution de la mort » (comme quoi les apparences d'une même sorte de fin peut [doit] recouvrir, à des degrés divers de vie, des réalités, des « passages », extrêmement différents), — ou sur « La Chair et l'Esprit » (interprétation des complexités et du dualisme humains trouvés dans notre état « larvaire », si j'ose dire), — ou sur l' « Ame du Monde » (le Monde étant conçu, dès ses phases les plus inférieures, comme un engagement à faire sortir de soi des âmes qui extraient et épuisent, peu à peu, son *vrai être*, et donc reconstituant petit à petit le vrai Monde à côté de l'ancien)... Mais je ne suis encore fixé ni sur l'idée centrale, ni sur le cadre et la forme de ce que j'aimerais écrire. Je voudrais qu'il en sorte à la fois un grand encouragement à vivre, et une grande douceur à se laisser aller « dans les bras de la mort » ; — et ceci en vertu de considérations qui aient leurs racines dans des intuitions (agrandies évidemment et complétées) d'ordre

1. On peut supposer qu'il s'agit du *Christ dans la Matière* et *Trois contes comme Benson.*

expérimental, en harmonie avec l'ordre et la cohérence naturels [1].

Je t'ai renvoyé le N° des *Etudes*. J'ai oublié de te dire que la lecture de Fonsegrive m'a fait désirer lire *Jean-Christophe* (encore que je souffrirais vraisemblablement de trouver l'expression d'une pensée trop voisine de la mienne, exprimée par un autre... Oh l'incurable égoïsme, et autre chose aussi peut-être !) et que les vers de Péguy « Heureux ceux qui sont morts... » m'ont saisi comme aucune autre poésie ne l'a jamais fait. J'ai oublié de les relire assez pour les savoir par cœur. Transcris-les moi dans une de tes lettres, si tu y penses.

A Dieu. Soigne-toi par un sage repos, et ne t'étonne d'aucune détente, s'il y en a. J'ai reçu hier la lettre de Mme Parion. Remercie-la. Je lui répondrai.

Bien à toi,

PIERRE.

[*Ménil-sur-Saulx*] *8 décembre 1916.*

Ma chère Marguerite,

Je ne peux pas envoyer ma réponse à Mme Parion sans y joindre un mot de souvenir pour toi, — surtout en la fête d'aujourd'hui. Je demande très instamment à N.Dame qu'elle se montre à ton égard spécialement consolante et maternelle, — et qu'elle te fasse éprouver que le seul vrai trésor est celui d'une âme unie à Dieu

---

1. On trouve ici, à l'état de jaillissement, tous les thèmes des écrits qui vont se succéder en 1917, 1918 et 1919.

par la grâce et la soumission à sa Volonté ! Je voudrais bien savoir que ton cœur n'est pas trop lourd ni amer, en ce moment. N'oublie pas, n'est-ce pas, que c'est surtout pour ceux qui trouvent la vie pesante que NS est venu et se montre le plus accueillant. Je Le prie souvent de te consoler ; — ta peine actuelle est utile et féconde, sois-en sûre, — et ta vie en sortira plus belle et plus forte, parce que tu auras appris à aimer plus réellement Dieu... — Voilà décembre qui avance. J'ai bien peur que le tour des tranchées qui nous menace ne soit pas fini pour Noël ; n'hésite pas à aller droit à Sarcenat, et à y rester aussi longtemps que possible. — Au sujet de mon « paper » [1], j'ai reçu un gentil petit accusé de réception de Léonce [2]. « ...Cela me paraît de la haute philosophie scientifico-cosmique (si j'ose dire. — Dame ! on va peut-être trouver cela un peu évolutionniste.) Nous verrons... » *On*, ce sont les réviseurs qui doivent lire l'article avant qu'il paraisse. (Ce sont sûrement des gens qui sont sympathiques pour moi ; mais cela peut ne pas suffire...) Et moi qui croyais avoir été si sage ! — Je te dirai la suite de l'aventure où sont engagées mes pauvres idées.

Bien affectueusement.

PIERRE.

1. Cf., note 1 du 5 décembre 1916.
2. R.P. Léonce de Grandmaison, jésuite français, qui fut directeur de la revue *les Etudes*, et dont l'ouvrage le plus connu, *Jésus-Christ*, parut en 1928, un an après la mort de l'auteur.

Chère Marguerite,

Ceci est pour te dire que nous montons demain aux tranchées (toujours les mêmes, à peu près) pour un séjour qui sera vraisemblablement terminé à Noël. Je sais que tu désires en être avertie : alors, je te le dis. — Dans la mesure du possible, je t'enverrai des cartes ; je serais heureux d'avoir quelques mots de toi. Si la poste ne le permet pas, je penserai que NS reste entre nous deux, qui nous fortifiera, j'en ai confiance, l'un par l'autre. Je monte là-haut sans grand enthousiasme ; mais sans anxiété non plus. A mesure que la guerre perd de sa nouveauté et de son « amusement », la montée en lignes paraît toujours plus austère. Alors, en revanche, on a conscience, davantage, de suivre NS et d'être entre ses mains. Je suis résolu à vivre ces heures-là aussi perdu que possible en la Volonté de Dieu, heure par heure. Je désire aussi que ma peine, s'il y en a, serve à te rendre plus consolée et plus forte dans les épreuves plus obscures, mais non moins douloureuses, que tu traverses. — Le plus grand plaisir que tu puisses me faire, en recevant la présente, est de ne pas t'inquiéter vainement, mais de te reposer de tout souci affaiblissant ou préoccupant dans le Cœur de NS. C'est ainsi que tu m'aideras le plus. — N'aie pas peur. Le coup sera vite passé. Après quoi, ce sera l'aurore d'une permission.

Fais à Mme Parion mes meilleures amitiés, et prie pour moi comme je le fais pour toi, très fraternellement.

PIERRE.

P.-S. — J'écris à Léonce que si mon « paper » est jugé indésirable, il le renvoie chez toi. Tu le garderas.

[*Ligny-en-Barrois*] 22 décembre 1916.

Chère Marguerite,

Enfin, me voici installé au repos, — et ceci dans des conditions exceptionnellement favorables. De l'appartement que j'occupe à la cure (avec un vrai lit !) je domine la vallée de l'Ornain, son canal, et la grande ligne de Nancy, où roulent les trains civils et militaires, — de l'autre côté, le plateau du Barrois reprend, dans la direction de St-Mihiel. Juste derrière la maison, enfin, la grande forêt de Ligny s'arrête où je pourrai reprendre les promenades et les rêveries de Nant et de Fouchères. Comme il y a de fortes chances pour que nous demeurions de longues semaines ici, je me réjouis d'être tombé en un lieu de rafraîchissement aussi favorable. — Mais, de tout cela, j'aurai souvent l'occasion de te parler. Je te dois un aperçu des événements qui ont occupé la dernière semaine. Voici.

Comme tu l'as deviné sans peine, et comme les journaux te l'auront appris, si tu t'es souvenue que j'appartiens à la 38e division (de Salins), nous avons pris part à l'attaque du 15. C'est notre brigade qui a repris Louvemont et ses environs. L'opération a eu les mêmes caractéristiques que celles de Douaumont : très peu de pertes à l'assaut, un peu plus par les bombardements, beaucoup de mal à ravitailler et à évacuer. Tandis que

196

le 24 octobre, nous nous mouvions le long d'une grande crête, nous avons eu, cette fois, à progresser dans un terrain coupé de ravins parfois profonds, et jadis boisés, dont la sauvagerie absolue ne manquait pas de pittoresque et de grandeur. Dans l'ensemble, je n'ai pas couru de dangers particulièrement sérieux. Au moment de l'assaut, il y a eu un assez mauvais barrage à traverser, dans un ravin ; les grosses marmites tombaient nombreuses, ébranlant le sol et faisant voltiger les souches de pins, pendant que nous cheminions lentement, avec de fréquentes pannes, dans un boyau peu sûr. Le spectacle des prisonniers dont le flot commençait à arriver, ne contribue pas peu à fortifier les cœurs dans cette circonstance. Le reste du temps, les bombardements que je subis furent assez peu denses et assez incertains pour ne donner lieu à aucune sérieuse émotion. En revanche, je ne vis jamais la guerre sous un jour aussi pittoresque. En face de nous, les profonds abris boches étaient demeurés intacts, si bien que lorsque nous y pénétrâmes, ce fut un véritable amusement d'explorer le matériel qui y était entassé : sacs, armes, lettres, cigares, vin, bière, conserves, etc... De-ci de-là, on voyait aussi des engins de tranchées en position, des pièces de canon. On était en pleine Bochie. Je couchai, le soir de l'attaque, dans un des abris dont je viens de te parler, en compagnie de trois blessés allemands qui ne paraissaient pas méchants. Le lendemain, j'eus aussi à conduire une douzaine de prisonniers employés à transporter les blessés. J'arrivai à causer à peu près avec eux. Ils me firent l'impression d'être fort peu belliqueux, plutôt gosses, parfois pleurnicheurs. Seuls

197

les officiers, par genre, font la tête. Il est indubitable que, sans leur artillerie, ces gens-là ne tiendraient pas. Nous autres, nous avons tenu devant Verdun sans autre retranchement que des trous de marmites ; et eux, ils se font cueillir par centaines dans des abris qui les protègent contre tout bombardement ! — Je t'ai dit que le terrain était, par endroits fort mauvais. Au début surtout, quand nous ne connaissions pas encore les bons passages, nous avons éprouvé à nouveau l'horreur des enlisements et du portage des blessés dans une argile mouvante. Le froid arrivant par là-dessus, ce fut une épidémie de pieds gelés. Je m'en suis tiré avec une ombre de rhume et une ombre de douleurs dans un pied. C'est pour rien. — En essayant de m'analyser, j'ai éprouvé une fois de plus qu'en entrant dans la zone de bataille on subit une sorte de transposition de vues et d'appréciations, qui vous fait regarder comme naturel (je ne dis pas « agréable ») de voir mourir et d'être exposé à mourir. On devient « monade de guerre », élément dépersonnalisé d'une activité supra-individuelle. On n'est plus le même qu'avant. Cette transposition ne se fait évidemment pas d'un seul coup. Petit à petit, par séries de petites angoisses subies et dominées, l'état nouveau naît et s'établit. Quand on est de nouveau au repos, et que la mentalité première est revenue, il semble qu'on ait vécu dans un demi-rêve ; et c'est pour cela, en partie (sans parler de l'absorption de la pensée par l'action) qu'il est si difficile d'exprimer convenablement des souvenirs de guerre qui ne soient pas purement anecdotiques.

Ton souvenir et tes prières, dont j'avais l'assurance,

m'ont été une douceur très forte. Merci d'avoir pensé à moi pour « faire servir » l'humiliation que NS t'a envoyée, l'autre samedi. Tu as raison de le croire : ces douleurs, si répugnantes, cachent une grande puissance que Dieu te met entre les mains, pour le bien de beaucoup autour de toi. Ne l'oublie jamais.

J'ai reçu toutes tes lettres et cartes. La prochaine fois, je te parlerai plus longuement de celle du 8. Les « galions » aussi sont arrivés à bon port (Lotte, de Tourville, deux paquets de chaussettes, thé, saucisson, conserves...) ce matin, avec ta lettre du 18. Remercie Mme Parion. Je lui écrirai avant peu.

Aucune chance hélas ! que nous nous rencontrions à Sarcenat. Je ne pense pas que ma permission arrive avant le 10 janvier, — et puis tu sais que j'en passerai la plus grande partie à Lyon. (Ne le dis pas encore à Guiguite ni que c'est pour si tôt — ni que j'irai à Lyon.)

Reste là-haut le plus longtemps possible. Je m'unirai de cœur à ton douloureux pèlerinage.

Très à toi et bon Noël.

PIERRE.

Pas de nouvelles encore de l'article des *Etudes*.

[*Ligny-en-Barrois*] *23 décembre 1916.*

Chère Marguerite,

J'espère que ce petit mot te trouvera sur pied et capable d'aller sans fatigue en Auvergne. Je tiens en tout cas à t'adresser pour Noël mon souvenir qui t'arrive avant ton départ. Sois bien sûre qu'en cette fête je prierai beaucoup le Maître de la Paix de t'en donner une grande abondance et de te faire comprendre quelle est la vertu sanctifiante du poids de la vie chrétiennement porté.

Sache que mon article n'a pas passé aux *Etudes*. Au fond cela ne m'étonne pas. Sans parler de choses qui peut-être sont objectivement contestables, il est d'un ton qui eût déconcerté les sages et placides lecteurs de la Revue (c'est surtout ce que les réviseurs ont objecté). Je te montrerai la lettre, très gentille et très juste que m'a écrite Léonce. « Votre lecture, me dit-il, est *exciting* et intéressante à un haut degré. C'est un canevas à penser semé de belles images. Mais pas de tout repos pour nos lecteurs, gens paisibles... »

Avec tout cela, je ne vois guère comment mes idées verront le jour autrement que par conversation ou par manuscrits passés sous le manteau. NS fera ce qu'il voudra. Je suis décidé à pousser ma voie tout droit, par fidélité vis-à-vis de moi-même, — pour être vrai, comme dit Tourville. Au pis aller, si je passe sans avoir été écouté, j'ai confiance que j'aurai servi. Pour que les idées triomphent, il faut que beaucoup de leurs défenseurs meurent obscurément. Leur influence anonyme se fait sentir. Et puis, j'ai la foi absolue que NS fera servir les sacrifices, que je pourrai avoir à faire à l'obéissance, au succès spontané de ce qu'il peut y avoir de bon dans mes aspirations. Il les transportera au fond de beaucoup d'âmes qui penseront les tenir de leur fonds propre ; et qui les feront dominer mieux que moi... Sois sûre, en tout cas, que je ne suis nullement déconcerté.

Soigne-toi bien,

    Très à toi,

                  PIERRE.

        [*Ligny-en-Barrois*] *28 décembre 1916.*

Ma chère Marguerite,

Etant donné la lenteur de la poste (surtout au voisinage du Nouvel An) pour mener une lettre jusqu'à Sarcenat, je crois préférable de t'écrire à Paris, tu y trouveras ce mot à ton retour. Mes souhaits pour 1917 t'arriveront ainsi un peu en retard. Mais tu es si sûre, n'est-ce pas, que je les aurai formulés, en leur temps, dans ma pensée et mes prières, ces souhaits, que ce retard importe peu. Tu sais quels sont mes vœux pour toi : que, par la joie et par la peine, le travail et les passivités, la réussite et l'insuccès, les réunions et les deuils, NS grandisse en toi, et prenne la première place dans ton action et tes affections ! Et puis après, — s'Il le veut, et que ce soit suivant ses plans, — que le succès apparent et palpable soit sur ton Institut, et la paix sentie dans ton cœur et sur ta famille ! J'aime à penser que l'année qui commence marquera, comme la précédente, un progrès nouveau dans notre amitié, et nous rendra plus proches et plus unis pour aller vers Dieu dans une marche fraternelle. — Puissions-nous nous rencontrer souvent. — J'ai bien senti, comme toi, ce qu'il y a d'in-

201

complet dans ces réunions, toujours obscurcies de l'imminence d'un départ, que sont les nôtres... Après tout, n'est-ce pas un peu ce qui les rend si précieuses. Ne crains pas, va, d'être impuissante à exprimer, par lettre, ce que tu sens. Que ce soit d'une façon ou d'une autre, par expression ou par divination, je sais que nous nous comprenons tout à fait. Et c'est l'essentiel. Quand le moment du revoir paisible et lent se présentera enfin, je bénirai Dieu. Mais je ne crois pas qu'il soit indispensable à la réalisation progressive de notre amitié.

Tu auras reçu ma dernière petite lettre où je te parlais du sort de mon article aux *Etudes*. Aujourd'hui, en même temps que ta lettre du 25, m'en est arrivée une de Léonce, tout à fait bonne et très lumineuse, que je te montrerai aussi. Sans me dissimuler les difficultés de publication sur les questions qui m'intéressent, il m'encourage vivement à « intégrer dans la philosophie chrétienne (même négativement telle, c'est-à-dire compatible avec la vie chrétienne) les résultats, suggestions et interprétations, même hypothétiques qui guident les savants actuels ». Le faire « serait rendre un immense service, tel qu'une vie y serait très bien employée ». Tu vois que je suis, au fond, compris et encouragé. Cela m'excite à préciser davantage mes vues sur la conciliation que j'entrevois entre la passion de la terre et la passion de Dieu sur le terrain de l'effort humain, même naturel.

Tu as raison de me dire, dans ta lettre du 8, que rien n'est beau comme la force qui réalise. C'est une de mes acquisitions de cette année que la conviction de l'effort nécessaire, de l'effort sans lequel *une certaine portion d'être ne se réalisera pas.* Il y a quinze jours encore, à Verdun, en observant et en expérimentant l'extraordinaire effort donné par des milliers d'activités pour monter une attaque dont le succès était encore *en suspens,* j'ai eu une impression profonde de la *contingence* des réussites dans le monde, et de leur *subordination* à notre *ténacité,* à notre industrie. Vraiment, la saine doctrine est celle de l'action qui fait tout tenter résolument, énergiquement, sans trop de temps donné à la vaine discussion. « *Don't chat, but try.* » C'est toujours vrai.

Et en même temps, je reste fidèle à mon culte de l'autre composante du réel, c'est-à-dire des énergies dominantes qui font plier et s'agenouiller nos résistances les plus vigoureuses. — J'ai beaucoup aimé les lignes de Blondel que tu m'as envoyées sur la douleur, parce que, sous chaque mot, transparaît l'action créatrice, formatrice de Dieu dont l'influence seule est capable de nous arracher à nous-mêmes « pour mettre en nous quelque chose qui n'est pas de nous ». — « La joie de l'action d'autrui en nous », voilà précisément ce qui me fait paraître si douces et si adorables les passivités de l'existence (puisque par elles c'est Dieu qui prime sur nous) au point que, si je ne réagissais, j'oublierais que la réussite de toute créature est liée à sa bonne volonté agissante, et qu'aucune fatalité immanente ne nous pousse vers le succès. — Plus j'y pense, plus je trouve que la mort, par la grande invasion et intrusion de tout nouveau qu'elle représente dans notre développement individuel, est une libération et un soulagement, — en dépit même de ce qu'elle a d'essentiellement douloureux (parce que essentiellement renouvelant et arrachant)... Ce serait si étouffant de se sentir irrémédiablement confiné sur cette face superficielle et expérimentale de notre Cosmos...

Je prie pour ton voyage à Murat. Et je jouis de te savoir bientôt près de Guiguite. — Je suis sûr que ta dernière semaine, toute de grippe et de langueur, aura eu de grands charmes aux yeux de NS, puisque tu t'es laissé faire par Lui.

Bien à toi toujours

PIERRE.

[Ligny-en-Barrois] 1ᵉʳ janvier 1917.

Ma chère Marguerite,

Ce m'est un plaisir que d'occuper cette après-midi brumeuse du premier de l'an à t'envoyer mon meilleur souvenir pour l'année qui commence... L'an dernier, à pareille date, nous étions, je me souviens, en lignes devant Nieuport, pour le premier jour. J'avais pris possession, durant la nuit, du confortable salon de la villa ruinée, où je ne me doutais guère que j'aurais tant de loisirs pour penser agréablement, au cours de trois longs mois. J'avais occupé la matinée à parcourir notre nouveau secteur, encore bien mal organisé, et j'avais commencé à en goûter profondément la pénétrante et aquatique mélancolie... Tu ne te figures pas combien, à distance, je trouve de charmes à ce temps des Dunes et de l'Yser, qui a marqué pour moi un réveil si vif du besoin de réfléchir et d'écrire, assoupi depuis un an de

204

guerre. — Pour trouver une semblable harmonie (et influence réciproque) des lieux et de moi-même, je crois qu'il faudrait remonter dans mon passé jusqu'aux jours heureux où je me grisais du désert. — Qui donc nous dira ce qui nous fait invinciblement frémir parfois, devant la Terre, ou la Mer, ou le vaste Passé, comme au voisinage d'une Présence béatifiante qui se dérobe... Et qui donc parviendra à opérer la bienheureuse jonction entre cet appel obscur, si profond au cœur de tout homme un peu digne de ce nom, et la Vocation d'un Dieu personnel ! — Croirais-tu qu'en lisant Lotte, que tu m'as envoyé, j'ai été surpris de trouver Péguy aussi proche de moi (il serait plus modeste de dire l'inverse). Sa sollicitude à défendre et à vanter le « berceau charnel » du Christ, correspond au plus intime de mes préoccupations. Et je lui en voudrais, pour un peu, d'avoir pris le sujet d'Eve, *Eve*, la Mère « naturelle », dont le visage très mystérieux se fond dans le lointain passé, tout voilé de symboles et de légendes, quelle admirable personnification des liens nécessaires et si vivants qui rattachent indissolublement notre faisceau humain aux laborieuses et patientes démarches de la Nature ! Rien que pour avoir trouvé ce sujet et ce pilier de ses idées, Péguy est un grand homme. Je souhaiterais qu'il me vienne une inspiration semblable.

Pour le moment, mes idées vont un peu dans tous les sens, — progressant un peu sur tous les points, mais sans converger encore d'une manière très satisfaisante. Mes loisirs ne sont peut-être pas encore tout à fait assez calmes, coupés qu'ils sont par trop de petites occupations insignifiantes, et influencés aussi par l'attente d'une permission imminente. L'objet qui m'intéresse le plus, en ce moment, c'est ce que j'appellerais « *l'impasse* » où se trouve coincée l'évolution. D'abord, on ne voit pas ce qui peut succéder, au Monde, à l'éveil de la pensée. Et puis, à moins d'une sorte d'émancipation de la matière, (ce qui serait une rupture complète avec les démarches du transformisme, lequel est utilisation artificieuse, mais obéissante et soumise, de la matière), on voit encore moins ce que la pensée peut faire pour se libérer des passivités et de la mortalité cosmiques, au sein desquelles elle paraît condamnée à ne jamais s'épanouir que d'une manière précaire, par chance. — Il y a plus. *Par le fait même de son apparition,* la pensée est, pour la tige vivante, un élément de désorganisation, de décomposition. Les monades ne veulent plus s'assujettir (à tort ou à raison) au devoir laborieux de prolonger docilement et aveuglément la vie. — Ou bien elles veulent jouir, et se laissent aller au moindre effort. Ou bien elles cherchent à rompre les liens qui les attachent aux autres : elles veulent par constitution exister orgueilleusement, égoïstement... L'apparition de la raison marque nécessairement une crise organique de la Vie. Le cadre cosmique antérieur ne suffit plus à contenir [à satisfaire] les activités nouvelles nées avec l'âme humaine. L'équilibre de l'univers demande donc à toute force que aux hommes soient fournis un intérêt et des vues transcendantes, et sur eux ainsi jetées des forces de liaisons nouvelles qui les détournent de s'émietter. — N'est-ce pas la place toute indiquée et la fonction libératrice du Corps du Christ et de la Morale du Christ (charité, humilité, renoncement) par qui sont conjurés les risques de dévoiement inhérents à la pensée de notre indépendance ? Ainsi la *morale* et la sainteté prennent une signification organique et essentielle dans l'Economie du Devenir universel... — par le Christ, le faisceau de la création qui risquait de se replier en arrière et de s'éparpiller, est reformé dans une unité supérieure et terminale, symétrique de l'unité inférieure et radicale due à l'insertion dans une même Matière. — Je crois qu'il y aurait quelque chose à écrire là-dessus. Mais je voudrais une forme [un cadre] pas trop pesante ni dissertante — (sans compter qu'au point de vue théologique, il faudrait éviter l'écueil classique de laisser entendre que la Nature peut exiger la surnature... Mais le coup de barre est facile à donner...)

Merci pour ta lettre du 27. Je songe avec plaisir qu'en ce moment encore tu es à Sarcenat. Maintenant que ton douloureux pèlerinage est terminé, tu dois te sentir calmée et en paix d'avoir ainsi ramené mon oncle dans la terre de ses pères, comme un bon patriarche... J'attends ma permission pour le courant de cette semaine, — à moins que je ne sois remis au départ suivant. Des démarches se font pour que je devienne, au régiment, brancardier « honoraire », c'est-à-dire libre de faire fonction d'aumônier dans les trois bataillons sans assujettissement à aucun service. C'est la forme d'aumônerie que j'ai indiquée comme la plus conforme à mes goûts et la plus utile. Vraisemblablement, ces démarches aboutiront, dans un avenir prochain.

Je prie pour toi.

PIERRE.

207

Léonce [1] m'a écrit que mon article refusé, serait porté chez toi, à l'Institut.

[*Ligny-en-Barrois*] *4 janvier 1917.*

Chère Marg,

Je pense qu'en arrivant à Paris, tu auras trouvé mes deux dernières lettres, après un voyage qui ne t'aura pas trop fatiguée. Ceci n'est qu'un petit mot pour te dire que ma situation demeure essentiellement la même. Demain, seulement, on nous transporte à 8 kilomètres d'ici, juste de quoi me faire perdre les avantages de mon installation présente. La Providence, je l'espère, pourvoira à me faire trouver un coin tranquille et une table, sinon un lit. Je le désire d'autant plus que mes idées, ce me semble, commencent à se préciser et à se grouper, comme je te dirai dans ma prochaine lettre un peu développée. Toujours pas de départs de permissionnaires ! Cela ne saurait cependant tarder beaucoup. Peut-être attend-on que nous soyons réinstallés. Je te renvoie Lotte par la poste.

A bientôt une vraie lettre. Je prierai beaucoup pour toi demain, 1er vendredi de l'année. Que le S.Cœur te fasse toujours plus progresser en Lui, et t'y fasse trouver la vraie joie, toujours renouvelée, de vivre.

Bien à toi,

PIERRE.

1. R. P. Léonce de Grandmaison

Chère Marg,

Je t'écris de mon nouveau logis, un admirable petit
« pensoir » que la Providence m'a fait offrir hier au
dernier moment, quand je me voyais déjà sans autre
refuge à espérer qu'un coin de la sacristie. Je suis dans
une petite chambre bien fermée, avec lit vaste, lucarne
par où entre un demi-jour favorable à la maturation des
idées, accès suffisamment difficile (deux échelles à monter pour arriver à mon appentis) pour éloigner les indé-
sirables et les fâcheux... C'est idéal. A peu de distance,
ma popote occupe une de ces petites salles meusiennes,
comme il y en a beaucoup dans le village, où la
cheminée occupe la moitié du plafond (elle s'ouvre
comme un vaste entonnoir sur la cuisine, laissant descendre le jour et la pluie). Rien de plus champêtre et
de plus pittoresque. Sauf l'éloignement de Ligny, centre
de ravitaillement intéressant, je n'ai pas perdu grand-
chose à échanger Givrauval pour Boviolles.

Hier, j'ai reçu ta lettre du 31, et une aussi de Guiguite.
J'ai été heureux d'apprendre que ton voyage s'était bien
passé, et que Sarcenat t'avait réconfortée. Ainsi, petit
à petit se franchissent, sous l'invincible poussée du
temps, les crêtes les plus abruptes de notre vie... Après
les deux derniers mois, si durs, si mouvementés, te voilà
de nouveau au calme relatif, l'âme douloureuse sans
doute, et la lumière des choses en partie changée
(comme tu le dis), mais dans la paix cependant et la

disposition à continuer le saint travail de Dieu et de la terre. — Un beau jour, aussi simplement, toute la période de notre formation souffrante sera par-derrière nous, et Dieu sera devant nous, en qui nous perdre. Je me souviens que Françoise était soulevée et nourrie par cette forte joie de la possession anticipée de Dieu. Il y a sans aucun doute dans cette pensée une ressource illimitée de joie et d'oubli des banalités quotidiennes que nous ne savons pas utiliser. — Merci de ce que tu me dis au sujet de mon article évincé. En ces occasions, particulièrement, tu ne saurais croire combien ta sympathie et ton appui me sont chose précieuse. Tu as grand'raison de le dire, et M. Labauche aussi : tout ce que nous faisons passer de nous ailleurs que dans une autre âme n'est qu'un résidu. L'Univers palpable tout entier, en quelque sorte, n'est lui-même qu'un grand résidu, un squelette des innombrables vies qui y ont germé et s'en sont allées, en n'abandonnant derrière elles qu'une faible, infime, part de leurs richesses. Le vrai Progrès ne s'enregistre, ne se réalise, dans aucune des créations matérielles que nous essayons de nous substituer pour nous survivre sur la terre : il se poursuit dans les âmes, véritables étincelles où se concentre et prend corps la flamme intérieure du Monde, et il s'en va avec elles. — Je te disais, dans ma dernière lettre que j'entrevois maintenant un point de vue intéressant autour duquel grouper la plus grande part de ce qui m'a passé par la tête ces dernières semaines. Ce serait ce que j'appelle provisoirement « La peine de l'isolement [1] ». Il me semble que les êtres ter-

_____

1. *La peine de l'isolement* est déjà la *Lutte contre la multitude*

restres, à mesure qu'ils deviennent plus autonomes, plus riches psychologiquement, se ferment en quelque sorte les uns pour les autres, et deviennent à la fois, petit à petit, *étrangers* au milieu et aux courants cosmiques, *impénétrables* les uns pour les autres, *impuissants aussi à s'extérioriser.* En ceci, il y a à la fois nécessité organique (conséquence de l'individualisation, qui fait se morceler et s'égrener toujours plus le courant vital), et faute (à la fois originelle et volontaire) des monades, que grise leur indépendance, et qui tendent à dominer ou à repousser les autres...

En ceci, en tout cas, il y a la source d'une peine très mystérieuse et très profonde. Vaguement, l'âme regrette la dignité et les barrières infranchissables qui l'empêchent de se distendre et de se re-mélanger avec le tout. Tantôt elle a froid de se sentir seule avec soi-même, toujours partiellement incomprise. — Tantôt elle a l'angoisse de se sentir perdue au milieu d'une multitude étrangère à elle. — Tantôt elle est prise de vertige, en se voyant, par son émancipation, seule maîtresse de sa destinée : ce serait si doux et si commode de se laisser porter par un vaste courant commun ! — La monade encore, souffre de voir l'Univers menacé de ne pas réussir parce que ses éléments les plus nobles, en proie à l'anarchie, se dérobent aux tâches communes (c'est la « crise cosmique », amenée par l'éclosion de la pensée, dont je te parlais dans une de mes dernières lettres) : comment agir efficacement pour sanctifier et coordonner la multitude effervescente ? Comme le poids du Monde

que le P. Teilhard rédigera en février-mars 1917. Cf., Claude Cuénot : *Pierre Teilhard de Chardin* (Plon).

est lourd à porter pour l'âme qui y est soudée, mais qui ne peut l'animer dans son ensemble !... Qui viendra nous guérir de la peine de la solitude ? NS évidemment, qui nous ouvre en Lui, un centre béatifiant de convergence et de confluence. En Lui nous retrouvons la fusion réelle en une vraie unité, l'interaction efficace, l'intercompréhension adéquate... à la fois organiquement et moralement, par l'action unifiante du Corps et la sainteté efficace de la Doctrine. Ainsi la monade est consolée et la crise du monde est conjurée. — Il me semble qu'il y aurait des choses belles et profondes à dire là-dessus. La mort, dans ces considérations, aurait sa place. N'est-ce pas elle qui libère, en fait, qui fait tomber les barrières de l'être isolé pour le mêler à Dieu ? — Elle en devient presque désirable.

Voilà mes idées en ce moment. Rien de bien nouveau, à part cela. Toujours pas de permissions. Aujourd'hui Epiphanie, je demande à NS qu'Il se manifeste un peu plus au monde et à nous, et par nous. Tu auras sûrement fait la même prière, qu'il est si doux et si « plein » de formuler.

Très à toi. — Amitiés à Mme Parion.

PIERRE.

[*Boviolles ?*] *9 janvier 1917.*

Ma chère Marguerite,

J'ai reçu avec le plus grand plaisir et lu avec beaucoup d'intérêt ta longue lettre du 4.

C'est vrai, il est bien étrange, et à première vue bien anti-chrétien, mon goût de la Terre. Mais c'est justement parce que je l'éprouve aussi intensément, ce fond de l'âme païenne, que je me sens plus fort pour parler en connaissance de cause (d'égal à égal), avec les adorateurs de l'Univers, — plus assuré aussi des connexions et des quasi-réconciliations possibles entre deux passions que je crois réellement allier un peu en moi, et que j'expérimente, en tout cas : celle du Monde et celle de Dieu. — Ce que je goûte, dans la terre, ce n'est évidemment pas sa portion inférieure, dépassée et caduque (encore qu'un charme instinctif nous laisse au cœur quelque faiblesse, n'est-il pas vrai, pour la toute ancienne demeure du passé, pour « la première terre et la première argile » ?) [1]. Ce qui m'attire, ce n'est même pas la myriade d'existences non humaines qui environnent notre monade, mais n'ont pas d'avenir, vont s'éloignant de nous, et donc ne sont pas intéressantes.

La vraie terre pour moi, c'est la portion élue de l'Univers, encore épandue un peu partout, et en voie de lente ségrégation, mais qui peu à peu, prend corps et figure dans le Christ. Cette terre je la pare, dans mon esprit, de tout ce qui fait la beauté et la consistance de l'Univers réel et palpable : — vitalité riche et concrète, — Devenir précieux auquel coopèrent tous nos efforts et notre industrie, — Liaison intime dans la Matière et dans le changement qui nous fait évoluer solidairement, — Destinée non pas artificiellement conférée, mais organiquement fondée en nos aptitudes et édifiée par notre

1. Péguy.

effort aidé de Dieu. — Tu as raison de dire que notre création paraît souffrir d'une dysharmonie qui condamne, semble-t-il, tous les efforts pour trouver un Terme à l'Evolution sur la ligne même du Devenir actuel. L'esprit ne semble pouvoir se libérer que par une rupture, une évasion, d'un *ordre absolument différent* de la lente utilisation de la matière qui a abouti à l'élaboration du cerveau. En ce sens, il y a discontinuité entre le Ciel et la Terre. (Ici se place la mort.) Mais la continuité existe dans la tendance, l'effort vital, *l'esprit* dans lequel est accueillie et poussée l'œuvre de la béatification. Il faut apporter au travail de la sanctification tout l'Esprit qui a animé instinctivement et qui soulève encore inévitablement, toute Vie terrestre. Il faut transporter sur le Ciel [aller au Ciel avec] tout le goût de la terre. Sur cet axe profond d'aspiration et de poussée, l'unité dynamique existe : en s'y plaçant, on peut *tendre* droit à Dieu *sans quitter la ligne* de tout effort vraiment naturel, celle qui passe par l'aspiration immanente à tout notre Cosmos. — Je ne pense pas que la transformation des organes nous permette, en fait, d'espérer un développement appréciable des psychismes, dans l'avenir. Qu'y aurait-il de mieux que la pensée ? La libération de la matière, je te le disais à l'instant, est un phénomène [une conception] extra-transformiste, qui relève de la philosophie idéaliste plutôt que de la considération scientifique des choses. — Le vrai Progrès, héritier de la poussée vitale, semble bien confiné dans l'aménagement *moral* par lequel l'âme consciente se plie docilement au devoir, inhérent à sa constitution, de prolonger, librement (et un peu aveuglément, il faut

214

l'avouer) le travail évolutif dont elle se voit issue et qui doit être bon. — Quelle liaison naturelle organique, y a-t-il entre cette obéissance, cette humble fidélité, et l'achèvement de la monade qui se trouve, en fin de compte, apte à passer en Dieu par le Christ ? C'est un secret qui nous dépasse, encore que nous puissions, peut-être, lui trouver des harmonies et des vraisemblances. La moralisation et la sanctification de l'Univers sont le vrai Progrès, le vrai prolongement du travail qui a donné le cerveau et la Pensée. Voilà qui est important à faire remarquer, — en insistant sur ce point que ni la moralisation ni la sanctification ne sont une rupture, mais une épuration, attentives qu'elles doivent être à ne rejeter aucune parcelle d'effort humain légitime et à ne point oublier la fondamentale unité de toutes les particules de notre Création.

En lisant la première fois le « *He and I* » de Newman, j'ai eu la même impression que toi, et j'y ai apporté le même correctif : « *I* », ce n'est pas une entité isolée de toutes connexions : c'est, en quelque sorte, l'Univers entier centré sur Moi, et dont *toute la Destinée* (en un sens sûrement vrai) *se joue en moi* (chaque âme, pour Dieu, ne vaut-elle pas, n'est-elle pas, tout le Monde ?...) Ainsi, dans ce face à face essentiel de Dieu et de moi, je sens *toute* créature *derrière moi*... Et ainsi la primauté fondamentale du salut individuel laisse à l'âme toute son amplitude, aussi étendue que l'Univers.

Il y aurait encore bien des choses à te dire sur ta lettre. Cela viendra peu à peu. A propos de ce que je t'écrivais dernièrement sur l' « Homme seul », je vois un paragraphe intéressant à écrire sur le rôle *unissant de la Matière,* par laquelle nous accédons les uns dans les autres et avons l'illusion (pas complètement illusoire) de pouvoir arriver à la béatifiante union. Ne serait-ce pas là une des plus irrésistibles fascinations de la matière (avec celle d'être source de mille trésors) ?

J'ai conscience de t'avoir écrit aujourd'hui des choses compliquées, parce que pas assez mûres. Excuse-moi. Je cherche avec toi, dans ces causeries.

Toujours pas de permissions ! ?

Tout va bien du reste. Reçu hier une lettre de Marcel. Je lui ai répondu. Souvenirs à Mme Parion. Merci de sa carte.

Très à toi,

PIERRE.

[*?*] *13 janvier 1917.*

Chère Marguerite,

Ceci répond à ta bonne lettre du 9, reçue hier. Elles sont toujours les bienvenues, tes nouvelles, — car s'il est quelque intimité sur terre qui vienne, par expérience, démentir ma doctrine de l'isolement des âmes, c'est bien pour moi, la tienne. — Ne crains pas, à ce propos, que le tour, en apparence désabusé, que prennent mes idées actuelles aille à me décourager ou à me blaser sur la vie présente. Je ne suis pas sous le coup d'une peine plus grande, ou seulement d'une mélancolie plus insouciante. Seulement je crois avoir entrevu une des notes profondes de notre sensibilité, une de ces vibrations sourdes et continues que nous ne distinguons presque plus, parce qu'elles résonnent trop universellement et trop durablement en nous, mais qui n'en sont pas moins le support de l'âme de nos petites passions superficielles. — Je voudrais, vois-tu, discerner plus clairement cette complexité de regrets et de désirs qui est proprement notre vraie vie et notre plus personnelle énergie. Cette fois-ci, j'ai cru saisir une peine plutôt qu'une plénitude et un enthousiasme. Sois sûre que je l'étudie avec une curiosité passionnée qui n'a rien de morbide et de débilitant. C'est un des ressorts fondamentaux de l'âme qui se trouve là, peut-être. — Ne faut-il pas le dégager, pour être plus consciemment humain, plus efficacement actif sur les autres, plus sûr aussi de ce qui nous manque et de ce que NS entend nous donner ?

J'ignorais, j'en ai honte, que Schopenhauer eût déjà parlé de la peine de l'individuation. Cette rencontre, en un sens, me flatte et me donne confiance. Si néfaste que soit l'influence d'un homme, l'importance qu'elle a prise sur les esprits prouve qu'elle renferme un élément précieux de vérité, où les hommes se sont reconnus... De même qu'en matière de science et de raisonnement le plus difficile est sans doute de distinguer et de poser clairement les problèmes fondamentaux, de même, dans la vie du pratique et de l'action, la solution du bonheur est à demi trouvée quand nous avons pu préciser ce qui nous fait souffrir et ce que nous désirons. — Déjà du reste, l'axe de nos idées s'est un peu déplacé, et se reporte (sans abandonner les préoccupations dont je t'ai dernièrement entretenue) sur la valeur et la signification « évolutives » de la Morale chrétienne. Je vois que tu as peur que je me fatigue ou que je me « fausse » la pensée dans ma soupente. Evidemment, rien ne me serait aussi salutaire, à tous points de vue, comme l'opportunité de bonnes causeries. Mais que veux-tu que je fasse, seul, sinon songer ? — En fait, rien ne me repose autant, ni ne m'entretient autant dans le « goût de vivre ». — Rassure-toi, du reste, si la belle neige qui couvre nos sauvages plateaux ne me laisse guère me promener, des bruits de déplacement (pas pour les tranchées, rien d'inquiétant pour toi) — qui expliqueraient peut-être bien l'absence persistante de permissions —, me font prévoir pour moi tout le mouvement que tu souhaites.

Aujourd'hui, de plus, je viens d'être avisé que ma nouvelle situation de brancardier honoraire vient d'être décidée et régularisée (provisoirement, écris-moi à la même adresse). Je vais quitter le bataillon et vivre à la « Compagnie hors rangs » (C.H.R.). Adieu donc la chambre sous les toits et le plumard ! Il faut aller chercher fortune dans le village à côté. — A la vérité, le vieil homme enraciné depuis deux ans au 1er Bataillon s'effarouche en moi de ce changement. Je me sens gêné aussi de ma personne, de n'avoir plus rien de palpable ou de militaire à faire. Il faut toujours un effort pour changer d'état et sortir d'une ornière... et, j'ajoute que dans le cas présent je n'aime pas beaucoup sentir que je passe au rang de « personnage confessionnel ». Il n'y a tout de même pas à hésiter. Prie bien pour que j'aie à la fois le tact et la hardiesse, et que j'acquière l'influence que N.S. attend de moi. — Je suis fâché que tu ne te sentes pas aussi bien qu'il faudrait. Avant tout, n'est-ce pas, garde la paix et le repos de l'esprit, même devant la besogne qui ne se fait pas. Une seule chose est nécessaire, c'est que N.S. grandisse en nous et nous unisse à Lui par et dans la conformité à sa volonté. Je Le prie pour qu'Il te donne toute la joie intérieure et la force physique qui t'aideront à rayonner pour le bien sur l'Institut.

J'écris aujourd'hui à Mme Parion.

Très à toi.

PIERRE.

[*Saint-Amand, Meuse*] *16 janvier 1917.*

Chère Marg,

Je réponds immédiatement à ta lettre du 12 janvier, parce que nous commençons dès demain un assez long déplacement pédestre qui risque de gêner ma correspondance. Il faut compter sur une huitaine de jours en chemin. Au bout de ce temps, je ne serai pas loin de l'endroit où était Gabriel ces derniers temps. Ce petit voyage pacifique n'est pas absolument déplaisant, — sauf qu'il recule encore l'ère des permissions tout en me rapprochant de toi. En tout cas, il n'y a aucun danger pour moi, ni en chemin, ni au bout. Je tâcherai de t'écrire en cours de route. — Ma situation de brancardier-libre, c'est-à-dire d'aumônier-poilu, en est toujours au même point qu'avant-hier, c'est-à-dire que je n'ai pas encore rejoint ma nouvelle compagnie. Je suis convaincu que, Dieu aidant, je me trouverai vite heureux du changement. Malgré tout, tu ne te figures pas combien, avec mon caractère et mes façons d'envisager les rapports du naturel et du surnaturel, je m'accommoderais mieux d'une plus grande incorporation militaire que de cette partielle libération. — Pour en revenir à ta dernière lettre, j'avoue avoir été assez étonné d'abord (et puis moins, en y réfléchissant) qu'Emm. de M. soit aussi intellectualiste que tu l'as trouvé sur la question de la guerre. A vrai dire, c'est bien le grand danger qu'il trouve dans son esprit très fier et très lucide : il ne peut admettre que rien échappe à sa pénétration et à son analyse. Tout peut s'épuiser, sans résidu, en « langage ». Voilà bien la bête noire du Bergsonisme. Je trouve que cette conception rend le monde si pauvre, si vide, si banal... — Moi aussi, je désirerais beaucoup que nous nous rencontrions bientôt pour quelques bonnes heures de vraie causerie. Quand Dieu voudra ! — Je suis si heureux, en attendant, que NS te garde en paix, malgré tes soucis. Pour l'en remercier, et pour que se dissipent ces derniers, je viens d'offrir ma messe.

La réponse des Alliés à Wilson, à laquelle tu me fais allusion, est sûrement très belle, parce qu'il n'y « transparaît » aucune cupidité, mais seulement l'amour de la justice. Puisse-t-il en être de même au fond. — Je trouve que ce document est avant tout un manifeste moral, quelque chose comme les Tables de la Loi traditionnelle des civilisés. L'Allemagne finira bien par manifester à son tour ses buts de guerre. Et alors elle sera obligée de faire sa profession de foi pratique pour quelque Nietzschéisme, — et ainsi sera clairement établi que la guerre actuelle est au fond, la lutte entre deux morales. Mais si les Boches ont réellement le sens moral perverti, ils sont incapables de comprendre la force et la beauté de nos raisons et de nos prétentions et c'est un peu troublant. Qui jugera ? Les Etats-Unis ? L'Histoire ? Le Pape ? — au moins Dieu. — C'est au Vatican, j'espère, que l'impression sera la plus forte. Nous soutenons le droit chrétien. (Jusqu'au Maure qu'on veut expulser !)

Bien à toi, PIERRE.

[*Avrainville, Haute-Marne*] *18 janvier 1917*.

Chère Marguerite,

Je t'écris au soir de ma deuxième étape. Jusqu'ici, le voyage est pittoresque et fort agréable. Froid très supportable et neige admirable, épaisse, blanche et poudreuse. Depuis 48 heures, nous parcourons de vastes plateaux déserts, en partie couverts de grandes forêts ; nous allons de l'Est à l'Ouest. Aujourd'hui nous avons franchi la Marne. Gîtes confortables aussi. Hier soir, un vieux et paternel doyen m'a fait coucher dans un lit profond (où se dissimulait un cruchon !) et aujourd'hui, un sort analogue m'attend chez de bons campagnards. Réellement, je m'amollis. Tout le monde est fort gentil pour moi, dans ma situation nouvelle. Prie pour que je sache me créer la place qu'il faut, à la faveur de toutes ces sympathies. Car il s'agit vraiment de créer sa position, dans mon cas. Rien ne me guide, en somme, ni ne m'oblige, ni ne me dirige... — Ce qui me soutient, c'est l'idée que je suis, maintenant, — que je dois être, surtout — le point par où NS se communique au régiment, sous les formes et dans la mesure où il entend le faire. C'est vraiment une belle fonction, cela, — bien consistante et bien réelle, — et qui m'oblige à une grande union à NS en toutes choses, et à une grande douceur, et à un grand désintéressement... Je regrette un peu de n'avoir pas le temps d'écrire ces temps-ci, au moins de courtes notes. Il me semble que j'ai pas mal de bonnes idées ces temps-ci. — J'espère qu'elles mûriront avantageusement au cours des longues marches qui nous restent à faire... Il me semble toujours qu'il y a un moyen d'être très détaché en s'attachant tellement à l'élément du monde qui se dégage et se divinise ! — Et il me semble aussi tellement nécessaire à l'amour de Dieu de se poser sur la poursuite d'un grand intérêt *palpable*, pour qu'il nourrisse vraiment *toute* la vie.

[...]

A Dieu. Je ne t'oublie pas. Que NS te garde en paix. Amitiés à Mme Parion.

PIERRE.

Ecris-moi : 4ᵉ mixte T.Z.
              Cie H.R.
              S.P. 131.

[Séjour] 21 janvier 1917.

Chère Marguerite,

Je profite d'un jour de pause, dans l'aube, aux environs de Brienne, pour t'envoyer quelque nouvelle, et te remercier de ta lettre du 16. Mon pèlerinage continue à se faire agréablement, malgré que nous ayons quitté les sauvages plateaux de la Meuse pour arriver dans une région basse et humide, remplie de peupliers. La transition s'est faite par un pays bien curieux, dont j'ignorais complètement l'existence, le Der. Le Der est une ancienne grande forêt, aussi vieille sans doute que la Gaule, et dont il y a encore de beaux restes. Montier-en-Der, au centre est bâti à la place d'une abbaye, fondée par St. Berkaire, et représentée encore par une fort belle église, où une nef vieux-roman se relie malheureusement assez mal à un chœur pur gothique. La Forêt semble avoir passablement isolé les gens du pays et conservé leurs traditions : c'est ainsi que pour Noël, ils se fabriquent soigneusement des gâteaux en forme d'X (dits « queugneux ») dont l'origine a bien des chances d'être celtique. Tout ce passé druidique et monacal, assez bien encadré dans une sombre masse de collines boisées, fait bon à voir et à respirer. On y oublie l'angoisse mouvante de la guerre pour se laisser aller à la sécurité et au calme des choses stables et profondément enracinées. Dans cette atmosphère de vieille France et de catholicisme civilisateur, j'ai eu une vraie émotion à célébrer sur l'autel de St. Berkaire ; et il me semble que toi spécialement, je ne t'ai pas oubliée. Demain nous reprenons notre marche Nord-Ouest. Puissent, au bout, nous attendre des permissions ! Par ce régime de marche continuelle, je ne puis encore apprécier qu'assez mal les avantages ou inconvénients de mon changement de situation. Ce qu'il y a de sûr c'est qu'on me montre beaucoup de sympathie. En lignes, je

223

ne puis encore prévoir exactement quelle sera ma situation, qui variera beaucoup suivant les cas ; mais c'est là sûrement que ma liberté sera la plus précieuse pour aller avec le bataillon qui aura le plus besoin de moi. Je ne pense pas être sensiblement moins exposé.

Aujourd'hui, dimanche, nous avons eu une grand'-messe assez réussie, grâce au concours du bataillon de zouaves, la meilleure partie du régiment, — et celle que je connais encore le moins. Bonne occasion pour nouer des relations ! — Ta lettre du 15 m'a beaucoup intéressé par les remarques qu'elle contenait sur les idées comparées de Schopenhauer et de Blondel. J'en ai été confirmé dans ma résolution d'écrire quelque chose sur les aspirations de l'individu à se compléter par quelque chose qui soit tout. N'est-ce pas là le fond même du dogme catholique dont toute l'économie et toute la théorie vont à promouvoir et à expliquer l'union des créatures en Dieu par le Christ ?

Je te laisse pour aller donner le salut du St. Sacrement. J'ai pris part à ta peine de « remercier » la collaboratrice indésirable. Tu devais agir ainsi. Mais si j'en juge par moi, tu as dû passer par un vilain moment. — Que NS te console de cela et des lettres pénibles, par un surcroît de paix en sa volonté.

Bien à toi,

PIERRE.

Reçu hier la lettre de Mme Parion. Merci. — Une ou deux paires de chaussettes seraient bien reçues !

Chère Marg,

Nous sommes arrivés au terme, au moins provisoire, de notre pérégrination, — un assez gros village paisible, un pays très, très plat, avec une rivière marécageuse à côté. Le front est très loin, et je suis hors de portée de Gabriel. Pour me consoler, j'espère avoir, dès ce soir, une petite chambre, où je pourrai attendre patiemment la suite des événements. Je voudrais bien qu'on nous donne enfin des permissions ; rien encore de sérieux, malheureusement, sur cette intéressante question. — Depuis quatre ou cinq jours, pas de lettres. J'enrage contre la poste, et je crains que de ton côté tu n'aies pas reçu les deux petites lettres que je t'ai écrites en cours de route. Sais-tu même que je déambule depuis huit jours sur les grand-routes ! Je l'espère, mais n'oserais l'affirmer. — La longue promenade intéressante en somme, qui vient de finir, ne m'a pas fatigué le moins du monde ; le froid n'a été un peu trop vif que le dernier jour. Et encore, pour la marche, ce temps sec n'était-il pas gênant. Inutile de te dire que notre avenir est tout ce qu'il y a de plus obscur, non seulement pour les simples poilus, mais encore pour les moyennes « huiles ». Ce serait le moment ou jamais de m'abandonner aux spéculations de l'esprit. Je ne sais si on m'en laissera les loisirs. — Je voudrais tout de même bien esquisser par écrit certaines des idées que je t'ai exposées au début du mois. Dans quelque temps, elles risquent d'avoir un peu « passé ».

Pendant les dernières marches, qui se sont faites à travers un pays fort mauvais au point de vue religieux, j'ai eu l'occasion de faire un peu d'expérience humaine, en causant avec les gens et les curés. Tu ne te figures pas à quel répugnant état d'égoïsme, de méchanceté, de pleutrerie et de petitesse humaine en sont réduits ces paysans privés de religion et éduqués suivant les principes de la république ! C'est une condamnation décisive de la morale laïque, du simple point de vue naturel et positiviste. Je n'avais jamais touché, d'une manière aussi palpable, la véritable décomposition humaine qui résulte de la disparition du sentiment religieux. On se sent en présence d'une véritable tare organique, aussi réelle qu'un désordre affectant les tissus de notre corps. La morale a sans doute une valeur « biologique » bien plus immédiate et plus profonde qu'on ne le supposerait en lisant les dissertations ou la casuistique des Moralistes...

Je ne t'en écris pas long cette fois. Mais c'est parce que je suis gêné du fait de n'avoir point reçu tes lettres. Dès que j'aurai quelque chose de toi, je te répondrai. Ici, il y a une belle église, et pas de curé. Je puis facilement célébrer.

Bien à toi,

PIERRE.

Je te disais, dans quelqu'une de mes dernières lettres, que j'ai reçu la lettre de Mme Parion du 17.

...Enfin, je viens de recevoir ta lettre du 21 et celle de Mme Parion du 23, et la carte de Mlle Tardieu. Merci beaucoup.

Ma chère Marg,

Je t'écris toujours du même petit coin de la Marne, où notre situation demeure toujours aussi obscure, et, je crois, aussi provisoire. Et il continue à faire toujours aussi froid. Ce dernier point me gêne fort peu, puisque quatre maisons au moins du village m'ouvrent également leur foyer bien allumé, et que pour la nuit je puis m'offrir le luxe d'un vrai lit. Ce qui me manque plutôt, parmi tout ce déploiement d'hospitalité, c'est de n'avoir nulle part le vrai petit coin tranquille, le « pensoir », que la Meuse m'avait régulièrement offert, six mois durant, au moins dans ses forêts. Une autre circonstance, d'ordre plus relevé, me prive d'une part de ce calme recueilli que j'aime par-dessus tout, en dehors des heures de guerre. Je suis, en fait, curé de la localité, et le sort a voulu que les vieux bonshommes du pays se soient donné le mot de défunter pendant mon passage ici. D'où, enterrements à des heures tardives, qui me coupent la journée, — sans parler du devoir de faire des cérémonies, chose que j'ai en horreur (à moins qu'elles ne soient accompagnées d'une suprême décence, condition bien difficile à réaliser dans un trou campagnard). — Pour ces diverses raisons, mon esprit est resté, depuis quelque temps, plus distrait et stagnant que je n'aurais voulu. Ce n'est pourtant pas les questions tentantes qui manquent. Mais, presque pas moyen de les fixer et de les mûrir. Tu connais mieux que moi, et depuis long-

227

temps, cette peine de rester inférieur par la faute des circonstances, à ce que l'on pourrait être.

Ce n'est pas la face la moins déconcertante du Problème du Mal que cette impuissance du Monde à faire réussir, je ne voudrais pas dire la meilleure, mais au moins une bonne part de lui-même... C'est devant ce mystère qu'il fait bon, comme tu le dis si bien, s'abandonner à la vague puissante, aussi divine quand elle neutralise nos efforts que lorsqu'elle nous porte en avant. L'important, après tout, n'est-il pas d'être unis à Dieu, et de suivre, quels qu'ils soient, les mouvements qu'Il nous impose ? — et n'est-il pas aussi béatifiant de sentir l'influence de Celui qu'on aime se faire sentir pour nous diminuer (dans un dessein de sagesse) que pour nous grandir ? — Pour reprendre les mots de Blondel que tu m'as transcrits, « l'action d'autrui en nous » se manifeste davantage dans la souffrance que dans la jouissance, et donc aussi la joie qui en résulte.

Dans l'ensemble mes préoccupations actuelles s'agitent toujours dans la région de la morale, — qui m'apparaît de plus en plus comme un prolongement direct du domaine biologique et organique. La moralité achève la pensée et la liberté, comme celles-ci terminent l'éveil psychique de la vie. C'est la moralisation des âmes qui prolonge le plus directement le travail de l'évolution, doit-on dire d'un point de vue même purement scientifique. Ainsi se soudent à notre nature les suprêmes devoirs du renoncement, de la charité, de la pureté (vertu si captivante par ses charmes mystérieux, si difficiles à interpréter !). Tu me diras que je découvre l'Amérique...

Hier, dimanche, j'ai eu une journée très gaie et

agréable chez le curé voisin d'ici, qui avait réuni quelques prêtres de la Division. Avec eux se trouvait un brancardier divisionnaire, nouveau venu, qui est un artiste en orgues, ami de Widor, et compositeur lui-même, homme de grande simplicité et distinction. Il nous a joué et chanté de fort belles choses, qui m'ont remis dans un monde nouveau, celui que j'ai un peu trop quitté depuis deux ans. Je tâcherai de faire venir le susdit sergent de Montrichard pour chanter devant mes hommes ; cela leur vaudra un sermon.

Que ne puis-je me trouver ainsi réuni parfois à deux ou trois de mes amis jésuites soldats ! Cela ne m'est pas arrivé depuis bientôt un an ! — Que ne puis-je aussi causer un peu avec toi. Il y a là une sérieuse privation que nous offrirons, ensemble, de bon cœur à NS, n'est-ce pas ? Car toujours pas de permissions à l'horizon, bien que le bruit en ait vaguement couru.

Je ne me souviens plus si je t'ai dit que les chaussettes de Mme Parion et sa carte, me sont arrivées. Merci, je lui écrirai.

Bien à toi,

PIERRE.

Je viens de recevoir ta carte du 27. Merci.

[?] *1er février 1917.*

Chère Marg,

Nous avons repris notre marche depuis hier ; et nous avons encore deux étapes à faire pour arriver à un

terme à peu près définitif de notre pérégrination (toujours très en arrière du front, — et pas très loin de toi...) Nous quittons ce soir une plaine morne et interminable pour franchir la haute falaise de craie où est venue mourir la vague allemande, en 1914. Dès demain, je vais, avec tout l'intérêt que tu comprends, traverser un coin de ces lieux célèbres que je ne connais encore que très mal, et par les journaux seulement. La grandeur de ces souvenirs fera oublier la longueur de la marche [1].
— Je voudrais que tu voies le pittoresque village où nous cantonnons ce soir. Juché au sommet du plateau crayeux, il domine, comme une mer à peine houleuse, la plaine uniforme qui va jusqu'au-delà de Troyes. Le village voisin se presse derrière les vastes constructions d'un ancien château du XVIe siècle (Château des Pucelles) qui monte la garde devant l'immensité givrée. Je crois que le pays où nous entrons va nous reposer de la monotonie de la route de ces derniers jours. — Bonne hospitalité chez la mère du curé, absent lui-même. — Je dirai demain matin, Purification et 1er Vendredi, ma messe, dans l'église (extérieurement somptueuse, bien délabrée intérieurement), tu n'y seras pas oubliée, ni ton Institut, ni celles qui y sont bonnes pour moi. Que NS fasse de chacun de nous un ferment de pureté, dans cette universelle et séculaire opération par laquelle l'Humanité se partage si mystérieusement, sous l'action de l'Enfant Dieu, en élus et en réprouvés ! — Justement je lisais ta si bonne lettre du 29, réconfort à l'étape. Tu ne te figures pas le plaisir que cela m'a fait de

1. Théâtre de la bataille de la Marne 1914.

connaître ton projet « d'évangélisation » des femmes, et surtout la passion naissante que tu sens naître en toi pour cette grande tâche. — Voilà vraiment ce que je rêvais et j'entrevoyais pour toi. — Sois très sûre que mes prières et ma peine iront vers Dieu pour qu'Il daigne alimenter ton effort et lui faire porter ses fruits. — Va dans ce sens, avec pleine confiance. Tu es dans le vrai de ta vie. — Je ne sais que te dire pour les permissions. Peut-être y en aura-t-il la semaine prochaine ?... Je n'ose te donner cet espoir comme sérieux. Sais-tu que je vais être rattaché à la formation d'Olivier ? — Peut-être nous rencontrerons-nous. — A propos de livres, j'ai dit à mon ami Baugeard, aumônier des Coloniaux, que je lui fournirais des titres d'ouvrages (romans, philosophie, histoire) qui « fassent penser » et tonifient l'esprit (tout en étant de lecture pas trop ardue). Si tu as quelques titres et quelques livres (un ou deux), ils seront les bienvenus.

Adieu. Je penserai à la question qui termine ta lettre (moyen de sensibiliser les âmes aux préoccupations religieuses), et s'il me vient des idées claires, je te les dirai.

Bien à toi,

PIERRE.

[?, Marne] 5 février 1917.

Chère Marg,

Comme je l'écrivais hier à Mme Parion, il semble sérieusement que les permissions vont reprendre. Ne t'appuie pourtant pas encore trop doucement sur cette espérance qui pourrait bien être frustrée encore. En attendant, si Dieu le permet, que nous puissions causer une fois de plus dans ton petit « coin des amis », je voudrais te prouver, par cette réponse à ta lettre du 2, que le papier peut encore emporter de bons bouts de pensée vivante et de vraie affection. Je t'écris d'un gros village sur la Marne (pas bien loin de Paris), où nous arrivâmes, il y a trois jours, après deux étapes faites au milieu des grands souvenirs que je t'ai dits. Plusieurs, au régiment, s'étaient battus en ces ueux au début de septembre 1914, et ont pu nous raconter des épisodes de la lutte sur le terrain même de leur action. Beaucoup de tombes, très bien entretenues, disséminées dans les champs et les bois. Mais rien, absolument, qui évoque la destruction et la sauvagerie du front actuel, là où la guerre est intense. Dans ce temps-là, on se battait encore à coups de fusil.

Je suis très confortablement installé, chez un vieux ménage, qui me soigne à peu près comme un enfant de la maison. Ici, au village dans la vallée, il n'y a qu'une partie du régiment : le reste est logé sur le plateau dans les fermes monumentales, grandes comme un petit village, qui s'espacent sur le sol monotone de Brie. Là-haut aussi, dans une de ces fermes où le propriétaire a salon et chambres comme un gentilhomme, j'ai un domicile très confortable, où je m'installe quand je vais faire la visite, ou assurer le service religieux, des bataillons cantonnés à l'écart. Pour comble de bonne fortune, mon ami Baugeard [1] réside ici, dans la même localité que

1. Baugeard, aumônier du R.I.C.M. — régiment qui formait brigade avec le 4e Z.T.

moi. Réellement, je ne me sens plus en guerre. Seul le coin vraiment tranquille, sans bruit ni conversations importunes, me manque encore un peu. A cause du froid, il n'est guère possible d'aller ailleurs que dans l'unique pièce chauffée des maisons, — à moins de se réfugier dans la campagne ; — et au coin du feu, on est rarement seul.

Tu analyses, je trouve, avec une très grande et pénétrante justesse, la souffrance d'oublier ceux qu'on aime. Il y a toute une catégorie de sentiments étrangement douloureux que je commence seulement à me préciser un peu, et dont celui que tu exposes fait partie : ceux qui déchirent l'âme en elle-même en opposant ses déterminismes les plus vivants à ses plus vivantes affections. As-tu éprouvé, parfois ce que c'est que de ne pas pouvoir aimer assez ceux dont on est aimé d'une manière touchante et qu'on voudrait à toutes forces aimer (tu sais assez qu'il ne s'agit pas de toi en ceci) ? Cela m'est arrivé — et je ne sais rien de plus raffiné comme peine. Alors vraiment, l'âme se trouve comme écartelée et lacérée en soi, par le jeu des puissances mêmes qui la constituent et qui se révèlent douées d'une mystérieuse complexité — tu expérimentes, à propos du souvenir de mon oncle, une angoisse semblable : tu luttes contre toi-même. Le vrai remède, tu l'indiques, c'est de regarder vers NS, centre des âmes, et puis de plier, en esprit d'adoration, devant la loi inéluctable et providentielle. Quelle région, soit dit en passant, il y aurait à explorer, suivant cette direction de « l'âme en opposition avec elle-même », pour le psychologue ou le romancier capable de se diriger en ces sphères obscures !

Le passage de Sertillanges[1] que tu me transcris, me plaît naturellement beaucoup. J'y ajouterais seulement, (ce qui est peut-être dans le contexte de l'auteur) que l'incommunicable beauté et nuance de chaque âme n'est pas étrangère au Christ, et se retrouve parfaitement dans le Christ : car le Christ n'est pas seulement l'individualité souverainement parfaite qui a traversé notre société humaine. Il est encore, dans son organisme mystique, la plénitude et la figure (en élaboration) du kosmos *élu,* — si· bien que les beautés et les nuances particulières des âmes n'ont leur *signification définitive* que comme des traits et des touches composant la Céleste Physionomie de la grande et unique Réalité finale. C'est ainsi que nous achevons le Christ... Les plus exquises essences du Savoir, du Beau, du bien-vivre, sont requises pour mener à bout cette œuvre de vie. Une à une, sous l'effort humain aidé de Dieu, les âmes distillent, gouttes précieuses, — et le nectar des derniers temps n'a pas la même saveur que celui des premières coulées. Chacune a son prix exquis. Et c'est là le sens du travail humain, et de la recherche acharnée pour dominer les secrets et les énergies (bonnes ou mauvaises) du Monde : perfectionner, épurer la vie psychique (individuelle et collective) pour que des types de perfection viennent à terme « que les siècles des siècles ignoreront si nous ne les leur donnons pas ». — Sertillanges a mille fois raison. — Vois-tu, plus j'y pense (et j'y ai beaucoup pensé au cours des dernières

1. Le R. P. Sertillanges, Dominicain français, dont l'ouvrage sur saint Thomas d'Aquin, paru en 1910, est particulièrement important.

marches), plus je conçois la nécessité de préciser et d'organiser l'effort naturel humain *total*. Les existences particulières se mènent au jour le jour ; — les prévisions politiques ne dépassent pas des ambitions économiques ou territoriales à brève échéance... Chacun, toute vie, va *au hasard*. Le Christianisme apporte bien un esprit et une forme commune : il fait cohérer les âmes par la charité ; il les fait adhérer au Vouloir Divin ; il les spiritualise de désir et d'affection. Mais quel but positif, progressif, précis, faut-il assigner aux efforts humains ? dans quel sens naturel faut-il avancer ? pour quel but palpable convient-il de se liguer, *tous ?*

Je ne puis croire que le Monde soit seulement donné à l'homme pour l'*occuper*, comme une roue à faire tourner. Il doit y avoir un effort précis à donner, un résultat défini à obtenir, qui soit *l'axe* du labeur humain et de la ligne humaine, qui constitue *le support* ou la matière de notre fidélité à Dieu, qui fasse comme le *lien dynamique* de notre charité. Evidemment, c'est Dieu [N.S.] qui, finalement, est tout cela. Mais sous quelle forme humaine, adaptée au devenir humain, Dieu se présente-t-il à servir, à obtenir. Le détachement est purement négatif et désorganise (s'il n'est pas tempéré) ; l'amour de la volonté divine est une simple forme qui demande un support ; la charité est unitive, mais, de soi, « stationnaire »... C'est évidemment dans le *perfectionnement naturel* des âmes obtenu par l'*effort combiné de toute Science, de toute esthétique, de toute Morale* qu'il faut chercher la voie où coordonner l'effort éparpillé des humains.

Excuse cette dernière page, encore obscure, comme ma

pensée. Ce n'est pas la première fois que je me serai exercé à tes dépens à préciser les lueurs qui traversent mon esprit, tu y verras surtout une preuve de confiance et de bonne affection.

A bientôt donc, *si* Dieu permet. En toute hypothèse, je prie fort pour toi, Cécile et Alice, et ma tante.

Bien à toi,

PIERRE.

[*Pavant*] *15 février 1917.*

Chère Marg,

Rien de nouveau, je te le dis tout de suite, pour les permissions. Il me paraît de plus en plus douteux que je fasse partie du prochain tour (s'il a lieu). Par ailleurs, tu as vu sur les journaux que les 24 h. sont supprimées. Les permissions de 48 h. sont limitées à un tel point qu'elles deviennent inabordables. C'est bien clairement, comme tu désirais le savoir, la nécessité (expression du bon plaisir divin) et non quelque manque de savoir-faire, qui nous tient séparés. En cette petite chose, très sensible par la privation qu'elle nous impose, aimons à sentir la prééminence de Dieu sur tout le reste. Je t'assure que ce sacrifice fait en commun, nous unit plus que tous les plus doux revoirs.

Je vais te renvoyer incessamment Tourville et les deux numéros de *la Revue des Jeunes*. Ces derniers m'ont fait un véritable plaisir, tout en me donnant une certaine nostalgie du courant d'idées qu'ils représentent, et auquel je voudrais pouvoir, sans tarder, me mêler plus activement. Non seulement chez le P. Sertillanges, mais dans l'esprit de tous les rédacteurs, on sent cette préoccupation, que je crois libératrice pour notre époque, de trouver dans la foi au Christ un ferment pour l'activité naturelle de l'Homme. Tout un mouvement couve, se prépare en ce sens. J'aimerais à sentir que mon action y concourt plus efficacement, au lieu de se perdre, connue seulement de deux ou trois. As-tu lu, dimanche dernier, la longue épître où St. Paul dit aux Juifs : « ...*Hebræus sum ? Et ego !...* » etc. Il me semble que, pour l'ère nouvelle qui s'ouvre, et qui a déjà commencé, la meilleure ascèse et la plus efficace apologétique consisteront, pour le chrétien, à pouvoir porter au monde, par l'exemple de sa vie, ce défi nouveau. Vous dites « *Homo sum* » — « *Plus ego* » [1]. — T'avouerai-je que ma nature me porte même, dans ce sens, peut-être trop loin ? Malgré la sympathie qu'on me montre partout, malgré le calme et la liberté dont je profite plus que jamais, je n'aime pas ma situation nouvelle. Elle ne me *porte* pas, ne me *soutient* pas. Il est fort possible que cette impression change en ligne, quand j'éprouverai qu'on me désire, que je console, que je fortifie. Pour le moment, je me sens un inutile, un oisif. Je t'assure que j'aimerais cent fois mieux lancer des grenades ou servir une mitrailleuse que d'être ainsi en surnombre. Ce n'est peut-être pas très orthodoxe, ce que je vais te dire, — et pourtant je crois qu'il y a

1. Cette phrase inspirée de saint Paul préfigure la page du *Milieu Divin* (1926).

là une âme de vérité : il me semble que je serais plus prêtre ainsi. Le prêtre n'est-il pas celui qui doit porter intégralement le poids de la vie, et montrer en soi comment peuvent s'allier le travail humain et l'amour de Dieu ? Je serais curieux de savoir combien nous sommes, parmi les prêtres-soldats, à penser ainsi... J'ai idée que là aussi il y a un courant profond qui se dessine, qui n'ose pas s'avancer ou se manifester, mais qui triomphera quelque jour sous une forme bénie de Dieu et de l'Eglise. — Je ne sais s'il faut que je réagisse là-contre. Mais il me semble que je ne suis sincère vis-à-vis de moi-même qu'en parlant ainsi : à dire autre chose, je me déformerais. — Au fond, puisque nous sommes vraisemblablement sur la fin de la guerre, la question est assez théorique Mais, si c'était à recommencer, j'agirais autrement en décembre 1914.

Tout cela, je te le dis, parce que j'ai besoin de le manifester à quelqu'un. Ne crois pas pour cela que je sois morose, ou déconcerté. L'idée qu'on est à Dieu, même maladroitement, console de tout, et permet d'espérer toutes les compensations... As-tu remarqué le très flatteur article de ce pauvre Duhem[1], dans le numéro du 25 décembre. Je pense que tu as pris pour toi les dernières lignes de la conférence : « ... Pour donner des voix au Verbe de Dieu » : voilà qui auréole singulièrement et véridiquement la vocation d'enseigner. Tu me diras, dans quelqu'une de tes prochaines lettres, où en sont tes plans d' « évangélisation » des jeunes filles.

1. Duhem, physicien français, mort en 1916. Son principal ouvrage, qu'il a laissé inachevé, est une *Histoire des doctrines cosmologiques, de Platon à Copernic.*

Tu sais que je m'y intéresse beaucoup, comme à ta vraie voie.

Rien de changé dans mon existence.

Bien à toi,

PIERRE.

Mme Parion a-t-elle quelques détails sur la mort de son frère ? Je dirai demain la messe que je lui ai promise.

Olivier (te l'ai-je dit ?) a quitté le corps au moment où j'y arrivais. Il est au secteur 98, aux environs de là où était Marcel...

[*Pavant*] *17 février 1917.*

Chère Marg,

Hier j'ai reçu ta lettre du 9, et aujourd'hui les deux numéros de *la Revue des Jeunes.* Un premier regard, jeté non sans quelque avidité sur ces derniers, m'a convaincu de la parenté de mes idées avec celles du P. Sertillanges (tu auras remarqué l'appui qu'il cherche, inévitablement, dans St. Paul...). Puissions-nous être légion à concevoir le Christ sous cette forme immédiate, pratique et palpable de « Moteur du Monde » ! Rien qu'à feuilleter ces quelques pages, je me suis senti repris du frémissement de penser et de dire. Quand donc la paix ! et quand donc l'opportunité de renouer les relations fécondes, d'où naissent, et parmi lesquelles croissent les pensées consolatrices de la vie !

Pour en revenir à ta lettre du 9, je te dirai que j'ai été

bien touché de ce que tu m'y dis touchant le prix que tu trouves à notre amitié. Je te le répète encore : n'aie aucun doute, jamais, sur la joie et le bien que ce m'a été de te connaître, comme cela s'est fait depuis quatre ans. Je crois de toute mon âme que c'est NS qui a fait se croiser ainsi ou plus exactement confluer nos chemins. Et c'est assez te dire, n'est-ce pas, que je regrette autant que toi la difficulté où nous sommes de nous rejoindre. Autant que toi, je jouirais d'obtenir 24 h. ou 48 h., et cela me fait chaque fois quelque chose de voir passer un train allant vers Paris. Mais voilà... Comme je t'ai dit dans ma précédente lettre, il y a trop de gens ici dans mon cas. Je suis gêné pour demander et insister. Pour partir, quand les permissions ont recommencé, j'ai fait la semaine dernière, tout ce que je pouvais décemment pour obtenir un tour de faveur. Comme je suis sur la limite pour être compris dans le prochain départ, je vais attendre jusqu'à la semaine prochaine pour voir si ce départ aura lieu. S'il n'a pas lieu ou si je ne suis pas compris dedans, je te promets de faire une démarche pour essayer d'avoir quelques heures au moins. Mais ne compte pas sur le succès. Je craindrais que tu ne sois déçue. — En tout cas, si je ne viens pas, c'est sûrement que NS n'aura pas voulu, car j'aurai fait mon possible. — Vois-tu, si je veux vraiment être un lien entre NS et le régiment, il faut que je sois le plus souple pour accepter la volonté de Dieu, le plus patient, le plus mortifié (sans passivité maladroite, évidemment). Et, à être tel, il faut que tu m'aides ; — il faut que tu partages un petit peu avec moi le poids, n'est-ce pas ? — Nous serons ainsi plus forts et plus unis.

A bientôt d'autres nouvelles plus longues.

PIERRE.

Ai écrit avant-hier à Mme Parion.

[*Pavant*] *23 février 1917.*

Ma chère Marg,

Comme demain je dois aller à quelques kilomètres d'ici me faire plomber des dents, je t'écris dès aujourd'hui, — pour te dire que je suis rentré chez moi à bon port, et pour te répéter, aussi, combien cette dernière revue m'a paru bonne et fortifiante. Une fois dissipée la petite mélancolie du départ, il ne reste plus que la plénitude d'avoir pu se retrouver enfin, et de s'être compris. Que NS soit toujours plus le milieu et le terme de notre amitié, bien réellement fraternelle. Plus nous serons appliqués à Lui faire grande la place en nous, plus nous nous aiderons, dans l'édification commune de notre vie. Ce m'a été une vraie joie de voir que ton existence prenait une orientation chaque année plus précise dans le sens de l'action, toute imprégnée de charité. Tes plans d'action féminine et éducative me paraissent être conformes à ta vraie vocation. Je prierai souvent Dieu de t'aider à les préciser et à les réaliser.

Sur le chemin du retour, j'ai lu *le Feu* [1]. Il y a des scènes d'une réalité impressionnante (le bombarde-

---

1. *Le Feu.* Célèbre roman d'Henri Barbusse.

ment...) ; d'autres m'ont l'air un peu forcées (par accumulation d'horreurs rarement aussi réunies) (par ex. l'attaque, les scènes au poste de secours). A côté de cela, beaucoup d'idées à demi fausses, mais ardentes, et « inquiétantes » (sur le Mal, l'égalité), qui, jointes à une désespérante incompréhension du christianisme (naïveté, résignation béate, etc.) te détourneront sans doute de mettre le livre à ta bibliothèque commune. — Je crois que c'est par ces erreurs passionnées, justement, que l'ouvrage est expression vraie et réaliste, d'une mentalité très répandue, et très ancrée, au cœur des poilus.

La lecture de ces pages, tombant sur les dispositions que tu sais, m'a été comme un coup de fouet. Que Dieu nous les donne, et les multiplie, enfin, ces chrétiens qui, *de par leur religion,* porteront, plus que tout autre humain, le poids des aspirations et des labeurs de leur temps ! Ah ! si seulement nous savions mettre la passion égalitaire du peuple dans notre charité !... N.S. a vécu plus que personne la vie des hommes. Nous devons être comme Lui. Sans cette passion-là (= la passion humaine), nous flotterons comme des glaçons sur le courant de notre époque ! Tu le penses comme moi, n'est-ce pas ?

Rien de changé, ici, dans notre situation. — Je ne sais rien pour les permissions.

Sachant Mme Parion en voyage, je ne lui écris pas. Mille choses à ma tante, à tes sœurs, à Cécile, à Marcel et Robert.

Très à toi,

PIERRE.

Chère Marg,

Je viens de recevoir ta bonne petite carte du 27. Elle vaut une longue lettre. — Puissent Jeanne et Cécile aller bientôt tout à fait mieux, — et Mme Parion, de son côté, finir sans accroc ce trimestre si pénible pour elle ! — Rien de nouveau en ce qui me concerne. Chacun espère voir arriver le fameux 3e tour de permission, — et on attend toujours. Pourtant, je te le disais, nous semblons être encore ici pour assez longtemps... Sans notre revue d'il y a huit jours, j'aurais bien du mal à demeurer patient, en cette conjoncture. — Et pourtant c'est une bien légère épreuve. Je suis intéressé par l'expérimentation que je fais en moi, à ce sujet, en matière ultra-bénigne, de la vivacité des sentiments du « *droit* » lésé et de *l'injustice* subie, etc. Il doit y avoir (et par légions) des cœurs douloureusement meurtris par la révolte, dans le monde ; — et ce doit être doublement insupportable de se sentir sans considération, sans égards à attendre de personne, *sans recours.* Quel poids pour ceux qui n'ont pas le confort de s'en remettre sur Dieu, en attendant l'amélioration laborieuse et si lente des hommes et de leur égoïsme !

Je lis et j'écris, dans mon calme séjour de Pavant. Je me suis mis à la rédaction de la petite étude (que je t'ai esquissée en conversation) sur le Mal de la Multitude. Cela ne va pas très vite, mais j'ai mordu dans le

243

sujet tout de même. Il me faudrait bien encore une quinzaine pour mettre la chose debout. Si j'y arrive, tu auras, comme de juste, la primeur, et même le papier lui-même, s'il te plaît.

Les Forces Tumultueuses de Verhaeren roulent quelques très belles choses, malgré que suivant un rythme et des tournures assez monotones L'inspiration est d'un naturalisme féroce, mais me plaît assez, parce que j'y retrouve — païennes malheureusement, et brisées dans l'élan qui pourrait les faire monter vers Dieu — beaucoup des aspirations qui me sont chères (parce que je les regarde comme essentielles au cœur humain et seules puissantes pour guider la vie).

Naturellement, le Christianisme, avec ses macérations ou « ses tendresses peureuses », est opposé sans cesse dans ces vers à la puissante fougue de la vie authentique et humaine... Que ne puis-je avoir cent existences et cent voix pour démontrer, par mon exemple, l'inanité de ce sophisme !

Le P. Sertillanges pousse décidément sa pointe (sur le Christ et la vie) avec persistance. Si tu trouves le numéro des *Annales* du 25 février, tu y verras un article sur les cathédrales « œuvres de synthèse vitale et d'intégrisme religieux », glorifications du travail humain, toutes marquées de « tendance universaliste et naturaliste ». — Evidemment il y aurait là un courant bien intéressant à étudier, — encore qu'il reposât sur une conception peut-être bien extrinsèque et intrusive du divin dans le Monde. C'est une de mes lacunes d'autodidacte de connaître trop peu l'Histoire et ses Sources.

Reçu une lettre d'Olivier, qui, trouvant la guerre trop

calme chez lui, s'est « replongé dans ses lectures d'avant la guerre ». Il me dit ne pouvoir pas faire grand'chose pour Brunel, parce que ce dernier a déjà échoué jadis à l'examen de capacité pour Fontainebleau ce qui le rend inapte à un nouveau concours. Je regretterais.

Adieu. Demain, 1ᵉʳ Vendredi, je demanderai beaucoup à NS de nous prendre beaucoup pour Lui.

PIERRE.

[*Pavant*] *Lundi 19 mars 1917.*

Chère Marg,

Je pense que tu suis passionnément, comme chacun de nous, les enivrants événements énigmatiques mais si enivrants d'un parfum de Victoire, qui se poursuivent au Nord de Soissons. Tu avais été bien renseignée, jeudi dernier... Voici donc Olivier, et sans doute Marcel, en route derrière les Boches. Le mouvement va-t-il me gagner ? Cela se pourrait bien, puisque l'objectif de mon régiment, tu le sais, n'est pas bien loin de la région qui vient de céder. Des bruits, naturellement, commencent à circuler. En attendant, je suis toujours à P., dans mon intérieur familial et confortable. S'il arrivait quelque chose de nouveau, tu serais avertie sans retard.

En arrivant ici, j'ai trouvé ta bonne lettre du 3. Aujourd'hui, en outre, m'est revenue ta carte du 8 (adressée à Lyon). J'ai repassé en les lisant, plusieurs des choses que nous nous sommes dites durant les bonnes heures de conversation que nous avons eues depuis. Et je ne les ai que mieux comprises.

245

Oui, va, de tout ton cœur, aux étudiantes que la Providence semble mettre sur ton chemin, non pas seulement par une rencontre fortuite, mais en vertu d'une préparation lointaine, qui est l'histoire même de ta vie. Après avoir connu leurs épreuves, partagé leur genre d'existence, tu peux, mieux qu'aucun autre, leur apprendre à trouver partout autour d'elles ce Dieu que tu sais mieux voir, maintenant, en toutes choses. J'aime à croire que tu trouveras parmi elles ton vrai champ d'action, — et aussi la douce consolation de sentir que de nombreux êtres auront réchauffé leur vie auprès de toi.

Pour moi, je t'ai dit en quelles dispositions je revenais au front : plus nettement conscient que ma tâche, pour le reste de ma vie, est de développer en moi, humblement, fidèlement, opiniâtrement, — et de rendre, en même temps, aussi contagieuse que possible — cette sorte de mystique qui fait poursuivre Dieu, passionnément, au cœur de toute substance et de toute action. Jamais je n'ai perçu, aussi nettement, combien Dieu Seul, et non pas aucune tentative personnelle, pouvait nous éveiller à cette lumière et nous y maintenir. Mais jamais, non plus, je n'avais compris pareillement combien la culture de cette science particulière de diviniser la Vie exigeait le concours et les soins de toutes les formes de mon activité. Il y faut les sacrements, et la prière, et l'apostolat, et l'étude : tout cela orienté dans un même sens, très concret, très précis.

Prie NS que ce ne soit pas là un rêve, mais une féconde réalité, et qui m'aide à t'être plus sérieusement utile que jamais.

Je continue à écrire mon étude sur la multitude. Cela ne va pas tout seul. Mais je ne tarderai pas à en voir le bout, tout de même.

Adieu. Bien des choses à Mme Parion. Elle se doute bien du plaisir que j'ai eu à la revoir.

PIERRE.

[Pavant] 24 mars 1917.

Chère Marg,

Merci beaucoup pour ta lettre du 20, où tu me dis, en dernière page, de si bonnes choses. Je souhaite que le P. Mainage ait influencé pour un bien sérieux tes anciennes, et que tu aies noué avec lui des relations profitables. Je recommanderai cela demain à ND, ainsi que tout ce qui te concerne, une fois de plus. — En même temps que ce petit mot, je t'envoie un cahier contenant mon factum sur la Multitude. Dis-moi si tu l'as reçu. La portée philosophique est évidemment très approximative, et même d'apparence manichéenne. Je l'ai laissée telle quelle faute de pouvoir m'exprimer mieux, et parce qu'il me paraît que sous des termes un peu faux ou contradictoires, il se cache « une direction de vérité » qu'appauvrirait un langage plus correct dans sa logique ou son orthodoxie de surface. Tout de même, j'aurais aimé te dédier quelque chose de plus personnel et plus réussi que cela. — Rien de changé dans ma situation extérieure. Les indices semblent pourtant s'accorder à nous faire prévoir un assez prochain départ. Mais je ne pense pas que ce soit encore pour un coup de chien. Affaire seulement de nous rapprocher des lignes. Malgré tous les charmes de P., je ne serais pas fâché de retrouver une vie plus exciting et plus affranchie des conventions ordinaires. — Encore une fois, sois sûre que je te tiendrai au courant de tout. J'aime à songer que de ton côté, tu vas trouver à Sarcenat et ailleurs une quinzaine de calme. Que N.S. t'y accompagne.

Mille choses à Mme Parion. Bien à toi, toujours,

Pierre.

Je ne sais rien d'Olivier ni de Victor.

[Rocourt] 31 mars 1917.

Chère Marg,

Je t'écris de notre nouveau cantonnement, plus voisin du front, celui-là, et moins confortable que Pavant, — mais plus provisoire aussi, — où nous sommes arrivés depuis deux jours. Comme dans toutes les localités de la zone des armées, le village qui m'abrite est peu intéressant : église délabrée, sacristie sale, autos surabondantes, civils et ravitaillement rares, hypertrophie de poilus divers. Jamais ces diverses caractéristiques n'ont été plus vraies que dans cette région, qui regorge littéralement de troupes. L'ordre de départ sera donc le bienvenu, et je ne pense pas qu'il tarde beaucoup à arriver, soit qu'il s'agisse de la grande affaire, soit que, pour commencer, on nous envoie tout bêtement tenir un secteur. Je t'écris aujourd'hui pour profiter des loisirs qui me sont encore donnés, et aussi pour te remercier de ta bonne lettre du 28, reçue hier. Je voudrais également t'envoyer l'assurance de mon souvenir au début des jours de prière que tu as si heureusement choisi de passer à Paray. Parmi les choses que raconte la Bienheureuse, il y en a une qui m'a toujours particulièrement frappé : je veux dire cette vision où il lui semble être un atome obscur qui aurait voulu se perdre dans le grand foyer lumineux qu'était le Cœur de N.S., et qui ne peut y arriver que lorsque ce foyer lui-même l'eût attiré à lui (ce qui est du reste la transcription de l'Evangile : « *Nemo potest venire ad Patrem nisi ego traham eum ad meipsum*[1]. » Je retrouve là ces deux éléments où se résume pour moi la vie : *dépendance absolue* de la force créatrice et sanctificatrice de Dieu, seule capable d'entretenir au fond de nous-mêmes le goût de la vie, le goût de Dieu ; — et puis, cette attraction intime nous étant donnée, *envahissement par la Divinité* de tout ce qui nous entoure et de tout ce que nous faisons, en sorte que tout devienne pour nous Dieu qui se donne et qui transforme. — Pendant que tu seras ainsi tout près de NS, sous l'influence de son Cœur, tu Lui demanderas pour nous deux un très grand amour de sa Personne, qui devienne la Force et le bonheur de notre vie. Le Cœur de NS est vraiment quelque chose d'ineffablement beau et suffisant, qui épuise toute réalité

1. *Saint Jean*, vi, 44.

et répond à tous les besoins de l'âme. On se perd à y penser. Pourquoi faut-il que ce culte soit gâté de tant de mièvreries et de fausse sentimentalité !... Je crains en ceci d'avoir tort (car NS a proposé l'amour de son Cœur comme une chose très sociale, très livrée à tous, et donc exposée aux excès de la fausse dévotion, comme la Ste Eucharistie elle-même), mais, par tendance, je considérerais le Sacré-Cœur comme un objet d'amour si respectable, si sacré, qu'il devrait être l'objet d'un culte presque ésotérique, réservé à ceux qui veulent vraiment être chrétiens à fond, de tout leur cœur. Je souffre d'en voir l'image répandue partout, à tort et à travers, — et le culte exposé à n'importe qui, à des gens qui ne possèdent même pas le B A BA de la religion... Au fond, je te le répète, c'est peut-être moi qui ai tort : toujours le fond incurable de répugnance à tout ce qui ressemble à une pression sur les âmes et la liberté en matière religieuse. Il y a du vrai. Mais il ne faudrait pas exagérer. — Chez les saints, l'amour de Dieu s'est toujours montré lié à une vraie passion de Le faire connaître. — Donc, nous prierons ensemble l'un pour l'autre cette semaine, afin que, en chacun de nous, la volonté Divine, se réalise bien exactement et pour de grandes choses, s'il plaît à NS.

Je te ferai savoir ce que je deviens.

Bien à toi,

Pierre.

[Paissy] [5 avril] Samedi Saint 1917.

Chère Marg,

Je viens de recevoir ta bonne carte du 3 avril. J'espère que de ton côté tu auras reçu ma lettre de la fin de mars, adressée à Paray. — Je me réjouis que ta première impression sur ton « oratoire » ait été favorable. Si tu savais comme je te sais gré de t'y être regardée comme tenant un peu ma place, et comme j'espère que NS a envisagé les choses ainsi ! Ma semaine sainte a vraiment été bien distraite, et je me reproche de n'avoir pas su mettre, dans l'atmosphère de labeur et de peine où tant d'hommes se meuvent autour de moi, tout l'esprit de renoncement et de compassion qu'il eût dû être si facile avec un peu de foi, de puiser dans ces anniversaires de la Passion. Il est toujours difficile de donner aux réalités surnaturelles, dans notre âme, une consistance qui leur permette de contrebalancer le poids des réalités palpables ! En songeant hier, Vendredi-Saint, au petit nombre de poilus, parmi la fourmilière qui travaille ici, qui songeaient à offrir à Dieu leurs multiples souffrances, souffrance de la boue, souffrance du danger, souffrance de l'inconnu et des blessures..., je me suis dit que Dieu peut-être, pour que toute cette masse soit sanctifiée et utilisée, se contente de l'offrande et du sacrifice conscients de quelques âmes plus éclairées, — par lesquelles tout fermente. Prie bien pour que je sois de celles-là, autant que NS le veut. — Rien à te dire sur ma vie extérieure, à cause de la discrétion nécessaire.

251

Le secteur demeure relativement calme, et les spectacles intéressants abondent.

Demain, je pense dire ma messe près d'ici dans une caverne-chapelle bien entretenue. Il y a ici plusieurs aumôniers : un entre autres est typique et touchant : un vieux missionnaire, à longue barbe blanche, à bonne figure paternelle, qui s'appuie sur un bâton de 2 mètres de long, aussi patriarcal que sa personne.

Adieu. Tu diras à Guiguite que je viens de recevoir sa longue lettre du 3. Je lui répondrai.

Bien à toi et à elle,

PIERRE.

Comme il l'a été dit dans l'avant-propos, les lettres écrites entre le 15 avril et le 10 juin 1917 n'ont pas été retrouvées.

[*Paissy*] *10 juin 1917.*

Chère Marg,

J'ai reçu hier la petite boîte de conserve, et avant-hier ta carte du 6. Quant à la première, je t'envoie un bon merci. En ce qui concerne la seconde, ma lettre du 6, et celle que j'envoyai avant-hier à Mme Parion t'auront prouvé que tu t'inquiétais à faux sur mon compte, — ce qui est très dommage, étant donné que tu as déjà assez de soucis dans ta vie. Une autre fois, dis-toi bien que le Chemin des Dames est très long, et que même

252

parmi les troupes affectées à un secteur attaqué, une petite fraction seule est engagée. Dans ces conditions, il est rare que tu aies le droit de mesurer tes inquiétudes à la gravité des communiqués. Je te dirai toujours la vérité, dans la mesure compatible avec le secret des opérations. Pour le reste, tâche d'abonder dans le sens de la paix et de la confiance en NS. C'est ce qui nous fera le plus de bien, à l'un et à l'autre.

Je t'écris toujours du village que j'ai dit à Mme Parion. Il y a eu quelques échauffourées en ligne. Ici, il fait outrageusement calme, et je mène presque la même vie qu'il y a huit jours à Serval. Pendant la journée, j'ai une salle avec table pour écrire. La nuit, je dors sur un cadre confortable dans une grotte boisée. Je fais quelques courses par un fort beau temps. Tu vois que ma vie n'a rien de pénible. Je ne sais si le régiment ira occuper un secteur proprement dit. Si oui, je n'en serai pas autrement fâché : l'existence dans les sapes et les trous de marmites a une saveur et un ton qui font qu'on peut difficilement s'en passer à la longue, — quitte à compter les jours et les heures avant la relève, dès qu'on s'y trouve de nouveau assujetti. — Ce matin, dimanche, il y eut une messe de 10 h. très honorable dans la grotte-chapelle. Je ne sais si vendredi, je serai en mesure de célébrer. En toute hypothèse, nous prierons bien ensemble ce jour-là, n'est-ce pas ? et si je ne puis célébrer, ta communion sera pour nous deux.

J'ai dit, je crois, à Mme Parion, que j'ai trouvé ici un jésuite dans la lourde. Comme tout bon artilleur, il n'a pas à se préoccuper du bagage, et est donc suffisamment muni de revues, dont *les Etudes*. Dans un numéro, j'ai vu que de Tonquédec a publié chez Beauchesne une *Introduction à l'Etude du Merveilleux et du Miracle,* qui a l'air original et solide, — et qu'il existait une traduction de *Vita Nova* du Dante par Henry Cochin. Cette dernière constatation m'a rappelé qu'un des mystiques les plus intéressants à étudier à mon point de vue serait sans doute, précisément, le Dante si féru et si passionné du Réel. Je crois, en tout cas, que peu d'exemples font mieux comprendre ce qu'est l'agrandissement (jusqu'à l'Univers) du sentiment alimenté par un objet particulier (et de cet objet lui-même) que Béatrice. — Je continue à améliorer et à préciser peu à peu les idées et le plan que je t'exposais dans mes précédentes lettres. Je tends à mettre plus en saillie encore le Réalisme dont vit la mystique [1] et aussi à décomposer plus nettement le mouvement alternatif qui porte l'âme (et la rejette successivement) du Milieu divin, homogène et essentiel, sur les déterminations particulières du récl à connaître, à aimer, et à achever.

Les permissions marchent à peu près en ce moment; je ne désespère donc pas de partir avant le 15 juillet. Mais seras-tu encore à Paris, alors ?... Si non, ce serait le moment où jamais de décrocher 24 h. à la fin de juin, pour que nous puissions un peu causer oralement de tant de choses que nous nous écrivons depuis quelque temps.

Adieu. J'envoie à Robert l'adresse d'Olivier.

Bien des choses à Mme Parion.

Très à toi,

PIERRE.

[...]

1. On entrevoit déjà *le Milieu Mystique*, rédigé deux mois après.

[*Ravin de Moulins*] *17 juin 1917.*

Chère Marg,

Quelques mots seulement pour te remercier de ta carte du 14, qui vient de m'arriver, avec la carte de Mme Parion du 14, et vos deux petites boîtes de conserves. Votre souvenir, à toutes les deux, m'est toujours bienfaisant, vous le savez. — Je t'écris du fond de ma sape boche, où il fait bon et frais, à la différence des boyaux qui sont quelque peu surchauffés. Le secteur demeure calme, à peine troublé de quelques torpilles. Mais, à notre droite, cela a « bardé » hier soir. Quand le calme fut rétabli, si tu savais quelle poésie intense se dégageait, la nuit à peine tombée, de ce plateau sauvage, encore fumant ! Dans l'air chantaient encore, par intervalles, des obus retardataires, et de crête à crête, jusqu'à Laon, les fusées boches se transmettaient, multicolores.

Ce matin, je suis descendu dire ma messe au village où j'étais il y a quelques jours. Je compte recommencer après-demain. En attendant, j'ai sur moi la Ste Réserve, pour quelques zouaves. Et alors, je passe mes journées avec NS littéralement cœur à cœur. Si seulement je savais profiter de cette grâce que seule la guerre pouvait m'apporter ! — Ainsi sommes-nous moins loin l'un de l'autre. Fasse NS que cette Présence prolongée nous illumine un peu plus les yeux et le cœur, comme tu le souhaites, afin que, plus complètement et réellement, nous le voyions en tout.

Adieu. A bientôt un mot. Gabriel ayant eu le câble de son ballon rompu par un fusant kolossal s'est un peu reculé. J'espère quand même le revoir à la fin du mois.

Très à toi,

PIERRE.

J'ai bien reçu ta lettre (longue) du 9, et j'y ai répondu (le 14, il me semble) — tu as raison : pour la paix, comme pour le goût de Dieu, etc. nous sommes à la merci de la grâce. Je compare cela à l'état d'un objet illuminé par le rayon d'un projecteur : il ne peut forcer le rayon ni à venir, ni à rester. — Nous, nous pouvons appeler, et, comme tu dis, être sûrs que la lumière ne nous quittera pas...

[*Montreuil-aux-Lions*] *Mercredi 25-7-1917.*

Chère Marg,

J'ai retrouvé ma chambre et mon régiment à la même place. Rien à l'horizon comme changement. Rien non plus qui semble nous lier à revenir sur l'Aisne. Je vais tâcher de me mettre au travail, dès que je serai réinstallé. Tu prieras un peu pour que j'arrive à fixer et surtout à réaliser le plus possible mes idées : car c'est moins une théorie qu'un plan de vie (et je dirais presque, d'apostolat) que j'essaie de préciser. Tu le sais et tu le comprends. De mon côté, je dis à N.S. que, dans tout ce que je ferai d'ici septembre, je désire qu'Il voie ma prière, lui demandant pour toi la vision, le goût et

l'union du Divin, sous la forme de ta vocation particulière. — Notre amitié est précieuse. Je la regarde un
peu comme une note de musique qui donne « du ton »
à toute notre vie. Que N.S. nous aide à la rendre telle
qu'elle soit tout entière une force nous menant à Lui,
rien n'y étant perdu en vaine complaisance mutuelle
(ce qui serait de l'énergie et de l'amour perdus).

Je n'ai pas à te redire ma vraie affection. Amitiés à
Mme Parion.

PIERRE.

[Beaulieu-les-Fontaines, Oise] 5 août 1917.

Chère Marg,

J'ai reçu hier ta longue lettre du 31 juillet. Le même
jour, je crois, je t'écrivais des choses qui étaient presque
exactement les mêmes que celles que tu m'y dis. Cette
identité de vues n'a rien de fastidieux ; mais elle prouve,
ainsi que tu le remarques, combien nous sommes près
de « coïncider » en NS ; et, à ce titre, elle est d'un grand
prix.

Je n'ai aucune peine à comprendre ce que tu me dis
touchant l' « atmosphère frileuse » où tu te sens. J'espère qu'un peu de soleil sur les hêtres et les sapins aura
passé jusque dans ton cœur. En toute hypothèse, ne te
déconcerte pas de te sentir, au Chambon, désorientée,
parce que tu ne te trouves plus supportée par la sphère
de ton action et de ton influence, laquelle a son centre
à N.D. des Champs. Tu n'es pas dans la solitude pour
te sentir forte et rayonnante ; mais bien pour t'oublier,

257

et t'abandonner, et te refondre en Celui qui rayonne **sur** nous à travers tous les êtres, — de préférence, à certaines heures, à travers les plus majestueux et les plus silencieux. Il n'est pas mauvais, à ces heures-là, de se sentir peu de chose. Il est meilleur encore de se laisser aller à la domination de Celui qui ne demande qu'à nous fortifier et à refluer, à travers nous, sur les autres. Tu n'as pas, en ce moment, de meilleure manière d'aider les tiens et de les consoler, — ni aussi de continuer, de loin, à sanctifier et à édifier tes travaux entrepris, — que de t'unir de ton mieux à N.S. dans le calme et l'austérité des montagnes. — Ne te laisse pas dominer, je t'assure, par la crainte perpétuelle de ne rien faire de digne de ta vie, ni de proportionné à tes désirs ou aux grâces de Dieu. Je pense que tu fais beaucoup, — beaucoup plus que nous ne voyons. Mais à quoi bon, même, t'inquiéter de cette recherche ? N'est-ce pas suffisant d'entretenir au-dedans de nous de grandes ambitions et de chercher loyalement à les réaliser, pour que nous ayons le droit de compter sur Dieu pour leur donner le succès définitif ? Essaie davantage, peut-être, de te perdre, au sujet de toutes choses, en Dieu, — au point de ne plus même vouloir savoir si tu fais beaucoup ou peu en ce monde, — uniquement heureuse de Le sentir en toi, au principe et au terme de tout désir et de toute action.

Au sujet de ce que tu me dis touchant ton cher papa, je pense que ton impression est juste. La mort *délivre*, — et s'il n'y avait pas de mort, la terre paraîtrait sans doute *étouffante*... Tu te souviens quand nous disions cela, au-dessus du torrent, avant de redescendre par le chemin des digitales ?

Ici, pluies persistantes, qui semblent tout de même vouloir céder aujourd'hui. Cela ne me gêne guère, puisque j'ai une chambre, et que j'y vis enfermé presque toute la journée. L'inspiration se fait plus facile, à mesure que le travail avance. Peut-être aurai-je terminé mon brouillon pour le 15 [1]. Il est décevant de constater combien les idées s'appauvrissent et se réduisent quand on essaie de les faire rentrer dans un cadre commun : elles deviennent chacune une petite pierre diminuée et taillée, quand chacune pourrait être le noyau de tout un édifice !... Une incidente, ou un paragraphe, pour ce qui mériterait une étude entière... — Au bout du compte, je ferai tenir en 30 ou 40 pages ce dont je pourrais parler une vie durant. — Messe chaque matin. C'est à mon tour de tenir ta place et celle de Mme Parion. Dis-le lui, et remercie-la de sa carte du 30.

Très à toi. — Souvenirs aux tiens.

PIERRE.

Je suis dans un village où Jeanne d'Arc, dit-on, fit sa première étape en allant de Compiègne à Rouen — par un chemin plutôt détourné, il faut croire. On voit encore une vieille bâtisse en briques, où elle aurait logé. Et les Boches, peut-être par antipathie pour les Anglais, n'ont pas touché à une statue de la Vénérable, qui se trouve auprès. A son ombre, en revanche, ils ont établi un de leurs cimetières, où les morts de 1914-1917 reposent sous des pierres pesamment et studieusement gravées.

1. *Le Milieu mystique* est daté du 13 août 1917, et de Beaulieu-les-Fontaines.

Chère Marg,

Hier, j'ai envoyé à Guiguite, pour qu'elle te le transmette dès qu'elle l'aura lu, *le Milieu mystique.* J'aurais aimé à t'en donner la primeur, — d'autant que c'est toi sans doute qui me comprendras le mieux. Il m'a semblé que je devais un peu à Guiguite de commencer par elle, — sans compter que, le manuscrit devant te rester, il faut bien que tu l'aies la dernière. — Tu verras qu'il n'y a rien de très nouveau dans ces pages. Elles sont surtout une mise au point de choses que tu connais très bien ; et, somme toute, je me demande si elles sont très compréhensibles pour qui n'a pas lu la Vie cosmique, et la Multitude. Tu trouveras probablement que, cette fois encore, j'ai trop concentré. Mais si tu savais comme je trouve difficile de développer sans couper le courant d'ensemble de ce que j'écris ! Or, le courant d'ensemble, c'est ce qu'il y a de plus important, dans des études comme celles-là.

J'éprouve un certain plaisir à me sentir libre maintenant d'aborder une matière fraîche, s'il s'en présente. Vraisemblablement, c'est le vieux dada qui va réapparaître sous une forme nouvelle. — Je suis assez tenté, depuis quelque temps déjà, de prendre une bonne fois par les cornes le problème « du Mal et du Progrès », — non pour le solutionner définitivement, bien entendu, mais pour me forcer à préciser ce que je pense. J'ai été ramené à cette préoccupation, déjà ancienne, par la lecture de Vigny, et aussi de certaines *Histoires de guerre* de Claude Farrère. Il y a notoirement un certain prestige du mal *audacieux*, et une certaine absolution par le succès, et une certaine nécessité à ce que quelqu'un se dévoue (si l'on peut dire) à faire sauter les cadres, qui tendent à rendre certaines fautes *plus vivantes que la vertu*. Il y a en cela un « sophisme organique », qui impressionne inévitablement, et qu'il importe beaucoup, à mon point de vue, de préciser et de démasquer. — Si mes lumières, de ce côté, se trouvent être trop ténues encore, je songerai peut-être à cette esthétique de la guerre, dont nous parlions ensemble. Mais pour cela, il serait opportun que j'aille de nouveau respirer la forte atmosphère de la ligne de feu. — Comme chaque fois, après un long repos, je me sens repris de la nostalgie du front[1]. Et pourtant le coin où nous cantonnons actuellement est d'un charme rare. Hier soir, encore, je ne me lassais pas de goûter le silence absolu et la solitude rigoureuse de ces grandes étendues, toutes blanches d'ombellifères odorantes, sous les pommiers. Il faudrait avoir l'instrument de Vigny en main pour exprimer cela, — à condition, j'ajoute, d'en user un peu autrement. J'ai été un peu déçu, je te dirai, en le lisant, de le trouver si pompeux, si phraseur par endroits, si chargé de métaphores, — si esclave des mots, aussi, qui commandent trop souvent la pensée. Et ma déception a atteint quelque peu mon estime même de la poésie classique. Il me semble que c'est une impossible gageure de faire rentrer une pensée riche et souple dans

---

1. « La nostalgie du front » deviendra le thème et le titre d'un écrit de septembre 1917.

un cadre préformé d'harmonie. Pour une chanson ou un morceau oratoire, passe ! (et ceci légitimerait l'existence de certains genres poétiques : catégories de sentiments ou idées, susceptibles d'endosser — ce n'est pas précisément leur éloge — une forme définie de versification...). Pour l'expression d'autres états d'âmes, plus compliqués ou plus oratoires, les formes classiques de poésie sont une grossière approximation, qui n'arrive pas à mouler la pensée, même si on combine les rythmes et les strophes. Chaque œuvre poétique veut avoir son rythme propre, — un rythme de tout l'ensemble, et un rythme des parties, et un rythme des paragraphes et des phrases. La cadence des vers est bonne : mais elle est l'enfance de la poésie : elle l'entrave et la met en miettes. — Un morceau littéraire, vraiment senti et exprimé, devrait ressembler à un morceau de musique, avec des nuances, des silences, des thèmes, une harmonie d'ensemble, etc... — toute une disposition typographique spéciale. Ne penses-tu pas ? Mais je ne me charge pas de le réaliser...

Ma carte d'avant-hier t'aura dit que j'ai reçu ta lettre du 10 août. N'est-ce pas curieux que nous ayons le même faible, toi et moi, pour la vie de contemplation égoïste, que rien ne dérange, et où aucun « troisième » (à moins qu'il ne soit élu pour cela) ne s'adjoigne fâcheusement aux deux essentiels, l'âme et Dieu ? Tu as raison, il faut réagir. Il reste que, naturellement parlant, l' « autre » (c'est-à-dire tout le monde, sauf une dizaine d'humains admis dans notre orbite) est un intrus, qui nous importune. Au moins, je sens comme cela à certains moments. Instinctivement, j'aimerais mieux une terre pleine de bêtes qu'une terre avec des hommes. Chaque homme fait un petit monde à part, et ce pluralisme m'est essentiellement désagréable. Il faut se rappeler que nous sommes en devenir, et que tout ce multiple, par la charité que NS nous demande, contrairement à nos goûts, finira par ne plus faire qu'un... C'est sans doute une augmentation de cette Unité, payée de notre effort pour sortir de nous, qui se trahit en nous par cet accroissement de vie intérieure, succédant à l'extériorisation charitable de nous-mêmes, dont tu parles. A ces moments-là, comme à ceux de la souffrance providentielle, on éprouve étrangement que notre vraie force n'est pas en nous, mais nous est donnée d'ailleurs, quand nous plions notre liberté à des conditions d'existence qui n'ont rien de commun avec nos petites combinaisons personnelles. Je ne comprends pas le succès si considérable des théories (extrêmes) de l'immanence et de l'autonomie : les Forces extrinsèques, elles sont si expérimentées et si bonnes !

J'espère que le soleil a séché vos bois. Ici il y a des averses quotidiennes. D'après les dernier tuyaux, nous ne bougerions pas avant une dizaine de jours ; mais je ne m'y fie pas beaucoup.

Adieu et que N.Dame te bénisse.

PIERRE.

[*Muret-et-Crouttes*] *23 septembre 1917.*

Chère Marg,

Je viens de recevoir ta lettre du 19, qui m'a causé une vraie joie. Je pensais bien que le nuage passerait vite ; mais j'aime infiniment mieux en être sûr... Retiens de cette expérience que, une fois remis aux mains de NS, nous pouvons nous attendre à ce qu'Il nous traite vigoureusement, mais toujours pour nous faire progresser un peu plus en Lui. De quel prix ne faudrait-il pas être heureux de payer un semblable progrès et une semblable transformation !... — Comme tu me le demandais dans ton avant-dernière lettre, je t'ai « offerte » de mon mieux à la messe, — et je le fais tous les jours, en même temps que je m'offre, moi aussi. Je ne sais si tu connais cette prière, un peu forte mais si belle, d'un de nos Pères du xvie siècle, que tu comprendras sûrement, dans sa langue : « *Tu, Domine mi, include me in imis visceribus Cordis tui, atque ibi me detine, excoque, expurga, accende, ignifac, sublima, ad purissimum Cordis tui gustum atque placitum, ad puram annihilationem meam.* » J'aime cette prière, et je la dis pour nous deux.

Nous vivons ici, dans le calme. Mais les compagnies sont assez dispersées, et je n'ai pas d'endroit bien retiré, sauf les bois, quand je puis m'y échapper. J'ai un peu envie d'analyser et de justifier brièvement ce sentiment de plénitude et de surhumain que j'ai si souvent éprouvé sur le front, et dont je redoute d'expérimenter la nostalgie après la guerre. Il me semble qu'on pourrait montrer que le front n'est pas seulement la ligne de feu, la surface de corrosion des peuples qui s'attaquent, mais aussi, en quelque façon, le « front de la vague » qui porte le monde humain vers ses destinées nouvelles. Quand on regarde dans la nuit, à la lumière des fusées, après quelque journée plus agitée, il semble qu'on se trouve à l'extrême limite de ce qui est réalisé et de ce qui tend à se faire. Non seulement l'activité, alors, atteint une sorte de paroxysme très calme qui la dilate à la mesure de la grande œuvre à laquelle elle coopère, — mais l'esprit, lui aussi, domine un petit peu la marche totale de la masse humaine, où il se sent moins noyé. A ces minutes-là, par excellence, on vit, peut-on dire, « cosmiquement », — avec un intérêt palpable aussi grand que le cœur... Je ne sais encore si je pourrai vraiment écrire quelques pages décentes sur ce thème.

Tu as bien fait d'envoyer *la Vie cosmique* à Guiguite, encore que je t'eusse demandé de la faire « taper » en partie précisément pour lui éviter cette peine... Enfin, pusqu'elle y tient... Mais je te demanderai quand même le « tapage » en son temps.

Ai écrit hier à Mme Parion.

Très à toi.

PIERRE.

[*Muret-et-Croutles*] *25 septembre 1917.*

Chère Marg,

J'ai reçu hier ta lettre du 22, avec plaisir, comme toujours. Tu as grandement raison, je pense, dans ce que tu dis de la nécessité et de la difficulté qu'il y a à manier les âmes par le dedans. Ce qui me réjouit en cela, à ton sujet, c'est de voir que tu es amenée, par les nécessités même de ta vie et de ton devoir d'état, à recourir au Milieu Divin, et à rechercher l'union divine comme condition première, et presque sentie de ton action.

Ainsi, par une sorte de brèche profonde, Dieu entre dans la réalité palpable de ta vie la plus humaine ; — une fois entré, il ne cessera pas, tu verras, de se répandre de proche en proche, jusqu'à tout envahir. Tu as bien fait de me rappeler que, vendredi, commence la retraite de l'Institut. Si Dieu me prête vie et que les circonstances soient favorables, il me semble que j'aimerais, une fois, à donner cette retraite-là...

Je suis toujours dans le même cantonnement tranquille. Notre avenir continue à être assez incertain, soit quant à la date, soit quant à la chose elle-même. Ce n'est pas précisément de la mélancolie que projette sur notre existence actuelle l'avenir ; — c'est plutôt une sorte de gravité, de détachement, d'agrandissement aussi des points de vue. Évidemment ce sentiment confine pour une part avec une espèce de tristesse (celle qui accompagne tout changement profond) ; mais il tend surtout à une sorte de joie supérieure. Je serais tenté de croire que, pendant ces périodes d'attente, il se poursuit un travail, lent et continu, d'adaptation, au terme duquel l'âme se trouve portée au niveau des grandes obligations qui l'attendent. A ce propos, l'idée dont je te parlais dans ma dernière lettre se précise, et vaudrait, je crois, que je la mette en quelques pages, brèves du reste. J'intitulerais cela « La nostalgie du Front ». Le sentiment existe, sans doute possible. Je voudrais le décrire sommairement, et en donner quelques raisons. Ces raisons, me semble-t-il, se ramènent à ceci : le Front attire invinciblement parce qu'il est, pour une part, *l'extrême limite* de ce qui se sent et de ce qui se fait. Non seulement on y voit autour de soi des choses qui ne s'expérimentent nulle part ailleurs, — mais on y voit affleurer, en soi, un fond de lucidité, d'énergie, de liberté qui ne se manifeste guère ailleurs, dans la vie commune — et cette forme nouvelle que révèle alors l'âme, c'est celle de l'individu vivant de la Vie quasi-collective des hommes, remplissant une fonction bien supérieure à celle de l'individu et prenant conscience de cette situation nouvelle. Notoirement, on n'apprécie plus les choses de la même manière au front qu'à l'arrière : autrement la vie et le spectacle seraient intenables. — Cette élévation ne se fait pas sans douleur. Mais elle est une élévation quand même. Et voilà pourquoi on aime malgré tout le front, et on le regrette.

Voilà un peu ce que je voudrais exprimer. Je ne sais si je trouverai la clarté des idées, et les mots, pour cela.

Reçu hier une longue lettre de Robert, pleine de considérations — fort bien pensées, me semble-t-il — sur les Américains. Il a l'air très content. Olivier aussi m'a écrit : toujours près d'Avocourt, et en expectation de permission. — J'attends avec intérêt et confiance le résultat des examens de Victor.

Adieu. Bien des choses à Mme Parion. Que NS soit de plus en plus avec toi.

PIERRE.

[Muret-et-Crouttes] 4 octobre 1917.

Chère Marguerite,

J'ai reçu hier ta lettre du 2 octobre. Tu as dû avoir un mot de moi le lendemain. Mais si j'y avais songé, je t'aurais sûrement écrit pour ta rentrée. Je m'imaginais que celle-ci n'avait lieu que vers le 4. Aujourd'hui, en tout cas, j'ai dit ma messe pour que cette année qui commence soit favorable à l'Institut. J'aime à croire que petit à petit, au lieu de te sentir appesantie par ta besogne extérieure, tu te trouveras en partie *portée* par elle vers Dieu, par la nécessité où tu te sentiras, par amour, de *faire* quelque chose pour Lui, et par l'impuissance où tu te verras de rien faire de bon sans beaucoup d'union avec Lui. La prière et l'action doivent s'alimenter mutuellement, — c'est trop évident. — En cette fête de St. François, je n'ai pas manqué de prier NS pour qu'Il nous donne, à toi et à moi et à tous, si possible, cette vision et ce goût de sa Divinité en toutes choses, dont nous avons l'attrait, et dont nous éprouvons le besoin, n'est-il pas vrai ?

Je t'ai dit que j'ai envoyé au P. de Grandmaison mon *paper* [1]. Auparavant, je l'ai lu à mon ami Beaugeard, des Coloniaux, et à un capitaine de mes amis, qui ont approuvé. Je te ferai savoir l'accueil des *Etudes*. Par une curieuse coïncidence, j'ai reçu, depuis trois ou quatre jours, de deux camarades (de valeur morale très différente) réformés pour blessure, l'aveu qu'ils avaient le cafard en songeant au front. Cela prouve que le sentiment de nostalgie que j'ai essayé d'analyser est bien réel et profond.

Tu peux voir, au ton de cette lettre, que nous sommes toujours au repos et à l'arrière, — à peu près dans les mêmes conditions exactement qu'il y a un an. La prévision des événements plus ou moins prochains (personne

1. Les lettres du 8 octobre et du 16 octobre nous font identifier ici la *Nostalgie du front*.

ici ne sait rien de précis à ce sujet) développe en moi cette impression (que je ne mesure pas encore exactement, mais qui certainement tend à prendre une grande place dans « mon univers ») de la « consistance du futur », qui me prend chaque fois avec plus d'insistance. J'éprouve une sorte de paix et de plénitude à me sentir avancer dans l'inconnu, ou, plus exactement, dans ce qui est indéterminable par nos propres moyens. Tant que nous vivons dans la zone des éléments qui dépendent de notre liberté ou de celle d'autres hommes, nous avons l'illusion de nous suffire, et il me semble que nous nous mouvons alors au sein d'une grande pauvreté. Du moment où nous nous sentons dominés et ballottés par une puissance que rien d'humain ne saurait maîtriser, j'éprouve, presque physiquement, que Dieu me reprend et m'enserre de plus près, — comme si, le chemin disparaissant en avant, — et les hommes, à côté, s'évanouissant dans leur impuissance à nous aider efficacement (je ne parle pas d'amitié et de prière gardiennes comme la tienne, évidemment : elles se confondent avec Dieu) Dieu seul était *devant* et *autour*, — s'*épaississant* à mesure qu'on avance, si j'ose dire.

Mes journées se passent le plus béatement du monde. Quand je n'écris pas, je cause avec Baugeard, qui habite de l'autre côté de la place, ou bien je me promène, sur les côtes sèches ou dans quelque bois. Cette vie, un peu morne par elle-même, est rendue intéressante, ou, si tu préfères, prend du goût, à cause de la perspective des semaines suivantes. — J'ai lu *Salons et journaux* de Léon Daudet. Il y a une verve endiablée dans ces pages-là, mais c'est encore terriblement superficiel comme peinture de l'époque que l'auteur prétend fixer. Ce qui m'a le plus intéressé, dans le livre, c'est l'expression, si sincère, de la joie qu'il y a à vivre dans un cercle choisi d' « honnêtes gens », au centre des événements et des idées. Pourvu qu'ils ne se transforment pas en petites Capoues ou en « tour d'ivoire », ces cénacles d'artistes ou d'intellectuels sont, il me semble, des organismes bien efficaces où on doit expérimenter avec bien de la douceur le « créer avec joie ». L'idéal humain serait de passer six mois dans un groupe semblable, et six mois dans l'austérité de la recherche ou de la lutte.

J'ai très bien reconnu le monsieur dont tu me parles. C'est le comte Bégouën. Dans ses propriétés de l'Ariège, ses fils ont trouvé, en 1913 [1], au fond d'une grotte, des bisons modelés en argile dont la découverte a fait quelque bruit. Lui et ses deux fils [2] (l'aîné surtout, blessé depuis 1915) sont de ces hommes avec qui il est exquis de se rencontrer et de vivre, parce qu'on a exactement tous ensemble les mêmes goûts. Dans *Les derniers jours de Vaux* de Bordeaux, à la fin du volume, le carnet de route du cadet est cité assez copieusement.

Adieu. — Très à toi. Bien des choses à Mme Parion.

PIERRE.

1. Exactement le 10 octobre 1912.
2. Max et Jacques Begouën avaient été incorporés au Régiment d'Infanterie Coloniale du Maroc (R.I.C.M.) qui formait brigade avec le 4e Mixte T.Z. où servait le Père Teilhard. C'est chez Emmanuel de Margerie, leur ami commun, que Marguerite Teillard fit la connaissance du comte Begouën. Celui-ci ayant eu l'autorisation pendant l'été 1915 d'aller voir, à deux reprises, ses deux fils aux armées sur le front d'Ypres, avait eu, du même coup, la possibilité de retrouver le Père Teilhard, à la brigade du Maroc. C'est à ces rencontres que le Père Teilhard fait ici allusion.

Chère Marg,

La lettre de Mme Parion, reçue avant-hier, m'a rassuré sur le sort de ma correspondance. Tu as dû recevoir deux lettres de moi depuis le 25 septembre, te rassurant sur mon sort. Merci quand même de ton petit mot, si plein de sollicitude. Je sais ce que tu es pour moi, va, et je le sens. La présente non plus ne t'apprendra rien de nouveau sur ma situation. Nous sommes toujours au repos, et dans l'attente. Ce que je reproche le plus, à ces périodes, c'est l'incertitude qui fait qu'on n'ose s'atteler à rien de sérieux, faute de temps suffisant prévu, — alors qu'en fait on finit par avoir eu de très longs loisirs. Cette situation a l'avantage de me rappeler combien il est plus important de *réaliser* pratiquement les vues qu'on a acquises, que de les renouveler et de les raffiner spéculativement... La période actuelle, je le sens, est pour moi un temps d'élection, si je veux vraiment que pour moi le Monde devienne le Christ. Comme je te le disais dans ma dernière lettre, il est incroyablement bon de s'enfoncer en Dieu, devenu l'Elément fondamental qui nous agite et nous forme.

Sache que j'ai reçu hier un petit mot préliminaire des *Etudes*. Le P. de Grandmaison me dit qu'à première vue mon « articulet lui paraît très original et intéressant ». La chose paraîtra donc vraisemblablement [1]. Par

1. Ceci indique qu'il s'agit sans doute de la *Nostalgie du front* paru dans les Etudes le 20 novembre 1917. Cf., Claude Cuénot : *Pierre Teilhard de Chardin* (Plon).

ailleurs, quand Guiguite aura achevé une copie de *Milieu mystique,* je compte l'envoyer à un Père de Lyon[1] dont je t'ai parlé, et en qui j'ai une absolue confiance. Je ferai sans doute de même pour une copie de *la Vie cosmique.* En redescendant des lignes, si Dieu me prête vie, je suis à peu près décidé à mettre debout une esquisse de synthèse philosophique (tu vas sourire de cette ambition) sous le titre de *l'Union créatrice*[2]. Je crois que ce travail est nécessaire pour que je puisse me faire comprendre de ceux devant qui j'aurai tôt ou tard à défendre ou à faire valoir mes idées.

Avec tout cela, je ne t'ai pas remerciée de ton colis. Les deux boîtes de conserves me serviront sûrement là-haut : ce sera un réconfort à la fois physique et moral.

Adieu. Je ne prie guère sans un souvenir de toi.

PIERRE.

[*Muret-et-Croultes*] *13 octobre 1917.*

Chère Marguerite,

Contrairement à ce que je t'ai dit dans mon petit mot d'hier, il semble que nous soyons encore ici pour quelque temps. La pluie et le vent sont sans doute beaucoup dans ce retard, qui est en somme plutôt désagréable. Mais ne faut-il pas voir Dieu dans les éléments de ce monde, si adverses puissent-ils paraître ? J'ai reçu hier ta lettre du 8-10 octobre. J'y ai vu, avec beaucoup de satisfac-

---

1. Il s'agit du P. Vuillez-Sermet.
2. *L'Union créatrice* sera rédigée un mois plus tard.

tion, que ton « jardin » prend figure catholique et moderne, et que tu t'y intéresses (ainsi qu'il convient) comme à un vaste horizon, ouvert derrière ces têtes de toutes petites. Sois sûre que si ma vie, ces temps-ci, peut avoir aux yeux de Dieu plus de mérite, mon désir est qu'elle te serve à mener à bien ton effort d'éducation.

— Ce que tu me dis de ton besoin d'agir sur le réel, *de faire* du réel, m'a éclairé un coin de moi-même. Garde soigneusement sans te tourmenter ce goût salutaire. Il est sans doute une des racines les plus profondes que l'amour de Dieu puisse jeter dans ta vie vraie et pratique. N'apparaît-il pas, Lui, comme le seul qui puisse donner *une vraie existence* aux produits de notre action ? et, dès lors, n'est-Il pas, *ipso facto,* une des *conditions* mêmes de notre goût à agir ? — Il me semble que c'est par ces sortes d'urgences vitales, beaucoup plus que par la logique abstraite, que Dieu s'impose à notre foi. N'est-ce pas l'idée même de Blondel ? Que notre Seigneur soit donc toujours aimé davantage de toi, comme la Source de la réalité de ton action.

J'ai commencé à lire *la Chartreuse de Parme,* que m'a prêtée un lieutenant, stendhalien fervent. Comme mise en scène et trucs de roman, c'est évidemment rudimentaire. La forte austérité du style et de la psychologie, si louable et formative soit-elle, ne m'a pas encore paru légitimer le fétichisme que certains professent pour l'auteur. Il me manque sans doute de connaître assez l'histoire du roman, et notamment la faiblesse des romans antérieurs. Ce qui m'a le plus intéressé, c'est de voir ce que pouvait penser de l'Eglise, il y a un siècle, un fervent de la Révolution. C'est très gros comme calomnie ou méprises ; — mais il y a des méprises qui sont symptomatiques.

A bientôt des nouvelles.

Très à toi. — Amitiés à Mme Parion.

PIERRE.

[*Muret-et-Croutles*] *16 octobre 1917.*

Chère Marguerite,

Au cas où je ne pourrais pas t'écrire facilement ces jours-ci — (nous sommes un peu toujours en instance de mouvement) — je veux le faire encore une fois en toute tranquillité, — et te dire combien ton souvenir m'est et me sera présent, en toutes circonstances, comme une force et une protection.

Nous sommes toujours tranquilles. Mais cela pourrait changer assez brusquement. Alors, tu sais dans quelles dispositions je désire monter. Il me semble être pris entre deux grandes puissances : celle de Dieu, qui m'attire, en quelque sorte, dans l'atmosphère créatrice de la fournaise, et celle du pays (le pays, ce n'est pas encore assez dire...) qui me pousse en avant, tel une parcelle qui le représente. Celui qui aurait bien conscience de cette double Force, — celle de derrière qui l'anime et la consacre, et celle de devant qui l'aime et l'absorbe, — devrait gagner avec enthousiasme « les hauts lieux ». Prie, je te le demande, pour qu'il en soit ainsi de moi. Sois sûre que je ne ferai aucune imprudence inutile. Et sache, en retour que, pour faire ce qu'il faudra, je me prévaudrai intérieurement de ton encouragement.

Je n'ai encore rien reçu de nouveau des *Etudes*. Probablement ce qui m'arrivera ce sont des épreuves à corriger. Au cas où tu lirais la *Nostalgie du Front* avant que j'aie pu te la présenter, je tiens à t'avertir que dans le paragraphe où il est fait allusion à une certaine incompréhension des gens de l'arrière relativement à ceux du Front, il n'est nullement question de toi ou de celles qui te ressemblent Toi et moi, nous n'avons pas cessé de voir toujours plus clair l'un dans l'autre.

Bien des choses à Mme Parion.

Très à toi,

PIERRE.

De même que celles de la période 15 avril-10 juin 1917, les lettres écrites entre le 16 octobre 1917 et le 9 juillet 1918 n'ont pas été retrouvées.

.

[*Forêt de Compiègne*] *9 juillet 1918.*

Chère Marg,

Un tout petit mot seulement, aujourd'hui. Nous avons été ramenés ce matin au petit arrière, c'est-à-dire de l'autre côté de la rivière, en forêt de C. Nous bivouaquons sous la tente, parmi les grands hêtres. Rien de changé donc, dans le cadre extérieur et les commodités extérieures de mon existence. Simplement nous sommes, à peu près, hors de portée des marmites. J'aurais mauvais gré du reste à nous plaindre : par ce beau temps, la vie en pleins bois a des charmes réels. Les seuls inconvénients de la situation sont que la messe et l'écriture ne me sont guère plus faciles encore qu'en forêt de L. [Laigue].

Je t'ai envoyé hier un cahier contenant *Le Prêtre* (dans la 2ᵉ partie du cahier, les premières pages sont occupées par des notes personnelles, plus ou moins vagues, dont je te fais grâce). Tu me diras ton avis. Quand je pourrai me procurer un cahier, je ferai une 2ᵉ copie pour le P. Vulliez-Sermet [1] et, sans doute, Guiguite.

J'ai quelques autres fragments d'idées en tête, ces jours-ci. Je t'en reparlerai, si elles se précisent, quand nous serons installés.

Très à toi,

PIERRE.

[*Vauciennes*] *12 juillet 1918.*

Chère Marg,

Reçu hier ta lettre du 7.

Je t'écris au matin d'un déplacement assez brusque, qui va nous ramener d'une cinquantaine de kilomètres vers le sud, sans nous rapprocher sensiblement des lignes. Nul ne sait ce que signifie exactement ce mouvement. Il y aura sans doute une part, plus ou moins brève de repos. Mais il y a aussi beaucoup de bruits qui

1. R. P. Vulliez-Sermet, maître des novices de la maison de formation de Belle-Croix à Sainte-Foix-lès-Lyon.

courent, touchant divers remaniements que nous pourrions subir. Et puis, à quel point du front nous destinet-on finalement ? Je te ferai comprendre cela, à mesure. Je doute fort, en tout cas, que la saison des loisirs soit revenue pour moi.

Ce qu'il y a de sûr, c'est que nous allons quitter la forêt ; et je prévois que je regretterai son abri, et son enveloppement, qui fait sentir d'une manière si palpable, si immédiate, notre immersion dans le fouillis des existences. La forêt de C. [1] a des futaies encore plus belles que celle de L. [2] : on peut errer, des heures entières, à travers une interminable colonnade de troncs droits et lisses, sur un tapis de feuilles sèches, sous de véritables ogives de verdure. — Impossible d'imaginer un plus beau temple pour le recueillement. — J'ai éprouvé bien souvent, comme toi, que la Nature est beaucoup plus inquiétante que satisfaisante : elle est manifestement la base de *Quelque Chose,* la figure de *Quelqu'un,* d'indéfinissable ; et on ne saurait se reposer en elle, je le sens du moins, qu'en allant jusqu'au Terme qui se cache. Mais, à la différence de ce qui a lieu pour toi, je suis intrigué et sollicité par l'Enigme jusqu'à y trouver une *excitation suffisante* pour chercher et penser. Cette particularité de ma sensibilité tient peut-être à ce que les choses du Cosmos et de la Vie me sont toujours apparues comme un objet de poursuite et de recherche, — jamais comme une simple matière à contemplation. — L'insuffisance que je découvre dans la Nature, — presque jusqu'à en souffrir physiquement,

1. Compiègne.
2. Laigue.

— c'est plutôt l'irrémédiable *superficiel* de l'expérience que nous en avons ici-bas. Tout le *nouveau* que nous arrivons à découvrir ou à extraire est compris dans une zone limitée d'avance par nos facultés. Dès que nous arrivons à une certaine profondeur, nous trouvons le roc ; nous nous heurtons à un cercle infranchissable, qui ne peut être franchi que par un *remaniement organique complet,* tel que seul peut en apporter la mort. La Nature nous donne envie de mourir pour aller enfin voir ce qui est en elle — (mourir de la mort qui est le *terme* de la *vie mûrie* providentiellement, faut-il dire pour rester dans la saine ligne de la raison et de l'expérience) — : voilà, il me semble, le dernier développement de l'émotion subie devant les choses. J'ai trouvé, avec un peu de surprise, ce sentiment exprimé par Baudelaire, quelque part dans *les Fleurs du Mal* (un peu faussé de dilettantisme et de pessimisme, naturellement) : *Mourir pour atteindre, enfin, à du nouveau.*

Ce que je viens de te dire sur l'infranchissable limite actuelle de nos expériences ne signifie nullement que je refuse à la conscience primitive de nous donner *quelque absolu.* Je suis fermement convaincu, au contraire (une autre philosophie du reste, serait-elle christianisable ?...) que la substance de nos états de conscience, c'est-à-dire l'étoffe de l'Univers en tant qu'il est *éprouvé* par nous représente de l'absolu. L'absolu n'est pas seulement dans la perception des vérités et des principes : il est surtout dans le courant vital que nous sentons en nous, nuancé et modelé par l'innombrable touche des phénomènes. — Mais, cet absolu-là, nous l'atteignons d'une manière limitée, déterminée par notre stade organique dans la spiritualisation ; et c'est pour atteindre à un nouveau *palier* de connaissance de l'Absolu qu'il nous faut rejeter la forme actuelle de notre corps. — Ta citation de Ravaisson [1] m'a beaucoup plu ; — j'ai été frappé de voir comme tous les gens qui pensent sont obligés d'en venir à la même conception de la multiplicité grossière passant graduellement à la concentration spirituelle et divine. La nuance particulière de notre pensée actuelle (renouvelant sans doute certains Grecs, mais avec plus d'ampleur et d'insistance) est sans doute de chercher dans cette gradation, non pas seulement *une distribution stable* (*ordre =* Κόσμος) harmonieuse, mais un chemin de vie, la figure de l'Etre individuel et collectif, en *voie* de formation. — La phrase de Ravaisson pourrait être mise en note de *l'Union créatrice*. J'ajouterai seulement que la Nature n'est pas seulement le pôle inférieur de notre *expérience* (conscience) : elle est celui du *développement* de l'Univers ; et, au fond de chacun des éléments en lesquels elle est encore désagrégée, se cache une étincelle d'Absolu [participé] qui converge vers Dieu en même temps que nous-mêmes.

Je pense que tu as raison touchant l'inaptitude masculine à se servir du sentiment. Il y aurait là une idée à suivre.

Adieu. A bientôt des nouvelles. Je suis content de savoir que tu travailles avec goût. Je prie pour toi.

PIERRE.

---

1. Ravaisson, philosophe français, mort en 1900, qui a été, entre autres, l'un des plus remarquables commentateurs modernes d'Aristote.

Chère Marg,

Bien que ce soit peut-être m'y prendre beaucoup à l'avance, je t'écris cette lettre pour la Sainte-Marguerite (le 20 n'est-ce pas ?). Tu sauras que ce jour-là, — à ma messe, si je puis célébrer, — devant Notre-Seigneur, en tout cas, — je me souviendrai de toi, avec une très profonde affection, et un très grand espoir que notre amitié actuelle n'est qu'un commencement, comparée à tout ce qui doit encore en sortir de bon et de fort pour nous, et pour beaucoup d'autres, en Dieu.

Le changement dont je te parlais dans ma dernière lettre s'est effectué. Nous sommes maintenant hors des forêts, mais encore à proximité d'elles ; — et je t'assure que leur épais moutonnement est un beau spectacle, quand on le voit se profiler, à cinq ou six kilomètres de distance, au bout d'une véritable mer de blés jaunissants. Après plusieurs semaines passées en plein bois, on apprécie avec une âme rajeunie le charme des grands horizons. Nous sommes fort bien cantonnés, dans les maisons ouvrières d'une sucrerie récemment abandonnée. Il est bien dommage, en un sens, que Gabriel soit en permission : j'estime que son P.C. n'est qu'à une heure de marche d'ici ! Quand il reviendra, je crains bien que nous soyons déjà partis. Ce qu'on attend de nous est toujours fort mystérieux, — d'autant que la division est en ligne depuis deux mois. Mais les probabilités sont pour que nous ne moisissions pas ici. Je le regrette un peu, car j'ai une chambre, un sommier, une table, — et une église à un quart d'heure. Ce matin j'ai pu dire ma messe (la troisième depuis mon passage à l'Institut). Je ne t'ai pas oubliée.

Moralement (et physiquement) je vais fort bien. Sans l'agitation de tous ces déplacements, il me semble que je serais en bonnes dispositions pour penser, et voir plus clair, sur un certain nombre de points. Tu connais sans doute cette impression de sentir en soi des tendances, des impressions, encore à demi « informes », mais qui ne demandent qu'à prendre figure et à s'intellectualiser. J'éprouve cela en ce moment. — Pour que de ces éléments encore infra-intuitifs il sorte quelque chose, j'aurais sans doute besoin d'une conversation, d'une contradiction, d'une lecture, qui me fournisse un point d'appui ou un antagonisme. Mais ce sont là des occasions rares, à la guerre.

Je vais me remettre à *la Divine Comédie*, dont je n'ai lu que la moitié. Pour en revenir à ce que je te disais deux lignes ci-dessus, je pense qu'il me faudrait maintenant, en causant avec des gens qui ne sont pas de mon avis, distinguer quels sont, dans ma manière d'envisager les choses, les points par lesquels je me différencie essentiellement d'eux et je puis, en quelque façon, les compléter. — Dans mon esprit, l'ancien et le nouveau, la « *philosophia perennis* » et mes poussées individuelles, finissent par se confondre, — de sorte que j'en arrive à ne plus distinguer, autant qu'il faudrait, les points intéressants, à « prêcher » et à répéter.

J'espère, que le temps variable que nous avons en ce moment ne se transforme pas en intempéries, dans le

Cantal. Je voudrais que pour toi et Mme Parion (qui m'a écrit de Royan), ce mois de juillet soit un vrai repos, et un temps consacré à la seule amitié. Je désire que tu sois dans la lumière et la paix en NS.

Très à toi.

PIERRE.

[*Morienval, Oise*] *24 juillet 1918.*

Chère Marg,

Un mot seulement pour te dire que je suis, depuis ce matin, relevé et hors de la bataille. Je t'écrirai quelques détails, demain, sur ces grandes journées quand nous serons dans notre cantonnement définitif. Reçu hier ta lettre du 17. Je prie pour que tu aies la paix et le goût de la vie en Dieu NS.

Très à toi. Amitiés à Mme Parion.

PIERRE.

[*Morienval, Oise*] *25 juillet 1918.*

Chère Marg

Ma petite lettre d'hier t'aura définitivement rassurée sur mon sort. Nous ne sommes arrivés que ce matin à notre cantonnement de repos, de sorte que je ne t'en écrirai pas encore bien long aujourd'hui. Je veux tout de même te donner sans tarder un aperçu de ce qui m'est arrivé depuis dix jours.

282

Alors que tu me pensais inutilisé dans la dernière offensive, j'y ai au contraire figuré en place d'honneur : la division était première vague d'assaut, dans la région de Villers-C. — Pour une fois, le secret des opérations avait été admirablement gardé, si bien qu'un ordre subit de départ, nous a d'abord semblé un appel au secours d'Epernay, et que nous n'avons deviné la réalité qu'en voyant pénétrer sous bois, avec nous, nuitamment, un mystérieux cortège de tanks.

Ce que les journaux ont raconté de la bataille me paraît suffisamment vrai. Le début a été une vraie surprise pour l'ennemi, qui s'est laissé pénétrer sans résistance ; — et puis, l'opération, au bout de deux jours, s'est transformée en lutte acharnée, pied à pied. Je n'avais jamais assisté à une aussi grande bataille. Y en a-t-il jamais eu d'égale, du reste ?... Te figures-tu les immenses plateaux du Soissonnais mouchetés d'hommes qui avancent par petits groupes, à la file, — puis s'arrêtent, et se terrent. Un peu partout, de gros flocons blancs, noirs, grisâtres, surgissent tout à coup, en l'air, ou sur le sol. Sur tout cela, tranche le son d'un petit crépitement continu Et on est surpris de voir que, dans les moissons, de petites taches demeurent immobiles, définitivement. Çà et là un tank traverse lentement les grands blés, suivi de son groupe d'accompagnateurs, semblable à un vaisseau qui navigue. Trop souvent, atteint, il brûle au milieu d'une épaisse fumée noire. Dans notre coin, il y avait bien une dizaine de chars échoués au milieu des champs. Et puis, par-dessus toute cette agitation terrestre, les avions passent en bandes, souvent très bas, mitraillant un peu au hasard. Et il

283

arrive pour eux, comme pour les tanks, comme pour les saucisses, que tout finit en une grande flamme fuligineuse. C'est implacable, et, par-dessus tout, cela paraît *inanimé*. Rien n'apparaît de l'angoisse et de la passion qui diversifie les petits points humains mouvants, et en fait autant de mondes. On n'aperçoit que le développement matériel d'un choc entre deux grandes masses matérielles.

Nous avions comme voisins des Américains, et je les ai vus de très près. L'avis est unanime : ce sont des soldats de premier ordre, qui se battent avec une passion *individuelle* (contre l'ennemi) intense, et un courage merveilleux. Le seul reproche qu'on puisse leur faire est de ne pas se ménager assez ; ils se font trop tuer. Blessés, ils reviennent droits, presque raides, impassibles, sans une plainte. Je ne crois pas avoir jamais vu autant de fierté et de dignité dans la souffrance. Entre eux et nous, il y a une sympathie complète, qui s'est établie du premier coup, au feu. Nous avons été relevés par une très belle division écossaise. Les soldats de chez nous ont eu, en huit jours, la révélation de ce que valaient leurs alliés.

Mes occupations personnelles ont été vagues et banales le premier jour. Après quoi, j'ai eu à m'occuper assez activement de la relève des blessés, ce qui m'a plu, et m'a été bienfaisant. Je te dirai que dans la nuit du 21 au 22, j'ai passé par des minutes qui comptent parmi les plus dramatiques de mon existence. Parcourant de grands champs de blé dans le « no man's land » j'ai perdu le contact avec le gros de mes brancardiers. Nous nous sommes trouvés, fort loin, à trois, devant deux blessés (depuis deux jours sur le terrain), sans brancard, cependant que les Boches, entendant du bruit (les blessés parlaient et gémissaient) commençaient à arroser le champ d'obus et à tirer de la mitrailleuse. Comment laisser ces deux malheureux, presque fous d'énervement, et comment les emporter ?... Je t'assure qu'il y a des anxiétés qui sont terribles. — Nous avons fini, à grand'peine, par ramener sur notre dos, les blessés, jusqu'à l'abri d'un tank échoué, cependant que, pour comble de chance, un barrage se déclenchait, et des avions semaient des bombes. J'ai pu avant le jour, ramener deux équipes complètes qui ont achevé le sauvetage. Mais combien d'autres blessés n'auront pas été retirés du tout du milieu des grands blés, entre les lignes...

Plus que jamais, peut-être, j'ai eu ces jours-ci l'impression de vivre dans un autre monde, jeté sur la face de l'autre, le moulant, et cependant combien différent ! — C'étaient toujours des routes, des champs, des épis. — C'était, ô ironie ! en face de nous, menaçante et inabordable, la crête boisée où j'allais me promener en octobre dernier. Mais tout cela avait une figure absolument différente mélangée d'horreur et de surhumain. On eût dit une région où ce qui est avant la mort était *en train de passer* en ce qui est au-delà. Les proportions mutuelles des choses, l'échelle courante de leur valeur, étaient modifiées, atteintes. J'ai eu, constamment, très forte, l'impression que je pouvais mourir à mon tour ; — cela ne m'arrivait pas au début de la guerre.

Je reviens de là-haut un peu fatigué, mais en bonne forme, physique et morale. A partir de demain je vais pouvoir célébrer. Tu sais combien ton souvenir m'est toujours présent et cher. J'ai pensé, moi aussi, aux jours de juillet 1917, où nous étions ensemble.

En tout état intérieur, aie pleine confiance en N.S., n'est-ce pas ? Son œuvre en nous est plus précieuse que toutes nos réussites senties et satisfaisantes.

A bientôt une autre lettre.

PIERRE.

[Trosly-Breuil, Oise] *28 juillet 1918.*

Chère Marg,

J'en suis à ta carte du 20 et du 22, et à la lettre de Mme Parion du 23. — Remercie bien cette dernière pour moi, je lui répondrai.

Nous ne sommes pas restés longtemps dans le village, d'où je t'écrivais la dernière fois. Il a encore fallu nous déplacer. Nous sommes maintenant au repos (un repos pas très stable) dans un village évacué en lisière de forêt. Ce n'est pas très luxueux comme résidence ; mais nous avons fini par nous contenter de peu ; et pourvu qu'on nous laisse tranquilles une quinzaine (il faudra bien ce temps-là pour nous reconstituer) personne ne songera à se plaindre. Je dors confortablement sur un matelas, et je puis dire ma messe. De plus, notre popote fonctionne bien. C'est tout ce qu'il faut pour satisfaire les besoins de l'âme et du corps accumulés durant les derniers dix jours. Je dors comme un loir et mange comme un ogre.

Le gros avantage du cantonnement actuel, pour moi,

c'est la proximité de Gabriel. Celui-ci n'est qu'à une douzaine de kilomètres d'ici, et j'ai déjà pu le voir quelques minutes hier. Il m'a appris qu'il venait de voir Victor (maintenant sous-lieutenant) dont le bataillon, arrivant de Verdun, est venu cantonner quelques jours juste dans la localité où lui-même, Gabriel, a son P.C. — C'est une vraie chance. — Victor a dû monter du côté des lignes dont je redescends. Il est certainement heureux d'échanger les trous de Verdun pour la rase campagne ; mais il va sans doute courir de gros risques.

Je suis très désireux de recevoir de toi une longue lettre, où tu me dises un peu ce que tu penses et ce que tu fais. Avant tout, j'espère que tu te reposes, et, que tu prends des forces, et que tu profites de l'amitié de Mme Parion enfin retrouvée hors des soucis de l'administration. Ne pourra-t-elle pas repasser par Sarcenat, en quittant le Chambon ?

En ce qui me concerne, l'agitation intérieure des derniers jours ne s'est pas encore suffisamment calmée pour que je puisse discerner si ces nouvelles secousses ont fait remonter en moi quelque chose de nouveau. Le moral est bon et le goût de Dieu suffisant, mais sans se concentrer encore sur aucun point bien précis. Je reviens seulement avec plaisir sur les pensées que j'ai essayé de fixer dans mon dernier essai. Et puis, l'imminence réelle, personnelle de la mort, éprouvée à nouveau, me fait davantage sentir la nécessité de réaliser, d'une manière pratique, les vues qui me plaisent, mais que j'ai encore trop cultivées, peut-être, comme des vues théoriques, — pas assez comme des attitudes à prendre concrètement. Il serait peut-être temps d'insister davantage sur le travail intérieur, après avoir surtout pensé...

Plusieurs sujets d'étude me tentent, cependant, plus ou moins vaguement. Sous un titre tel que *Diversité*, j'aimerais à montrer [analyser] la nécessité des vocations particulières individuelles, et des phases alternatives de conquête et de renoncement dans une même vie ; je voudrais aussi étudier dans quelle mesure le Monde unique se décompose en autant de mondes qu'il y a d'âmes, chacun sanctifié [embelli] à sa mesure particulière, chacun ayant sa Providence propre, sous des apparences communes à tous [1]. A un autre point de vue, je sens la nécessité de me prouver, et de prouver aux autres que l'idéal chrétien ne rend pas l'homme moins « humain » (non pas seulement en ce sens qu'il le désintéresserait de certains travaux essentiels, mais surtout en ce sens *qu'il ne développerait pas en lui certaines forces [préoccupations] morales* qu'on admire aujourd'hui unanimement). Je pense que les incroyants se trompent sur la valeur de ces nouvelles *vertus humaines* qu'ils préfèrent à la sainteté, ou du moins qu'en s'imaginant pouvoir les cultiver hors de la religion ils convient l'Humanité à une tâche impossible. Mais je pense aussi que nous autres, chrétiens, nous aurions grand besoin d' « humaniser » notre sainteté, — conformément du reste à nos dogmes.

Mais pour tout cela, il me faudrait une période de calme un peu prolongée.

Adieu. Tu sais combien tu es pour moi.

PIERRE.

---

1. N'est-ce point là le thème de *l'Ame du monde* qui sera rédigée la même année ?

Chère Marg,

Je viens de recevoir tes deux cartes, du 24 et du 25. Je suis heureux que mes dernières lettres te soient parvenues aussi rapidement. — Maintenant, je pense que je ne tarderai pas à recevoir de toi une vraie lettre. Tu sais le plaisir et le bien qu'elles me font, tes grandes pages... J'aime à croire que les écrire n'est pas du temps perdu, même pour toi, puisqu'elles te forcent à te donner et à t' « expliciter » davantage.

Je t'écris toujours du même petit village, qui prend naturellement pour nous figure de plus en plus agréable, à mesure que nous nous y habituons davantage. N'était la demi-désolation des maisons évacuées, et l'encombrement enlaidissant des camions et des échelons, le site où nous sommes serait admirable. La rivière coule, lente et profonde, entre deux chaînes de plateaux et de mamelons couverts de forêts épaisses. En amont et en aval, toute une série de crêtes touffues, diversement bleues dans la brume, se reflètent dans les eaux tranquilles, chargées de nénuphars. Le soir, à la fraîcheur, la paix et la poésie de ces lieux sont délicieuses. Je voudrais te les montrer.

Mes journées, jusqu'ici, ont été assez incohérentes, — prises beaucoup par des relations nécessaires. De plus, je n'ai pas de coin tranquille — sauf la campagne — pour penser, et pour écrire. — Je ne prévois donc pas que ce séjour au repos soit particulièrement fécond. — Pourtant, Dieu me donne de sentir plutôt vivant, ces temps-ci, le goût de Lui et de toutes choses. Je remarque qu'à la suite de chaque période où je me trouve arraché à la méditation tranquille des vérités et des « points de vue » (un peu extraordinaires, ésotériques et compliqués, au premier abord), bien connus de toi, j'y reviens avec plus de facilité et de plaisir que jamais, comme à un milieu plus naturel et plus transparent à ma pensée... — C'est signe, sans doute, que j'avance sur un chemin qui ne doit plus s'arrêter. — Je te dirai aussi que l'ensemble de toutes mes idées et de tous mes goûts développés au long de tant de pages, m'apparaissent de plus en plus comme un point ou une attitude, extrêmement simples et riches : ils se réduisent à un rien, en quelque sorte, — et ce rien m'apporte en toutes choses solution et consolation. — Il y a une prière que j'aime à dire, maintenant, parce qu'elle résume bien ce que j'entends : « *Jesu, sis mihi mundus verus.* » Que tout ce qu'il y a d'élu dans le Monde, Jésus, soit votre influence sur moi, et devienne davantage Vous par mon effort.

Depuis deux jours, j'ai un peu pensé à ce que je te disais touchant la nécessité pour le Christianisme de ne pas se laisser éclipser par certaines vertus humaines, mais de les assimiler (puisque aussi bien elles ne peuvent guère se maintenir sans un recours implicite au Christ). Il me semble que la conviction, pour un homme de notre temps, qu'il n'y a rien hors de la Terre, lui donne 1) une *pitié* concrète et directe pour les autres hommes, 2) une *ardeur* à travailler, 3) un *désintéressement* dans son labeur, ... qui constitue l'idéal moral de nos jours. — Inversement, la croyance en Dieu risque, (par déviation, bien entendu, mais risque, en fait) de nous rendre paresseux, préoccupé de notre « petit salut », charitable pour la forme... — Le remède à cet affadissement de l'effort chrétien me semble toujours le même : comprendre que Dieu s'obtient à travers la réussite humaine, — que sa Providence ne nous dispense d'aucun effort, — que le prochain doit être aimé *lui-même* par amour de Dieu. — Quand j'essaie de m'analyser, il me semble que mes espérances particulières de récompense céleste ne m'empêchent pas de me vouer aux travaux de ce monde avec les mêmes sentiments de conviction, d'ardeur, et de renoncement que j'essaierais d'avoir, que j'aurais, j'imagine, si je n'avais pas la foi. — Mais je dois ceci à la conception particulière que je me fais des rapports entre la réussite du Monde et le Règne de Dieu...

T'ai-je dit que le Régiment colonial du Maroc a quitté notre division ? Avec lui est parti son aumônier, mon grand ami Beaugeard, et personne ne saurait me le remplacer. Encore un peu plus de solitude, donc. Mais si tu savais quelle forte douceur j'éprouve à me laisser mener par Dieu ! — Dans l'adhésion même à ces directions divines, il y a une compensation surabondante à tout ce qu'elles entraînent de pénible...

Je n'ai pas encore revu Gabriel.

Adieu. Remercie Robert de sa lettre. On demande beaucoup d'interprètes pour les Américains, ces temps-ci.

Très à toi. Souvenirs à Madame Parion.

PIERRE.

291

Chère Marg,

J'ai reçu avant-hier ta bonne longue lettre, où tu me parles de tes occupations, et notamment de ton goût pour Platon. Rien ne saurait me faire plus plaisir, — encore que, à ma honte, je doive avouer que je ne connais ce divin penseur que de seconde main. Quand les événements se calmeront un peu, il faudra que je cherche à me procurer quelques-uns de ses dialogues pour les lire, sur le front. Ton amie Z.[1] pourra sans doute t'aider beaucoup plus que moi dans cette étude de la philosophie grecque. — A propos du « devenir » je suis en train de me demander si « l'individu » ne doit pas être considéré comme un élément de fixation, de stabilisation. Alors, le mouvement, l'évolution, seraient localisés dans une sorte de milieu, de « gaine », enveloppant, et faisant naître, les individus... La vérité serait dans une synthèse du fixe et du mouvant...

Je t'écris de la forêt même où, il y a un mois, j'écrivis *le Prêtre*. Nous remontons en effet occuper le secteur même que nous tenions à ce moment-là. Ne t'effraie pas. Ce coin est calme, et nous y sommes envoyés par manière de repos... Tout de même, nous aurions volontiers pris huit jours de plus dans notre village. Mais d'ici trois mois, il ne faut pas compter sur de grandes faveurs dans cet ordre-là. Je regrette de

1. Léontine Zanta venait de soutenir en Sorbonne une thèse de philosophie très remarquée.

m'éloigner de Gabriel, et je crains de retomber dans un jeûne prolongé de messes. Quand je serai installé, je t'écrirai plus longuement et te donnerai tous les détails complémentaires.

Reçu hier de longues lettres de Sarcenat. Par Gabriel, je sais que c'est la division de Victor qui a pris Grand-Razig il y a une semaine. J'attends avec quelque impatience des nouvelles de celui-ci... [...]

J'ai lu, ces jours derniers, un livre intéressant de Mâle [1] sur *l'Art français et l'Art allemand*. La thèse de l'auteur est qu'au Moyen Age les Allemands n'ont rien inventé, ni en art, ni en architecture. Je ne suis pas capable évidemment de juger si l'auteur n'est pas partial ; mais il est sûrement vraisemblable, et fort intéressant à lire, dans ce coin d'Ile-de-France, si plein d'églises (tellement dévastées !).

Rencontré aussi, dans un vieux numéro des *Deux Mondes* une étude intéressante sur un jeune poète américain tué à la guerre (Alan Seiger) dont les *Juvenilia* m'ont paru parcourues d'une sève de « passion cosmique » authentique.

Adieu. Dis-moi si tu commences à entrevoir quelque solution touchant l'occupation de ton année prochaine. — Je prie beaucoup pour toi. — Souvenirs à Mme Parion et très à toi.

PIERRE.

---

1. Emile Mâle, universitaire français, qui a écrit des études profondes et solides sur l'Art religieux des XIIᵉ et XIIIᵉ siècles.

[Forêt de Laigue] *14 août 1918.*

Chère Marg,

J'ai reçu hier ta carte de Vic-sur-Cère. Merci à toi et à Madame Parion, de votre souvenir. Je t'écris toujours de la même forêt, et, approximativement, dans la même situation militaire. Tant que le massif de Lassigny ne sera pas tombé (si réellement on veut le faire tomber) nous ne bougerons pas d'ici, je pense ; — et, s'il tombe, les Boches se retireront d'eux-mêmes, comme nous fîmes le 11 juin. En attendant, on mène une existence mi-paisible, mi-alertée, qui est assez lassante au fond, parce qu'elle n'est ni le calme, ni le mouvement. Mes journées se passent un peu dans le vague et les déplacements inutiles, de sorte que je ne pense pas que ce séjour en forêt ait la fécondité (immédiate ou sentie) du précédent. Même demain, pour l'Assomption, je n'aurai pas de messe. Je tâcherai de compenser par un peu plus de recueillement ; — et puis, ma pensée vers Notre-Dame sera accompagnée, comme toujours, d'un grand souvenir de toi. Comme il est dit dans l'évangile de la fête, nous tâcherons, l'un et l'autre, de nous fixer toujours plus dans la possession, et, en quelque sorte, l'inhabitation — de « l'*Unum necessarium* ». Je suis assez frappé, depuis quelque temps, de l'espèce de *double* nécessaire entre lequel nous nous mouvons. Au-dessous, il y a le nécessaire inférieur de la vie matérielle, du corps, du pain, du pays sauvé dans son intégrité physique... — Et, sur ce nécessaire fondamental, qui s'impose à tous, on convient qu'il faut « l'union sacrée ».

Au-dessus, cependant, il y a un autre nécessaire, spirituel, vraiment sacré celui-là, terme à atteindre, et idéal. Or, touchant ce nécessaire-là, il y a désaccord, « *liberté* (de conscience) » admise ; —hésitation, vague... — Pourtant le nécessaire inférieur est en quelque façon inerte, sert de base. Le nécessaire supérieur est aliment de progrès.

N'est-ce pas qu'il est curieux de constater cet émiettement et ces divergences de l'effort, dès qu'il cherche à dépasser le matériel ou l'organique acquis, et à monter ?

J'ai reçu avant-hier un mot de Victor, du 6. A cette date, il était encore en lignes, sur la Vesle, — après 12 jours d'attaque. On lui avait donné la croix de guerre sur le champ de bataille Il ne va pas tarder, je pense, à aller en permission.

Adieu. Très à toi.

PIERRE.

[*Forêt de Laigue*] *17 août 1918.*

Chère Marg,

Je ne t'en écrirai pas très long aujourd'hui, pour la double raison qu'il ne m'est pas assez permis de te parler de ce qui se passe par ici, et que je soupçonne la poste de vouloir retarder la présente pendant assez longtemps. Je veux tout de même t'envoyer mon souvenir, et aussi te remercier beaucoup de ta lettre du 11 qui a si bien complété pour moi tout ce que tu as dit dans les Véroniques [1]. Tes explications m'ont satisfait, en même temps qu'elles me faisaient te mieux comprendre. Je te renverrai ton manuscrit, avec deux ou trois annotations, dès que nous nous retrouverons dans un calme un peu stable. Je serai très content de lire tes Contes, dont je ne doute pas que les idées ne me plaisent. Je suis vraiment heureux de voir que tu te mets à penser et à écrire, avec un peu de confiance dans tes propres ailes.

Malgré la perpétuelle petite agitation où je suis tenu depuis un mois, j'entrevois que certaines idées continuent à faire doucement en moi leur chemin, — soit touchant la nature des « vertus humaines » et de l' « idéal moral humain » qui semble l'apanage des stoïciens et de ceux qui ferment leur cœur à toute espérance personnelle et céleste, — soit touchant la sorte de divinité de l'Avenir, — cet avenir fait d'inévitable effrayant, de Rénovation non moins redoutable, et en même temps de Providence aimable, capable de se découvrir et de se modifier à la mesure de notre Foi. Il me semble qu'il y a, dans ce dernier groupe d'idées surtout (l'Avenir), beaucoup de choses à dire et à trouver, aptes à *nous révéler à nous-mêmes* le centre profond de nos émotions et de nos craintes, et puissantes, par suite, pour nous révéler Dieu [2].

Je te parlerai de cela à mesure que ma pensée s'achè-

1. Essais qui n'ont pas été retrouvés.
2. Il semble que se font jour ici les thèmes de *la Foi qui opère* et de *Forma Christi* écrits respectivement en octobre et décembre 1918.

vera. En attendant, prie pour moi, n'est-ce pas ? Je compte plus que jamais sur ton souvenir.

Dis-moi un peu tes projets d'octobre. Souvenirs à Madame Parion (si elle n'est pas partie) et autour de toi. Ai-je seulement remercié Robert de sa lettre ?... Je pense qu'Alphonse [1] est vers Reims.

Très à toi.

PIERRE.

[Carlepont] 23 août 1918.

Chère Marg,

Je pensais ne t'écrire que lorsque nous serions descendus un peu à l'arrière. Mais la situation se prolongeant en lignes, (dans un calme grandissant qui ne fait pas présager une relève immédiate) je renonce à attendre davantage. — Par mes cartes et les communiqués, tu auras facilement compris que nous avions de nouveau pris part à une attaque, — décidée sans doute assez vite par le commandement à la suite du succès d'Amiens, — qui a vivement changé la physionomie de notre « secteur de repos ». Je te donnerai ultérieurement d'autres détails : sache seulement que nous avons eu la satisfaction de refaire exactement et intégralement, en sens inverse, la route de notre retraite du 10 juin. Je me retrouve exactement sur mes emplacements de mai, — dans les mêmes abris : il y a seulement beaucoup de

---

1. Le R. P. Alphonse Teillard-Chambon, dominicain, cousin germain de Marguerite Teillard.

matériel boche et aussi de destruction en plus, œuvre de nos canons. Les deux journées un peu dures ont été le 20 et, plus encore peut-être, le 18, jour où le régiment, pour préparer l'attaque, a pris une colline d'accès difficile. Dans l'ensemble, l'opération, en ce coin-ci, n'a pas été aussi grandiose que celle de juillet, mais a constitué un beau succès. Le 21, nous avons occupé le terrain au sud de l'Oise sans un coup de fusil. Je ne pense pas qu'on nous fasse encore attaquer. Seulement, nous pourrions bien tenir le secteur quelques jours encore.

Dans l'agitation de ces journées, j'ai perdu, comme de juste, quelque chose de mon recueillement et de ma vie intérieure sentie. Quand cela se tassera, je trouverai peut-être cependant un peu de nouveau, N.S. aidant. Car, si je n'ai pas couru de dangers sérieux, j'ai senti assez profondément certaines impressions et certaines répugnances. Je te reparlerai de toute cela quand je serai plus au calme et que j'y verrai plus clair. En attendant, cela va bien ; mais il faudra que je me reprenne un peu dans la prière.

Mon courrier d'hier est en panne, et ne m'arrivera que ce soir. Je parierais justement qu'il contient une lettre de toi ! Elle sera la bienvenue.

En attendant, tu sais tout mon souvenir. Bien des choses autour de toi.

PIERRE.

Chère Marg,

Je viens de recevoir ta lettre du 26 (?) qui m'a fait, je ne sais pourquoi, un particulier plaisir, — sans doute parce que je te vois de plus en plus clairement entre les mains de NS, qui fait succéder en toi la consolation à l'épreuve. Non certes, tu n'as pas eu tort de m'écrire le 19, la peine intérieure que tu éprouvais. Notre amitié vaut, pour une grande part, par le recours mutuel que nous pouvons avoir l'un à l'autre en toutes circonstances. Chacune de ces sautes morales a sa signification, sa valeur, et nous permet de nous mieux connaître. Tu sais que mon plus grand bonheur serait de savoir que je t'ai réellement aidée à être un peu plus à Dieu et en Dieu. Cela me fait plaisir aussi que la paix intérieure se double pour toi du goût de penser et d'écrire...

Nous ne sommes pas encore relevés, et, malgré notre réduction (beaucoup d'évacués, peu de tués) nous allons plutôt, sans doute, progresser encore sur N.[1], (pour occuper du terrain, je crois, beaucoup plus que pour le disputer). En attendant, je me suis retiré, depuis deux jours, au poste de secours régimentaire, qui est un arrière relatif. J'y vis fort tranquille, et y dors très bien. Je n'ai pourtant pas encore pu retrouver absolument mon recueillement intérieur, — encore que je me sente, à fleur d'âme, le goût et le désir du divin. Je n'ai même

1. Noyon.

pas la facilité de dire mentalement cette « messe sur toutes choses », qu'il m'était si aisé de réciter en juin dans les hautes futaies de Laigue. Quand je puis, cependant, le faire un peu, je vois se préciser et s'approfondir encore le sens de la Communion. Il me faudra écrire là-dessus quelque chose de plus achevé encore que *le Prêtre* [1].

Je ne te raconterai pas encore grand-chose sur la dernière quinzaine. J'attends que tout soit fini pour juger l'ensemble. En somme, je n'ai pas couru de danger sérieux cette fois-ci, ni rien fait de saillant. C'est peut-être justement à cause de cela que j'ai senti plus vivement l' « ombre de la mort » et le don redoutable qui nous est fait par l'existence : marche inévitable à une fin sensible inévitable, — situation dont on ne peut sortir que par la désorganisation corporelle... Il me semble que je n'avais jamais senti cela aussi réel... Alors j'ai compris un peu mieux l'angoisse de NS, le Jeudi-Saint. — Et le remède m'est apparu plus clairement, toujours le même : s'abandonner, avec foi et amour, à l'avenir (au devenir) divin qui est « *le* plus réel », « *le* plus vivant », — dont le plus effrayant est d'être le plus renouvelant (et donc le plus créateur, le plus précieux). Mais comme c'est donc difficile de se jeter dans l'avenir : invinciblement notre sensibilité y voit le vide vertigineux et l'eau mouvante... Il faut que pour nous la *foi* solidifie cela, n'est-ce pas ? — Prions l'un pour l'autre...

Excuse cette vilaine écriture. Je suis sur un bout de table ; — et puis j'ai si peu écrit depuis dix jours !

1. C'est déjà la *Messe sur le Monde* qui sera écrite en terre chinoise en 1923. Cf. l'*Hymne à l'Univers* (Éd. du Seuil).

Je penserai avec joie que tu es à Sarcenat. Ici, la campagne, malgré les ruines, les trous, les arbres abattus, reste admirable. Il descend sur nos forêts, des nuits exquises et claires, où la hulotte chante, comme en Auvergne.

Adieu, très à toi. — Dis-moi où écrire à Mme Parion.

PIERRE.

Le régiment a sa 4e citation (pour avril, — fourragère jaune) plus une 5e (18 juillet). Peut-être y aurait-il une 6e pour cette fois. J'en doute.

[*Carlepont, Oise*] *31 août 1918.*

Chère Marg.,

Ceci pour te dire que je vais toujours fort bien, et t'empêcher de croire que la prise de Noyon soit notre œuvre, — succès qui aurait pu te causer quelque crainte à mon sujet. La ville est tombée sous les efforts d'une division kaki, sœur de la nôtre ; nous n'avons été que des témoins, ou de lointains collaborateurs. Comme nous formons pivot, et que le régiment, par surcroît, est réserve, je n'ai même pas bougé, et ne bougerai peut-être pas avant qu'on nous ramène vers un arrière et un repos qui seront sans doute modestes.

J'ai appris avec plaisir que tu allais passer quelques jours chez les Polignac avec ton amie Zanta. La vie avec une « élite » (dont il faut savoir se passer pour avoir le courage de plonger dans la « masse », et y travailler à la formation d'autres élites), est sans doute le plus grand bonheur des humains, bonheur hygiénique et nécessaire, comme la respiration de l'air des montagnes. Je prie NS. de t'aider à retirer de ces moments agréables la force qu'il y a cachée pour toi. Pour cela, une fois de plus, aie confiance, *crois*, — devant l'avenir plaisant comme devant l'inquiétant. Le mot de l'*Epître aux Hébreux*, « *fides substantia sperandarum rerum* [1] » pourrait, je pense, se traduire ainsi : la foi est l'élément qui stabilise et divinise notre avenir, — elle le crée, pour chacun de nous, à la mesure de notre salut et de notre élection particulière...

Depuis trois jours, je puis dire ma messe. Je continue à le faire avec une grande plénitude, et à m'y souvenir de toi.

Très à toi,

PIERRE.

[Moyvillers, Oise] 8 septembre 1918.

Chère Marg,

Je reçois aujourd'hui, en même temps, tes cartes du 5 et du 6. Je suis heureux que le passage à Sarcenat de la future « promise » de Joseph ait comme résultat de te faire prolonger ton séjour à Polignac [2]. — J'ai beaucoup admiré la vue du château que tu m'as envoyée. Elle m'est apparue comme la fière affirmation de cette nécessité d'une « élite », qui est, je crois, une des plus

---

1. Saint Paul, *Ep. aux Hébreux.*
2. Château de la Voûte-Polignac, près du Puy-en-Velay.

décisives et définitives acquisitions de mon expérience en ces dernières années. Ces tours orgueilleusement posées sur le roc, au-dessus du torrent, nul n'a pu les imaginer et les construire sinon une race, forte et consciente d'avoir dépassé les autres. — Toute la difficulté (et le secret) de la vraie démocratie est de favoriser le renouvellement, et le recrutement, et l'accession aussi universelle que possible de tous, à l'élite. Mais, *en soi,* la masse est profondément inférieure et haïssable. Ne trouves-tu pas ? — Je tombais d'accord, hier encore, sur ces choses, d'une manière assez inattendue, avec un officier nouvellement arrivé au régiment, avec qui j'ai eu fortuitement une rencontre où nous avons, il me semble, immédiatement sympathisé. C'est un « ancien élève », devenu, par malheur, non pratiquant mais gardant un véritable idéal et une âme très loyale. J'ai mesuré une fois de plus, en causant avec lui, le tort que font au christianisme les croyants, et notamment les prêtres, insuffisamment « humains », — c'est-à-dire — dont la religion n'a pas, comme premier effet, de les rendre plus fidèles aux devoirs et aux préoccupations de *leur temps.* — Prie NS. pour que, dans ces multiples relations sympathiques que j'entretiens et je noue avec des gens peu orthodoxes, l'influence dominante soit bien *la Sienne*

Mon installation ici est à peu près achevée. J'ai mon coin, ma table. Les loisirs me manquent encore un peu (ce soir, je dois aller à sept kilomètres, enterrer une pauvre vieille). Mais je compte bien, dès demain, me mettre à fixer, sur un cahier que j'ai acquis, les bribes d'idées que j'ai ramassées depuis deux mois.

303

Il me semble que j'ai rarement eu une foi plus consciente et plus claire en l'avenir.

Adieu. Aujourd'hui j'ai prié particulièrement N. Dame pour toi. Je sais que tu me l'auras rendu.

Très à toi.

PIERRE.

[*Moyvillers*] *12 septembre 1918.*

Chère Marg.,

Je viens de recevoir, avec le plaisir que tu devines, ta longue lettre du 9. Mais je suis fâché que mes fréquentes petites lettres ne te soient pas arrivées plus régulièrement. J'ai eu le tort de les envoyer toutes au Chambon. Peut-être ai-je également tort de t'adresser celle-ci à Polignac. Enfin, tout finira bien par t'atteindre et t'apporter la preuve de mon fidèle souvenir.

J'ai été très intéressé par tout ce que tu me dis de ta vie à Polignac. J'espérais bien que ce séjour aurait pour toi les fruits du repos et d'instruction (morale et surnaturelle) que tu en as effectivement retirés. Tu ne saurais croire combien je suis heureux de voir ton amour de NS. se nourrir ainsi aux espérances humaines les plus diverses, et devenir plus capable, ainsi, d'influencer les autres pour le bien. Je prie pour que Dieu t'emploie à entretenir et développer un christianisme *réel* dans l'âme si ouverte et loyale de tes deux amies, — toutes deux, peut-être, menacées, dans un ordre différent du même danger de s'évaporer dans un succès trop facile et trop répandu. — O Marguerite, comprends-tu quelle grâce Dieu t'a faite en te privant de tant de choses que tu aurais tant désirées ?... Je désire beaucoup que tu achèves tes deux contes. Balzac a raison de dire que quand l'inspiration est là, il faut travailler sans attendre, « comme un mineur sous un éboulement ». Au moins quand il s'agit d'un esprit qui travaille et évolue, il suffit parfois de quelques mois pour qu'on ne voie plus de la même manière ; — or, chaque phase du progrès de la pensée a sa fraîcheur particulière, irremplaçable. Il faudrait que tu fixes au moins l'essentiel de ta vision présente. — Je te renverrai prochainement les *Véroniques* avec quelques annotations. Je profite du calme profond, dont je sens si intensément le prix en ce moment, pour travailler un peu, — doucement et en amateur. — J'aligne sur un cahier des pensées diverses qui se groupent petit à petit autour de quelques noyaux principaux. Je pense toujours que mon premier Essai sera pour fixer mes vues sur les propriétés constructives (créatrices, oserais-je dire) de l'espérance. 1) Je commencerai sans doute par exprimer aussi vivement que possible, notre situation vis-à-vis de l'avenir : lancés dans l'existence, nous sommes forcés d'avancer dans un devenir qui nous effraie par sa nouveauté, et nous décourage par le « hasard » qui semble présider à son déroulement. Nous souffrons pareillement des processus *déterministes* qui nous entraînent dans leurs phases, et de la redoutable indétermination des chances que leur multiplicité et leur ténuité nous empêchent de contrôler. — 2) Ceci posé, je proposerai (sans la prouver autrement que par sa réussite et sa cohérence avec le Dogme) une certaine conception de la Foi. Si l'Avenir nous paraît aussi incontrôlable, — soit dans ses chaînes, soit dans ses caprices — c'est que nous n'osons pas nous lancer. Croyons (en la vigueur de notre esprit et en la puissante Bonté de Dieu), et alors le Futur se disciplinera et deviendra inoffensif. D'abord les « chances » se plieront à notre réussite personnelle ; — et puis, il se fera, des puissances de nos facultés, une libération insoupçonnée. La puissance créatrice a besoin, en quelque sorte, de notre foi pour y faire reposer ses agrandissements. Le Monde s'achèvera dans la mesure où nous nous jetterons avec plus de confiance dans la direction de ce qui n'est pas encore réalisé = la confiance *force les limites du* déterminisme et *discipline le hasard.* — 3.) Ceci ne doit pas être compris à la manière d'une « *Faith healing* » comme fait la Christian Science. Le monde se crée actuellement dans le domaine surnaturel. — C'est donc à une *réussite* de la *Sainteté* que coopéreront avant tout directement la somme des hasards semés tout le long de la vie du croyant. Le même groupe d'événements représente autant de Providences indépendantes qu'il y a d'individus. Plus l'individu aura confiance, plus sa Providence (*son* Univers individuel) le mènera à Dieu. — Tout ceci peut se faire sans qu'aucun déterminisme *particulier* du monde soit modifié par la Foi. (la Providence est pour [à] *l'ensemble*). — Pourtant la Foi a une efficacité plus grande encore (dans l'ordre surnaturel) que de vaincre le hasard : elle fait vraiment accéder l'âme à des degrés d'être nouveaux. Elle n' « arrange » pas seulement ; elle crée des puissances nouvelles. — La philosophie idéaliste (et la Christian Science) paraît envisager la libération suprême de l'être comme une délivrance de la nécessité de mourir. Ceci est faux. Plus on change, plus on meurt. La confiance en Dieu (et en l'être soutenu par lui) ne supprime donc pas la mort : mais il la rend telle qu'elle soit un accès à plus de vie. Il y a sans doute autant de *morts* que de *vies :* plus on se sera laissé emporter avec Foi par la mort, plus elle fera accéder à une forme particulièrement élevée d'existence... — En somme, on peut dire que, plus nous croyons en la vie, plus nous osons, plus l'Univers achève de se créer autour de nous *dans sa réalité mystique,* — dont toute la partie déjà constituée se manifeste alors à notre *vision de Foi* (inséparable de *notre action de Foi*). — N'essaie pas de trop scruter ces phrases dans le détail. Ma pensée se cherche, et une fois de plus, je cherche à l'éclaircir en causant avec toi.

J'ai élu domicile dans une petite chambre du presbytère. Tranquillité idéale — campagne légèrement mélancolique sous les premières touches d'automne. C'est curieux comme je suis sensible au charme un peu triste de cette campagne presque picarde, semée de boqueteaux et de mares où se mire un ciel traversé d'averses. J'ai toujours surtout aimé l'automne. Et puis il remonte en moi dans ce milieu de vagues impressions d'Angleterre [1], ou même de vieilles hérédités d'Hornoy [2]...

Il m'est tombé sous la main des numéros dépareillés de la *Revue Hebdomadaire,* contenant la fin du *Lord*

1. *Ore place*, Hastings.
2. Les Dompierre d'Hornoy étaient les grands-parents maternels du Père Teilhard. Leur propriété était en Picardie.

of the World. J'ai été charmé de la façon exacte dont Benson décrit la mystique panthéiste et l'unification possible de la « Grande Monade ». Mais (ce qui ne m'avait pas frappé en 1910) j'ai senti toute la différence de point de vue qui me sépare du dit Benson. Je n'admets pas du tout que l'enthousiasme pour « l'Esprit du Monde » doive être l'apanage de l'Antéchrist. A côté de la forme naturiste et exclusive de Dieu que Felsenburgh [1] donne au culte du Monde, il y a place pour un amour de la terre appuyé sur Dieu-Créateur. Le catholicisme finissant de Benson me déplaît, non parce qu'il est persécuté et humilié, mais parce qu'il me paraît injuste, exsangue et anti-naturel (presque autant que surnaturel).

Adieu. Très à toi.

PIERRE.

[Chavannes-sur-l'Etang, près de Montreux-Vieux]
20 septembre 1918.

Chère Marg,

Je ne puis me tenir de t'envoyer un petit mot pour te dire le charme du nouveau coin où je me trouve, après l'étape d'hier. La localité que nous avons quittée était plus gaie et populeuse que celle-ci. Mais cette agitation même nuisait à la poésie naturelle et historique des lieux, et puis, des ondulations de terrain empêchaient

1. Cf., Benson : *Lord of the World*.

la vue de s'étendre où elle aurait voulu ; — enfin, il faisait brumeux ou même il pleuvait. Depuis hier soir, les nuages ont été chassés, et, c'est dans une atmosphère limpide et lavée, que je puis admirer le petit village du Haut-Rhin que j'habite, et surtout son panorama. Je ne me lasse pas de la vue, quand je sors de ma maison. A droite, et en arrière, les montagnes chères à Emm. de Margerie laissent voir le sommet de leurs côtes boisées, bordées d'à-pic. Mais à gauche et en avant, surtout, le spectacle est glorieux, celui de la barrière montagneuse et accidentée qui s'élève, bleu-velours, sur une plaine marécageuse vert-émeraude. Ce n'est pas la vue dominante de Sarcenat. C'est plutôt celle qu'on a sur le Mt-Dore, se dressant au-dessus des plateaux du Rocquet [1]. Et la pureté des lignes et des teintes n'est rien à côté de la richesse des souvenirs, et de l'intense parfum d'étranger qui s'accrochent à ces sommets, ou refluent de la plaine, depuis le lointain de l'est ! Vraiment, la prise de contact avec ce pays si mêlé avec mes souvenirs d'enfance (nos premières institutrices étaient de par là) et à tant de choses que, depuis, j'ai lues ou entendues, m'a fait une profonde impression, — que je comparerais à un rajeunissement. Pour comble de « surprise », il se trouve que le presbytère de ce village perdu est une ex-résidence des Jésuites de l'ancienne Compagnie (1720), du temps où les maisons se multipliaient en ces régions pour lutter contre les luthériens. Tout est bien « nôtre » là, depuis le chiffre au-dessus de la porte, (auprès de laquelle on s'attend à voir émerger la tête

---

1. Propriété de la famille Teilhard de Chardin.

d'un portier bougon) jusqu'à la situation commode de la bâtisse auprès de l'église et à ses proportions vastes, rustiques et pratiques. Tu ne saurais croire quel plaisir cela m'a fait de rentrer ainsi « chez moi », et dans quelle forte et chaude atmosphère de passé je me sens replongé, malgré mon isolement apparent. Comme ces hommes qui m'ont précédé ici, je me dois au travail de Dieu, absolu, accommodé au siècle, — et j'ai l'impression que toute une réserve de force accumulée m'entoure, parmi ces vieux murs. Voilà ce que j'ai senti le besoin de te dire ce soir. Il semble que nous soyons en réserve pour quelque temps ; devant, en tout cas, le front paraît extrêmement calme. Il est possible que nous soyons mis là « au vert ». Alors, ce serait un repos princier, par les temps qui courent.

Très à toi.

PIERRE.

Pourrais-tu (si cela ne te gêne aucunement) me faire taper une copie du *Prêtre*. J'en voudrais une pour Beaugeard. Si quelque chose t'arrête, je m'adresserai à Guiguite.

[*Chavannes-sur-l'Etang*] *27 septembre 1918.*

Chère Marg,

Si je t'écris encore un aussi petit papier, alors que les circonstances sembleraient me permettre le grand format, attribue-le à ce fait que je suis un peu absorbé par la rédaction et transcription de *La Foi qui opère* [1]. Je suis en train de recopier mon brouillon, et j'espère t'envoyer demain le manuscrit, — comme d'habitude. Il me semble avoir pu exprimer à peu près ce que je voulais. — C'est curieux d'observer sur soi combien le langage, en même temps qu'il appauvrit la pensée vivante, lui donne en même temps une force qui la complète, et parfois l'étonne. — Une autre observation que j'ai refaite, — mais avec une conscience plus éveillée que les autres fois —, c'est combien l'effort de composition (au moins quand il s'agit d'une matière dont l'esprit vit véritablement) rend l'intelligence, et même l'élocution, plus riche et plus allègre. — Tu sais que pour moi, ces temps-ci, cette alacrité (qui s'est étendue à tout le monde surnaturel, évidemment) s'enrichissait à la source des beautés naturelles du cadre où je vis. — Je ne m'illusionne pas sur la valeur profonde de cette facilité présente ; mais je tâche d'en profiter.

J'ai reçu hier ta grande lettre de Sarcenat, qui m'a fait un vif plaisir. J'y ai trouvé je ne sais quelle netteté, et quelle correspondance avec mes dispositions actuelles, — qui m'a confirmé, avec une force très sensible, dans la Foi que je professe en « l'union par l'esprit ». Cette douce expérience, s'ajoutant à une autre très différente que je venais de faire (par suite de certaines confidences) touchant les désordres où entraîne l'autre pente, m'a fait sentir, avec un surcroît de clarté et de décision, combien le Monde demande que « ceux qui voient » se jettent franchement, intégralement, quoi qu'ils puissent

1. Cf. lettre du 17 août 1918.

éprouver parfois ou entendre dire, du côté de l'esprit par-dessus tout. Je connais peu de choses qui me rejettent plus fortement vers le soin exact de la sanctification et le recours passionné (je dirais, presque, désespéré) à la puissance de NS. que cette conscience du besoin que les trésors du Monde ont de se purifier, — que le sentiment, aussi, de la lutte présente des deux « Principes et Doctrine » d'union, par la matière ou par l'Esprit de NS.

Je pense que demain tu seras à Paris. Tu es sûre que je prierai fidèlement pour que te soit donnée la grâce d'une force recueillie. Si j'ai un conseil à te donner, c'est celui de te ménager, dans ton « ordre du jour », quelques minutes de réflexion matinale, *pour reprendre contact* avec le milieu mystique où nous voulons tous deux vivre et agir. — Et puis, ne *t'étonne* d'aucune faiblesse, d'aucune stagnation : mais crois plus fermement encore en l'aide de NS. et en sa Providence sur toi.

Je suis toujours au calme. J'ai quitté avant-hier ma « résidence », mais pour trouver mieux encore. Je te décrirai plus longuement après-demain mon installation confortable, en vraie terre d'A. [1], cette fois.

Beaucoup de choses à Mme Parion (dont j'ai reçu la lettre).

Très à toi.

PIERRE.

Suis heureux que tu aies vu « Antoinette [2] ».

1. Alsace.
2. Fiancée de son frère Joseph.

Chère Marg,

Je t'écris par une calme matinée de dimanche alsacien, un peu brumeuse, malheureusement, mais combien pacifique ! Dans une maison voisine, le paternel curé apprend le chant des Psaumes aux enfants blonds et sages. Les cloches sonnent pour appeler à la messe une population fidèle. Bon et robuste pays, empreint de ce qu'il y a de bon dans la religieuse Allemagne. Pourvu que nous ne le gâtions pas, au feu inquiet de notre esprit français !

Hier, je t'ai envoyé (comme te le disait ma lettre de vendredi) mon dernier Essai [1]. La question se pose vaguement à moi de savoir si je ne devrais pas, une fois encore, le présenter à Léonce, en vue d'une publication (par exemple dans les *Recherches*). Il me semble que mes idées trop personnelles n'y apparaissent que dans ce qu'elles ont de général et certainement bon, — sous une forme où les esprits sympathiques au mien se reconnaîtront sans que les autres ne s'alarment. Mais encore une fois, j'ai pris tellement l'habitude de vivre dans « mon univers » que j'ai perdu passablement la notion de ce qui est étrange ou familier aux autres. Tu me diras ce que tu en penses.

Le résultat assez naturel du travail de rédaction que je viens de faire, joint aux dispositions physiques favo-

1. Il doit s'agir de *La Foi qui opère*, écrit le 14 avril 1918, daté de Ay (Marne).

rables où je me trouve (l'automne a toujours été la saison la meilleure pour mon âme !), a été de me faire éprouver, avec plus de netteté et de conviction encore, ce qui est devenu mon goût (ou ma foi) fondamental(e). En impressions brusques, claires et vives, je distingue que ma force et ma joie tiennent à ce que je vois se réaliser pour moi, en quelque façon, la fusion de Dieu et du Monde, celui-ci donnant « *l'Immédiateté* » au Divin, Celui-là *spiritualisant* le tangible. Cette vue, je t'assure, me procure une vraie « béatitude », parce que c'est cela, je le sens, que j'ai toujours cherché à me formuler, et c'est cela qui me permet de saisir et d'achever (suivant ma destinée particulière) tout le Beau et le Bien. Maintenant, je puis dire que je sens mon action basée sur un fondement inébranlable (Dieu aidant, bien entendu) et une véritable conviction. Je t'ai dit, dans ma dernière lettre, quel relief prenaient maintenant, dans ma vie, cette vérité (bien élémentaire, diras-tu...) que je ne dois vivre que pour développer la *Spiritualité* dans *l'Immédiateté*, — et, simultanément, cette assurance que l'esprit doit vaincre et a une secrète efficacité pour cela. *La Foi en l'Esprit* [1]..

Tu as raison, dans ta lettre (écrite de Sarcenat) de juger que la masse n'est accessible qu'au concret. Mais tu me connais bien, quand tu insinues que je pourrais bien avoir une instinctive prédilection pour les entités collectives (non *point* abstraites !) en quelque façon « immédiatement perçues ». Après tout, est-ce que NS. n'est pas l' « Humanité », ou même « la Création *en*

---

1. *La Foi qui opère.*

Personne » ? et n'est-ce pas le charme définitif de son être que la réunion en Lui du Centre et de la Sphère, — si j'ose dire ? — Touchant le mot de Pascal [1], tu sais dans quel sens seulement (qui n'est peut-être pas tout à fait celui de Pascal) je l'admets : la géométrie n'est pas le terme de notre effort intellectuel, mais elle est ordonnée à *nous diviniser,* en développant en nous l'esprit, et peut donc être poussée « religieusement », non seulement « dans l'intention », mais à raison de l'œuvre qu'elle opère en nous. — N'est-ce pas Platon qui a dit : « Θεὸς ἀεὶ γεωμετρεῖ [2] » (*Deus semper « geometres est »*) ? (Je t'avertis que je n'ai jamais vu ces mots dans leur contexte.)

Avec tout cela, je ne t'ai pas encore dit où, ni comme, je me trouvais. Par ma dernière, tu as appris que j'avais quitté (non sans quelque regret) ma jésuitique demeure. On nous a fait faire une quinzaine de kilomètres au nord-est. Finalement, tout en nous étant rapprochés des lignes, nous nous sommes trouvés dans un village plus habité et plus confortable que celui que nous venions de quitter. Le curé (modèle du pasteur encore omnipotent chez lui) m'a immédiatement offert une petite chambre (avec un vrai lit) et toutes les facilités pour dire ma messe. Je suis juste en face de l'église, — laquelle est propre, peinte, cirée, grande, et de bon goût. — Au point de vue matériel, notre popote fonctionne bien (c'est même moi qui dois faire la maîtresse de maison). Tu vois que tout va au mieux.

Le grand repos, comme tu penses, c'est de n'entendre

---

1. Cf., *Pensées,* 72, édition Brunschwicg.
2. Cf., Platon, *Théétète* (162. E).

pas un coup de canon, et de vivre parmi des gens vaquant paisiblement à la récolte de leurs choux et de leurs pommes de terre. Pour moi, personnellement s'ajoute le réel délassement de regarder un beau pays et un très bel horizon. A notre gauche, les montagnes sont à quinze ou vingt kilomètres ; mais nous n'en sommes séparés que par une molle concavité marécageuse, de sorte que la chaîne, vue des trois-quarts, se dresse devant nous de toute sa hauteur. On distingue les divers plans, les vallées, même les arbres, quand il fait clair ou que la brume est légère. A d'autres moments, tous les détails se fondent dans un bleu profond et uni. La campagne, plus près de nous, est extrêmement verte. On la dirait lotie, à peu près régulièrement, en bois et en prairies, où surgissent, sensiblement équidistants, des clochers tantôt pointus, tantôt arrondis suivant une forme qui annonce les bords du Rhin. Quand on regarde vers le sud, par beau temps, l'horizon se charge de hautes croupes, parfois dentelées, — du côté où Mme Parion a son ermitage. C'est un peu humiliant de jouir de tout cela pendant que le front de France est en feu.

Je n'ai pas à te dire l'intérêt que je prends aux événements qui s'entassent ces jours-ci. Si vraiment la Bulgarie lâche, c'est la fin.

Très à toi. Courage pour la rentrée.

Pierre.

[Chavannes-sur-l'Etang] 3 octobre 1918.

Chère Marg.,

Quatre jours, déjà, que je ne t'ai pas écrit ! Le temps passe vite, dans le calme profond où l'on nous laisse. Je viens de recevoir ta première lettre de Paris (du 29). Moi aussi, croirais-tu, malgré le plaisir que j'ai à te sentir au Chambon, ou chez de bons amis, j'aime à te savoir dans ton chez-toi de la rue Montparnasse : il me semble que c'est là que je te retrouve le plus près, — impression bien naturelle, puisque c'est là que nous nous sommes le mieux connus. Je songe, cette fois-ci, à prendre quelques jours de permission à Paris, — entre autres raisons, pour voir le P. Léonce. Ce serait si bon de nous revoir. Mais pour quand cette fameuse permission ?... Il me paraît difficile que mon tour arrive avant qu'on ne nous demande, ici ou là, un effort. En mettant les choses au mieux, je ne compte pas t'arriver avant la fin du mois.

J'ai été heureux de ce que tu me dis touchant les annotations que j'ai faites aux *Véroniques*. Tu gardes ton indépendance, et tu as compris « la jalousie » de l'estime que j'ai pour toi. J'avais bien pensé que la *Revue des Jeunes* était tout indiquée pour te recevoir. Je ne t'ai pas dit que Guiguite m'a écrit avoir été très contente de ce que tu lui as lu de tes *Contes ;* c'est bon signe. Va de l'avant, et demande à NS. de t'aider à aller à Lui dans beaucoup de lumière.

Avant-hier, j'ai reçu une lettre du P. Chanteur[1], où il me parle du *Prêtre*. Cette fois encore, — et à la différence du P. V. S.[2] — c'est l'inquiétude qui domine chez lui. Il a visiblement peur (très affectueusement, du reste) de me voir sombrer dans le Panthéisme. Cette amicale critique m'a remis, d'une manière salutaire, devant les difficultés de la vie pratique, et, incidemment, devant la servitude que nous impose un certain groupe de formules scolastiques admises, (spécialement touchant les diverses formes de causalités). Il y a évidemment un certain langage orthodoxe à trouver pour y faire passer « mon expérience », sans la défigurer ni la *débiliter*. L'important heureusement, c'est que, dans sa substance, cette expérience soit orthodoxe ; or, cela, je puis le croire, il me semble, parce que, en juin spécialement, on me l'a redit, — et puis parce que j'ai pour moi St Jean, St Paul, — et aussi, toute une masse de postulats et de satisfactions internes, qui ne peuvent guère tromper, il me semble, tellement ils sont ancrés et profonds dans ma vie. Je tenais quand même à te parler de ce nouvel avertissement que je reçois, pour que tu ne t'emballes pas, toi non plus, sur une direction un peu dangereuse, — délicate, au moins. Si tu peux faire taper l'Essai, comme tu le dis, envoie quand même un exemplaire à « Mr l'Abbé Beaugeard (Aumônier au Régiment d'Inf. Coloniale du Maroc, S.P. 112) ; avec lui, il n'y a aucun inconvénient. Je recevrai avec joie les Platons que tu m'annonces.

J'ai profité du très beau temps de ces derniers jours

1. Révérend Père Chanteur, S.J., provincial de Lyon.
2. Révérend Père Vulliez-Sermet.

pour errer longuement dans les bois. Les arbres sont loin de valoir ceux de l'Oise et de l'Aisne ; mais je préfère malgré tout les forêts broussailleuses d'ici aux régulières futaies des environs de Compiègne : on y sent mieux la vieille nature, et on y recueille quelque chose du mystère tout proche des régions hercyniennes. Chaque fois qu'on arrive à une lisière, c'est un émerveillement nouveau de voir les Vosges, ou le Jura, ou, tout en avant, les croupes de la Forêt-Noire. Le seul désagrément est la multiplication et l'incohérence apparente des réseaux de fils de fer. Par-ci par-là, de vieux territoriaux retors recueillent des brochettes d'énormes cèpes qu'ils revendent à prix d'or aux popotes. Tout cela est très reposant. Il n'y a pas jusqu'aux avions boches qui, au lieu de bombes, ne jettent, sur cette région privilégiée, des tracts pacifistes.

Je continue, tu le vois, à jouir de ma chambre, de mon lit, et de l'église toute proche. Le curé m'a requis pour parler, dimanche (Rosaire) à sa fidèle population. Au point de vue « pensée », je songe à fixer en quelques paragraphes, sous forme d'appendice à *l'Union Créatrice*, les divers points nouveaux qui se sont précisés ou fixés dans mon esprit depuis un an, — ceci, évidemment, pour moi et mes critiques éventuels, — et non pour la diffusion. Je t'en reparlerai.

Adieu. Prions pour que NS. nous soit vraiment tout. Souvenirs à Mme Parion. Très à toi.

PIERRE.

[Foussemagne, Haut-Rhin] *11 octobre 1918.*

Chère Marg

Je viens de recevoir ton Platon, et rien que d'en avoir parcouru quelques pages a fait « frémir » en moi le goût de l'Esprit. Il me semble que je commence vraiment à comprendre depuis ces quatre dernières années ce que c'est que d'avoir « une foi », — quelle béatitude cela représente pour celui qui la possède, — et quelle force cela exerce sur la multitude des âmes qui dorment ou qui hésitent. Le résultat de la guerre sur ma fortune individuelle aura été de me donner une foi. Jusqu'ici, le zèle a toujours été pour moi quelque chose de factice, de plaqué, de forcé. Maintenant je comprends un peu quelle sorte de passion a animé les apôtres. Mais il est bien remarquable que ce sentiment n'ait commencé à naître en moi qu'à partir du moment où la Religion s'est éclairée [vivifiée], pour moi, d'un point de vue, d'un goût « individuels ». Il y a sans doute là quelque loi psychologique générale, — encore qu'il paraisse difficile de la vérifier dans beaucoup de cas. — En un sens, on dirait que chacun doit avoir *Sa religion,* greffée sur une passion naturelle particulière ? ? toutes ces religions particulières convergeant sur le même Jésus-Christ...

Je prends la part que tu devines aux soucis dont m'entretient ta lettre du 6. J'aime à songer que tu aimes, et que tu arrives, à te retirer dans « le milieu mystique ». Comme c'est là un don de Dieu, je prie beaucoup NS. de te donner un accès de plus en plus habituel et pacifiant en Lui. Pour le reste, tâche d'avancer courageusement au milieu du buisson d'épines qui te semble barrer ton chemin cette année-ci. Tu verras qu'elles s'écarteront. — N'oublie pas que tu ne poursuis pas un travail quelconque, mais une œuvre vraiment sainte ; tu as donc double droit de compter sur la Providence.

Rien de nouveau dans mon existence extérieure. Ce serait humiliant que la fin de la guerre nous trouvât ici, et je regretterais de n'avoir pas eu ma part aux émotions des derniers triomphes. Mais en sommes-nous déjà là ?... Wilson, en attendant, prend les dimensions d'un Felsenburgh. Et, vraiment, il paraît d'une sérénité et d'un idéalisme qui me font sentir avec un renouveau de conviction, la nécessité, pour le Christianisme, de ne pas laisser couler hors de lui la « sève de la Terre ».

— Une grande habileté de la réponse du Président, — et qu'il n'a probablement pas calculée — est de ne pas lui donner l'apparence de *refuser* la paix. Le soldat français n'est pas, que je sache, si grisé de victoire qu'il en veuille à ceux qui l'empêcheraient de porter un dernier coup (pour les Américains et les Anglais, c'est peut-être différent). Il se grisera de succès, mais à condition d'être forcé de se battre. — Je commence à croire que les Allemands se résoudront à évacuer les territoires envahis.

Tu me demandes des notes sur ce que j'ai dit, pour le Rosaire. Je n'en ai pas, et du reste, je n'ai pas poussé très loin mes développements. Mon idée était celle-ci — 1) rappeler le développement historique du Rosaire, en montrant qu'il n'est qu'un développement, élargissement de la Salutation angélique (le Rosaire est ur

Ave Maria dilaté, explicité.) — 2) décrire le développement parallèle de l'Ave Maria dans l'histoire religieuse
de chaque individu. L'Ave Maria est d'abord une manifestation surtout instinctive d'amour pour ND., manifestation souvent « intéressée ». — Elle se transforme en
un besoin de mieux connaître ND., de « sympathiser »
avec elle : le Cœur de la Sainte Vierge devient en
quelque sorte transparent et nous y revivons les mystères, — de telle sorte que c'est tout le dogme qui nous
devient familier, concret, réel, en *Marie*. Pour finir, nous
comprenons que les Mystères ont leur parallèle et leur
prolongement dans les phases, fort mystérieuses en effet,
de nos joies et de nos peines. Ainsi toute notre vie se
christianise, en quelque sorte, dans le développement en
nous, de l'Ave Maria... — Tu vois la pensée.

Le calme persistant, et mes rêveries pouvant dès lors
se poursuivre, je « continue à progresser » sur certains
points dont je te parlerai. J'ai renoncé, en tout cas, pour
le moment, à l'appendice à *l'Union Créatrice* dont je
t'avais entretenue. Il y aurait trop de choses à dire ;
j'aime mieux attendre que de ces divers éléments, il
sorte un nouveau point de vue central. — La divergence
d'appréciations du P. Ch.[1] et du P. V.-S. s'explique plus
facilement que tu crois : ce qui est délicat, je m'en rends
compte, dans mes essais, ce n'est pas la correction bru-
tale des formules (facile à sauvegarder), mais l'inspiration et la tendance. — Prie beaucoup pour que ce soit
le *bon* Esprit qui m'anime toujours.

Merci d'avoir envoyé la copie à Beaugeard. Tu auras

1. R. P. Chanteur.

compris que les frais étaient à prendre sur l'argent que je t'ai envoyé en septembre. — N'oublie pas d'acheter les livres qui te plairont. — J'ai écrit à Robert.

Très à toi.

PIERRE.

P.-S. — Je viens de recevoir ta lettre du 9. — Merci. Je t'enverrai le cadre que tu demandes, après y avoir réfléchi (avec grand plaisir), après-demain, sans doute.

[*Méricourt, Haute-Saône*] *Lundi, 4 novembre 1918.*

Chère Marg,

Grâce à l'auto d'un capitaine ami, lequel s'est trouvé prendre avec moi l'express de 8 h., je suis arrivé le soir même à 7 h. 1/2, au régiment. Celui-ci est en déplacement, — pédestre, jusqu'ici — pour on ne sait où. Pour le moment, je suis encore tout près de Gabriel, mais sans qu'il le sache, et sans que je puisse le prévenir.

Voyage excellent, donc, et confortable, passé à ruminer tout ce que nous nous sommes dit, et à lire Schuré [1]. L'introduction m'a plongé dans l'enthousiasme. Par contre « Rama » me paraît terriblement imaginatif et d'une science plus que vieillie. Mais comme tu l'as remarqué, c'est l'âme de Schuré qui est intéressante, au moins autant que celle de ses initiés.

1. Schuré, écrivain français dont l'ouvrage le plus connu est *Les Grands Initiés* (1889) plusieurs fois réédité.

Me trouvant dans une atmosphère psychique favorable, j'ai achevé de me construire un plan de mon prochain essai « *Forma Christi* », et j'ai arrêté le dessin de mon discours de mariage [1]... Je te reparlerai de tout cela.

Trouvé ici ta bonne lettre du 15, m'annonçant ton projet pour le 21 [2]. Tu auras compris, n'est-ce pas, combien je partageais profondément ta joie, et combien je sentais du même coup, se resserrer notre union « in Xto [Christo] Jesu », là où l'union ne s'arrête jamais, mais progresse indéfiniment, dans l'intimité, la fécondité et la beauté.

Tu dis bien : rien ne change intérieurement dans la vie de par un acte semblable, mais toute la profondeur des choses en est renouvelée. C'est le « milieu mystique » qui se révèle...

Pense, devant NS, à la 2e promesse dont t'a parlé M. V. Je crois que là aussi il y a quelque chose à faire, pour la joie et l'unité de la vie. Peut-être seulement pourrais-tu expliciter la clause : « ... tant que la volonté de Dieu sera manifestement de me lier à l'œuvre de l'éducation... » Il est possible que cet acte marque pour toi la fin du dualisme intérieur dont tu souffres... Je prie beaucoup pour que NS soit la joie et l'unité de ta vie.

Adieu, et plus que jamais, à toi. Souvenirs affectueux à Mme Parion.

PIERRE.

---

1. Mariage de son frère Joseph avec mademoiselle Antoinette Levert.
2. L'avant-propos apporte toute l'explication sur ce projet.

Chère Marg.,

Depuis ma lettre d'il y a trois jours, nous avons continué à cheminer pédestrement vers le Nord, dans un beau pays, tout nouveau pour moi. Nous avançons sans hâte, par petites étapes. Personne ici n'a la moindre idée de ce à quoi on nous destine.

Tout en traînant sur les routes, entre les bois effeuillés, je continue à penser à toi, et à tout ce qui fait notre intérêt commun. Ce matin, j'ai pu dire ma messe durant laquelle je ne t'ai pas oubliée, ni ta préparation au 21. Vraiment, c'est la béatitude sur terre de voir toutes choses aptes, pour nous et par nous, à se diviniser ! N'oublie pas de maintenir soigneusement cette joie ou passion fondamentale, dans ton esprit, au-dessus de *tout* même au-dessus du succès et de la réussite personnelle immédiate, apparente. Une seule chose est intéressante et doit alimenter pour nous le goût, la passion, de vivre : sentir que Dieu se réalise partout, en nous et autour de nous. Pourvu que cette transformation fondamentale se poursuive dans notre existence, qu'importent les ennuis ou les inharmonies de détail qui restent, sans doute, — et contre lesquels nous devons lutter, — mais qui peuvent servir eux-mêmes à faire que NS. se substitue à nous. C'est bien ainsi que nous voulons être heureux désormais, n'est-ce pas ?

Je pense que tu t'es remise au labeur de l'éducation. Puissent le nombre des élèves et la santé des maîtresses te consoler, et favoriser tes loisirs pour la composition de tes contes.

Je me demande, pour moi, quand je pourrai me mettre à rédiger des idées qui sont presque mûres. Je n'ai que la ressource de les ruminer en cours de route. Il me semble que, grâce à nos conversations qui nous ont fait réfléchir, je commence à avoir des idées moins obscures sur la Résurrection, et le rôle essentiel de la Chair du Christ. Cela fera le dernier paragraphe de l'Essai que je projette, — où je traiterai particulièrement la question de notre attraction sentie par NS. (question qui est au fond de l'apologétique « d'immanence ») et de la valeur comparée de l'attachement et du détachement. — Je te parlerai de tout cela à l'occasion, naturellement.

Très à toi. Souvenirs à Mme Parion.

PIERRE.

[Docelles, Vosges] 13 novembre 1918.

Chère Marg

La nouvelle de l'armistice nous a arrêtés court dans le mouvement accéléré qui nous emmenait, j'imagine, à la conquête plus ou moins directe de Metz. Depuis deux jours, nous attendons des ordres dans le petit village où le nouvel ordre des choses nous a surpris. L'endroit est un peu encombré de chasseurs alpins (bataillon d'instruction) et le site est médiocrement beau (nous avons quitté la zone des sapins pour celle des

326

grandes côtes nues et froides). Je suis par bonheur tombé sur une cure hospitalière où la cousine du curé (mobilisé) m'héberge et me soigne maternellement. Dans ces conditions, je puis attendre, et j'aimerais, même, avoir quelques jours encore pour me recueillir et faire face aux événements. Pour le moment, évidemment, il n'y a pas encore de projets bien précis à former. Mais il convient de se faire un esprit d'effort « à l'usage du temps de paix ». Je te le redisais avant-hier. Je sens déjà, et je sentirai plus encore, quelque atteinte des sentiments que j'ai anticipés dans les derniers paragraphes de la *Nostalgie du Front*. L'atmosphère sensible va se faire plus pesante et plus banale autour de moi. Il s'agit de dominer cet affadissement extérieur par une vie et une vision intérieures plus intenses que jamais. Cela demande une accommodation nouvelle, une préparation, à laquelle je veux consacrer ces dernières semaines de vie indépendante et isolée. Ne pense pas, toutefois, que malgré quelques petits sacrifices certains que j'aurai à faire pour me replier à la vie commune, j'éprouve de la répugnance pour les travaux qui s'annoncent. De ces quatre ans et demi de retraite je sors, je te l'ai dit, avec une réserve de forces fraîches et d'idéal chrétien précis, que je désire essayer et dépenser. Par ailleurs, je sentais déjà, depuis quelque temps, que la guerre même avait assez duré pour moi, et ne m'apportait plus grand'chose ; il était temps qu'elle finisse, ou que je change de situation. Par-dessus tout cela, il est vain, pour nous, de désirer ou de regretter ce sur quoi nous ne pouvons rien. C'est la volonté de Dieu qui se manifeste une fois de plus ; il n'y a qu'à s'y livrer en toute paix et dilatation. Prie, pour que dans ces premiers moments d'une vie nouvelle qui va bientôt commencer pour moi, je prenne la bonne direction. Et prie encore plus pour que la passion de vivre et de spiritualiser, qui est ma seule force et que tu m'aides tant à réchauffer, ne s'attiédisse jamais. Ce que tu me dis dans ta lettre du 7, touchant l'importance croissante que prend pour toi l'idée de sacrifice, m'a été une grande joie, parce que je pense que tu pénètres ainsi dans le dernier cercle de l'union divine, et que tu y pénètres (comme il le faut) après avoir traversé le cercle des attractions humaines et en avoir nourri ta puissance de don et de détachement. Pour ceux aux yeux de qui Dieu est devenu la Réalité suprême de l'Univers, il ne saurait y avoir logiquement de bonheur plus stable et plus profond que de sentir cette Réalité se substituer douloureusement à leur être, — dans la mesure où cet être a été fidèle à se former et à se développer. C'est un bonheur intime, que personne ne mesure sinon celui qui est l'objet de cette désirable transformation. Je demande de toutes mes forces à Dieu qu'Il se fasse de toi un instrument très pur et très souple de son action. Quand une fois on a commencé à voir les hommes et les événements sous ce jour particulier, — on est effrayé du besoin de pureté dont souffre l'Univers, et presque « hors de soi » du désir de lui en communiquer un peu. Quel foyer d'effort intérieur, n'y a-t-il pas là, — n'est-ce pas ?...

J'ai reçu ta carte de samedi. Une fois de plus, nous avons éprouvé les choses *ensemble*.

Dis-moi ce que tu fais, où en sont tes *Contes* (et les

Véroniques) et les cours sur Platon. Les gnostiques demanderaient à être étudiés non par un critique, ni un philosophe, ni un simple théologien, — mais par un mystique. J'ai peur que tu ne rencontres pas cela.

Très à toi.

PIERRE.

[*Lapoutroie-Hachimette* (*Alsace*)]
17 novembre 1918.

Chère Marg,

J'ai reçu ton petit mot, — si affectueux, — du jour de l'armistice, qui m'a beaucoup touché. Si quelque chose me fait apprécier la vie sauve que Dieu m'a laissée au bout de ces quatre ans, c'est bien (avec l'espoir de travailler pour Lui) la douceur d'une amitié comme la tienne. Je pense très particulièrement à toi, en ces derniers jours de novembre, et je m'efforce d'être un peu meilleur en toutes choses pour toi, — afin que NS. te trouve digne et te prenne en Lui pour jamais. Je suppose qu'un mot de toi me dira si tu choisis définitivement le 21 nov. ou le 8 déc. En toute hypothèse, mes messes (si je puis célébrer) seront pour toi, ces deux jours-là.

Nous sommes toujours sur les grands chemins, et pour longtemps encore, je crains. Finalement, on nous a fait prendre directement la route de l'Est, de sorte que je ne désespère pas d'arriver au Rhin dans une dizaine de jours. Pour le moment, nous sommes encore en

France. Mais demain, sans doute, nous franchirons les cols et commencerons à descendre en terre reconquise. Plus nous montons, plus les forêts deviennent noires et majestueuses, jetées comme des toisons sur des dômes arrondis, extérieurement assez semblables à nos puys. Mais plus, aussi, le temps devient froid et les prairies des vallées paraissent glaciales sous leurs arbres rares et dénudés. Je commence à avoir hâte d'atteindre quelque garnison où je pourrai m'installer, lire et écrire. Songe que depuis que nous nous sommes quittés, le 3 novembre, je n'ai jamais eu plus de 24 heures à rester à la même place ! Et pourtant, je me sens prêt à rédiger quelque chose, — un nouvel aperçu, remanié et mis au point, de mes idées anciennes. — Quant à Schuré, j'en suis toujours à Rama !

Je viens de lire un numéro de *l'Action française* extrêmement pessimiste quant à la menace contenue dans le bloc allemand en voie de se cimenter. Mais le remède ?... Il me semble que toute l'histoire des derniers temps, si elle montre le danger formidable des grandes agglomérations ethniques, enseigne en même temps combien il est impossible d'empêcher la formation de liaisons « naturelles ». Je ne vois pas du tout comment on pourra empêcher par la force, les Germains de s'unir !... Mon seul espoir, — que les sages raillent — est une transformation de l'âme boche. Ce qui est sûr, c'est que l'avenir des siècles va se jouer à Versailles dans un mois, et qu'il faut prier, *avec foi,* la Providence, de diriger nos modernes prophètes. Voilà une belle et large intention offerte à nos désirs et à notre sanctification, — ne penses-tu pas ?

Adieu. Retrouvons-nous in Christo. Très à toi.

PIERRE.

Souvenirs à Mme Parion.

[*Illhäusern*] *18 novembre 1918.*

Chère Marg.

Cette fois je t'écris en pleine terre d'Alsace reconquise. Hier matin, à 8 heures, nous passions le col du Bonhomme, dans un magnifique décor de sapins ; et, ce soir, nous sommes dans la plaine, à quelque vingt-cinq kilomètres du Rhin, au nord de Colmar. Nous nous demandions un peu quel accueil nous serait fait. Dans l'ensemble, il a été touchant et même enthousiaste. Le long de la vallée de Kaisersberg, que nous avons suivie pour arriver à la plaine, les villages étaient entièrement pavoisés (de drapeaux préparés sous les yeux mêmes des Boches avant leur départ), avec arc de triomphe à l'entrée, et, partout, foule endimanchée jetant de la verdure et des fleurs. Dans la première localité importante que nous avons traversée, des Alsaciennes, en robe blanche et coiffe nationale, distribuaient, par seaux, un bon petit vin du Rhin. Ces manifestations nous ont fait regretter de ne pas aller à Colmar aujourd'hui (la faveur a été réservée à la division Messimy... O politique !) ; il paraît que la municipalité avait voté trente mille francs pour faire les choses grandement ; — que le général devait être reçu par un groupe de huit cents Alsaciennes en costume, etc. Tous les gens du pays allaient voir

331

cela comme une fête. Nous autres, nous sommes venus cantonner humblement dans un petit village sur l'Ill, où presque personne ne sait un mot de français, et où les Boches se trouvaient encore hier à midi. La solennité a donc été très réduite ; mais la sympathie pour nous y est quand même. Je pense que nous sommes ici pour quarante-huit heures. Après, je ne sais si nous irons au Rhin, ou si nous remonterons vers Strasbourg. On voit des choses bien curieuses par ici : des Roumains ex-prisonniers, — des Alsaciens soldats-allemands arrivant de Russie ou de Berlin, encore en uniforme, avec une cocarde tricolore sur leur vareuse grise... — Peu de matériel abandonné. A ce point de vue, notre entrée en Alsace par ce point du front, où la guerre dormait, manque de saveur. Cette infériorité est compensée par le charme des paysages. J'ai rarement vu de petite ville plus pittoresque que Kaisersberg, avec son décor de hautes montagnes noires, son burg perché sur un éperon, — son pont massif, — ses ruelles étroites aux maisons antiques, qu'ornent des boiseries sculptées et des armoiries compliquées, — tout cela tapissé de drapeaux tricolores, (absolument comme sur les dessins de Hansi). Vraiment, je comprends aujourd'hui qu'il se soit trouvé des gens pour se vouer à la restitution de l'Alsace à la France. La population a fortement souffert de la guerre, et en était réduite à un pain noir innommable. La boule du soldat, notre riz et notre café, excitent l'enthousiasme général. Evidemment, nous sommes des ravitailleurs, autant que des libérateurs.

Voilà une lettre terriblement « extérieure ». Mais j'ai pensé que tu aimerais à savoir tout cela. — Tu sais que tout ce mouvement ne m'empêche pas, au contraire, de penser à toi, — surtout en ces jours.

Très à toi.

PIERRE.

[*Illhausern*] *20 novembre 1918.*

Chère Marg,

J'ai reçu avant-hier ta longue lettre du 15. N'aie aucune inquiétude : ta grande joie à l'annonce de l'armistice ne m'a pas du tout paru égoïste ; elle m'a seulement beaucoup touché, sûr que j'étais que cette joie ne t'empêchait pas de deviner tout ce que je pouvais sentir, à côté du soulagement d'en avoir fini avec les côtés pénibles de la guerre.

Depuis ma dernière lettre, nous n'avons pas bougé ; mais dès demain, semble-t-il, nous allons repartir. On parle de plus en plus, pour nous, d'un passage à Strasbourg. Ce serait un grand honneur fait à la 38ᵉ division ! — Pour l'instant, je suis installé au mieux chez le curé d'Ilhausern, qui est d'une amabilité et d'une francophilie absolues. Croirais-tu que, dans cette heureuse paroisse, un tiers des hommes (à commencer par le maire et l'adjoint) sont tertiaires de St François ! — Cela ne semble pas les empêcher d'être des citoyens et des cultivateurs avertis. J'ai un lit au presbytère, une vaste salle tapissée et chauffée pour travailler. — Pourvu que je trouve un asile semblable, quand nous serons définitivement constitués en garnison rhénane. — A vrai dire, je ne saurais t'affirmer que telle est bien notre destinée. Sur nos ocupations ultérieures et l'époque de la démobilisation de ma classe, je ne saurais rien te dire de précis. Ce que je voudrais éviter, c'est d'être retiré du régiment *avant* démobilisation pour aller moisir en quelque dépôt. Pour éviter cette catastrophe, il me faudra manœuvrer avec prudence. En attendant, j'ai toujours hâte d'arriver en quelque lieu où nous soyons stables. Hier, au coin du poêle, j'ai encore jeté sur un cahier de nombreuses notes, qui demanderaient maintenant un effort de rédaction. Et puis, je n'ai pas encore commencé sérieusement le discours de mariage [1] ! — Lu aussi du Schuré, qui est évidemment très tonique pour l'esprit ; il fait sentir et penser, dans l'ordre des réalités qui nous intéressent l'un et l'autre. Il est dommage, malheureusement, qu'il soit si fantaisiste, et, en outre, donne si peu de moyens de le contrôler. En le lisant, j'ai pris conscience, une fois de plus, de ce grand danger qui menace les mystiques naturalistes de chercher les mystères (et leur solution) dans le plan même de nos expériences et de notre Univers sensible, et non dans un cercle de l'Univers plus profond que notre Monde. Cette erreur de perspective donne aux plus belles initiations un air enfantin, ou une note d'illuminisme, dont il faut à tout prix les défendre et les libérer. — Le vrai ésotérisme, la vraie Gnose, ne portent aucune atteinte à l'ordre scientifique, et ne nous permettent (malheureusement !) pas de faire s'évanouir devant nos yeux de chair le voile irritant des phénomènes. Le *Mystère, pour*

1. Mariage de Joseph Teilhard de Chardin avec Antoinette Levert

chaque cercle du Monde, est dans *le Cercle suivant :* voilà le principe qui doit défendre le mystique de toute rêverie et de tout ridicule.

Je comprends parfaitement (pour les avoir éprouvées) tes deux impressions de rajeunissement, en te plongeant dans une atmosphère de pensée, — et de « désintérêt », quand il te faut à nouveau enseigner aux enfants la littérature. La première expérience prouve que tu as besoin de nourriture intellectuelle, et qu'il te faut la chercher autant que possible, ainsi que nous l'avons dit, pour être fidèle à Dieu. La deuxième ne doit toujours pas te déconcerter : la Providence peut avoir des raisons de contrecarrer nos goûts. Je me demande si, pour ranimer ton enseignement, tu ne devrais pas, — non point essayer de te forcer et t'illusionner sur l'intérêt des *matières* que tu exposes, — mais te pénétrer, par une réflexion soigneuse, de la grandeur « philosophique » et céleste de la *fonction* de l'enseignement, même rudimentaire. De la sorte, si les choses que tu exposes te laissent froide, tu auras du moins le cœur brûlant pour parler, en songeant à ceci que tu es vouée, ou du moins occupée, à former, pour ta part, l'Esprit, pour la Vie Eternelle ; — il y a bien peu de moyens plus efficaces de collaborer à la plénitude du Christ que de travailler des âmes d'enfants, — y songes-tu ? — Et quand même l'Institut ne réaliserait pas pour toi l'idéal, dans les résultats obtenus et les chances de durée, il reste qu'il aura été un « instant », une « forme », dans la vaste histoire de l'Enseignement chrétien. Comme tu peux te sentir forte et confiante, dans cet encadrement séculaire de ton effort individuel !

Je ne sais toujours pas si le 21 — demain —, est pour

toi le jour choisi [1]. Peut-être aurai-je un mot de toi ce
soir. En tout cas, je ferai comme si. Et cela ne m'empê-
chera pas de t'être plus uni, si possible, en N.S. jusqu'au 8.

Très à toi. Souvenirs à Mme Parion.

PIERRE.

Je dis ma messe pour mon oncle Cirice [2] et pour les
tiens.

[*Wolfisheim-Strasbourg*] *27 novembre 1918.*

Chère Marg,

Je ne sais si tu auras reçu mes cartes d'hier et d'avant-
hier. Jusqu'à demain, nous formons un groupe isolé du
régiment, ce qui nous prive de toute poste régulière.
Aucune lettre depuis samedi. Samedi, je pensais encore
que nous étions à Makenheim pour plusieurs jours. Et
puis voici que dans la journée, on annonce que le régiment va être représenté le 26 à Strasbourg, pour l'entrée
de Pétain (j'étais désigné pour faire partie du groupe,
à titre d'ancien) et qu'on part dimanche matin. Départ
précipité. Chacun laisse ses affaires plus ou moins en
vrac, pensant bien revenir le mardi. Or dès lundi, on
nous annonce que la division se transporte à Strasbourg
et aux environs, c'est-à-dire vient nous rejoindre pédestrement. Me voilà donc, depuis trois jours, coupé de
toutes ressources, espérant que mes affaires me rejoin-

1. Voir lettre du 4 novembre 1918.
2. Père de Marguerite Teillard-Chambon.

dront sans trop de perte, — installé dans un petit village à quatre kilomètres de Strasbourg où il n'y a malheureusement ni curé, ni église régulièrement desservie. C'est le revers de la médaille, — mais qui ne compte pas devant ce que j'ai gagné à venir ici : voir une ville admirable, à un des plus beaux moments de son histoire. Tu te doutes sans peine qu'il est extrêmement ingrat de faire partie d'un défilé militaire. Sans parler de la fatigue physique (qui se néglige), on ne voit des troupes qui défilent qu'un coin infime, toujours le même ; on passe rapidement, sans pouvoir observer ni jouir aux bons endroits ; en ce qui me concerne, je me trouvais en queue du régiment, et celui-ci en queue de la 38ᵉ division, c'est-à-dire que j'arrivais devant une foule aphone à force d'avoir applaudi les grands chefs et les drapeaux. Tout ceci était une somme de circonstances défavorables, auxquelles s'ajoute le fait que nous n'étions pas les premiers soldats à entrer en ville. Malgré tout, l'accueil qu'on nous a fait, sera, pour moi, inoubliable. Il y avait là le cadre extérieur, si prenant, des vieilles maisons pointues et des églises antiques auxquelles nous accédions en traversant les lignes multiples de forts, de redoutes, de fossés qui encerclent dix fois la cité ; — il y avait la haie, infiniment gracieuse, des centaines d'Alsaciennes, en coiffes et jupes multicolores, qui bordaient les trottoirs et se groupaient sur les places ; — il y avait surtout l'afflux et la rencontre si rare de mille puissances spirituelles, — toute l'âme d'un pays qui se retrouvait, pour se joindre à celle d'un autre pays. A côté de ma participation positive et consciente à cet éveil (qui a été suffisante), il me semble que j'ai surtout éprouvé la déficience de ma capacité de sentir... Je n'ai pas assez laissé grandir en moi la passion de la patrie, j'étais trop étranger aux préoccupations de l'Alsace, je n'avais pas assez de liberté extérieure et de recueillement, pour pouvoir pénétrer profondément le courant spirituel que je sentais, pourtant, rouler autour de moi, — sans pouvoir y entrer, y « communier »... — Curieuse impression, que celle de cette présence et de cette extériorité simultanées. N'était la fâcheuse affluence de poilus, respectueux mais bruyants, qui se pressaient devant l'Horloge (pour voir, aux sonneries, circuler les Apôtres), j'aurais été beaucoup plus ému et pénétré. hier, en faisant ma visite personnelle à la cathédrale. Je n'avais pas souvent compris aussi bien quelle puissance spirituelle se concentre dans une église que charge tout un passé de prières, — et se dégage de la beauté des voûtes et des verrières. Par suite de réparations, qui cachent la grand-rosace, et obscurcissent le chœur, il y a bien des taches dans la beauté intérieure de l'église ; mais celles-ci s'oublient vite. Et puis, attenant aux grandes nefs austères, et participant à leur majesté, il y a la chapelle du St Sacrement, — et celle, double, du Sacré-Cœur et d'une « Pietà » (extrêmement ancienne, vêtue de drap d'or et de bijoux, — et malgré ce chamarrage, si expressive), qui sont des joyaux achevés, et chauds, d'art gothique (nervures géométriques et pétaloïdes) et d'imagerie moderne du meilleur allemand. Les cartes que je t'envoie et t'enverrai, te donneront une idée de la finesse des sculptures extérieures de l'église, encore toutes fraîches sur le fin grès rouge des Vosges, — aussi ferme, celui-ci, et combien plus gai, que notre

338

lave d'Auvergne ou la grise pierre de Notre-Dame. Le Seigneur me ménageait en ces lieux une heureuse rencontre. Pendant que je considérais, devant le parvis, une bande de jeunes Strasbourgeois procédant, sans cris, mais méthodiquement, à la fermeture et au dépavoisement d'une brasserie boche, — j'ai aperçu, jouissant du même spectacle, mon vieil ami Decisier, aumônier au 18e chasseurs à pieds, jamais rencontré depuis 1914. Nous nous sommes jetés dans les bras l'un de l'autre, et, deux heures durant, avons laissé couler à torrent nos souvenirs, nos projets et nos idées. Je ne t'ai pas souvent parlé de cet ami-là ; — mais c'est un des plus vivants et des plus précieux, — sentant essentiellement comme moi, mais opérant surtout sur le terrain pratique des groupements sociaux. Je l'ai trouvé enthousiasmé du clergé alsacien, et particulièrement du rôle de l'Eglise à Strasbourg où le grand séminaire est un vrai centre de toute la vie de la cité. Et nous avons déploré l'inorganisation et l'anémie du clergé français. Et nous avons gémi de l' « extrinsécisme » religieux dont souffrent les catholiques. Tout cela avec la forte joie de nous sentir plusieurs, unis, pour aborder une belle tâche.

J'espère que demain on nous mettra dans un cantonnement définitif, où je pourrai m'installer enfin pour un travail suivi, à proximité d'une église. Plus qu'un mois avant le mariage de Joseph ! Je ne suis pas encore bien sûr de pouvoir y aller. En toute hypothèse, il me faut vivement rédiger un discours.

Très à toi in Christo. — Souvenirs à Madame Parion.

PIERRE.

Chère Marg

Nous sommes toujours isolés du régiment, et donc toujours aussi mal desservis postalement. Je t'écris donc sans avoir reçu de nouvelles de toi. J'espère que cet état de choses va finir demain, et que je vais retrouver mes divers papiers. En attendant j'aurais tort de me plaindre de mon séjour à Hönheim, la banlieue de Strasbourg où nous sommes depuis vendredi. Je te disais, dans ma dernière lettre que le curé m'hospitalisait gracieusement. Depuis, il m'a passé aux Sœurs de son école, — d'excellentes Alsaciennes de la congrégation de Ribeauvillé — qui ne savent comment faire pour me gâter. Je vis entre des édredons, des gâteaux, des flacons de kirsch et de vin d'Alsace. Tu sais que ce n'est guère mon genre. Mais enfin, c'est amusant à prendre en passant ; et puis, surtout, c'est très touchant, cette sollicitude si désintéressée. J'espère que NS. récompensera ces bonnes âmes, droites et simples. — Avantage plus sérieux, j'ai un bureau dans une chambre silencieuse, où je suis chez moi. Je serais admirablement pour travailler si nous restions ici ; mais je crois bien que nous allons recommencer à errer, peut-être, cette fois, pour aller à Strasbourg même. Faute de mes notes, je me suis borné à peu près à finir le discours de mariage (sauf le paragraphe pour Antoinette : j'attends toujours la réponse de Joseph) ; et j'ai été plusieurs fois en ville, le reste du temps. Maintenant que les magasins se sont rou-

340

verts, les rues, à la fois pittoresques et modernes de la vieille cité, sont d'une gaieté et d'une animation extraordinaires. Le Boche se terre ; et du reste, il est surveillé. Fidèlement, chaque fois, je fais une longue visite à la Cathédrale, et, sous ses voûtes obscures, je cherche à mettre un peu plus d'ordre dans le monde, — encore bien confus, malgré tout — des aspirations que je sens en moi. Je tâche de les accorder, un peu, avec ce courant si puissant de vie pratique et mystique d'où sont sorties les colonnes, les ogives et les verrières qui m'entourent comme un petit univers. Pourquoi l'élan mystique du Moyen Age s'est-il arrêté court ? Est-ce seulement parce qu'un grand apport d'éléments nouveaux a refroidi un foyer qui ne dépassait guère en étendue, la moitié de l'Europe ? — Ou, est-ce aussi parce que le monde religieux, aperçu par nos pères d'alors, était, par eux, mis sur un plan trop immédiat, qui ne laissait pas à l'univers naturel sa grandeur propre et son développement particulier ?.. Je me demande comment, de nos jours, il faudrait concevoir une cathédrale.

En attendant la venue de Georges [1] et de Poincaré, Hönheim a eu avant-hier sa petite fête, en l'honneur des nouvelles autorités civiles de Strasbourg, qui sont venues visiter la commune. Immédiatement, il s'est formé un cortège, suivant la mode alsacienne, toujours la même là où j'ai passé. En tête, des jeunes gens à cheval, avec écharpes tricolores. Puis trois Alsaciennes en grands atours se donnant la main ; — puis la musique, solennelle et convaincue ; puis les pompiers, en casques

1. Georges Clemenceau.

étincelants ; puis de nouveau trois Alsaciennes ; puis les autorités ; puis les vétérans de 70, le conseil municipal, et une foule de braves gens en tube ; puis un flot bigarré d'Alsaciennes enlacées. Réception par le maire, le curé, les Sœurs, des petites filles en grands nœuds. Tout ce monde-là grave et riant à la fois. La scène était extrêmement naïve et jolie. — Les Français ont beaucoup à apprendre des Alsaciens, assurément.

Donc, tout va bien pour moi. J'espère qu'il en est de même à l'Institut. Pendant cet Avent, je songe que puisque l'Incarnation prend sans cesse pour nous une signification plus réelle, universelle et vivante, il convient que nous tâchions d'éveiller en nous un très grand désir de voir le Christ prendre toute sa plénitude dans le Monde. Nous nous joindrons dans cet esprit, — j'y compte, — devant l'image de M. Denis [1].

Souvenirs à Mme Parion. Très à toi in Christo,

PIERRE.

Strasbourg — 8 déc. 1918.

Chère Marg.,

Je t'écris avant ma messe, que je vais aller dire à 8 h. dans une paroisse voisine, St-Louis. Il me semble que c'est un bon moment pour te parler, en ce jour ; et il me semble aussi que rien ne me préparera mieux à recevoir NS. tout à l'heure que de me remettre avec

1. Le peintre Maurice Denis.

toi dans l'atmosphère où nous voulons être tous les deux en Lui. Tu sais quel est, spécialement en cette fête, mon plus grand désir : que Dieu, par N.Dame, nous donne une telle participation à sa Pureté, et une telle passion pour elle, que nous puissions vraiment servir, pour notre petite part, à régénérer le Monde. Il faut que nous ayons une foi absolue dans la puissance de cette Vertu divine à transformer les âmes et à se propager ; et il faut, également, que le plus grand intérêt de notre vie soit de sentir que nous croissons un peu plus en elle, et que nous la rayonnons.

J'ai bien reçu ta lettre du 29. J'aime, qu'en retour de ton offrande, NS. t'ait donné cet attrait d'un certain isolement et silence intérieur. Tu le sais : plus je sentirai qu'Il te prend pour Lui, et qu'Il t'absorbe, plus je saurai que nous sommes ensemble, — réunis là où l'union croît sans limites, et ne connaît plus de séparation. — Je regrette un peu le surcroît de tes occupations. Tâche à la première occasion de retrouver du temps pour toi, et pour l'alimentation personnelle de ton esprit. En attendant, tu as raison : il faut tout sacrifier au devoir certain par lequel se manifeste Dieu. Quel que soit le goût que nous devions éprouver, et cultiver, pour toute occupation qui est dans le sens de la plénitude sentie de notre nature, il doit y avoir en nous un goût beaucoup plus fondamental : celui de sentir Dieu croître en nous par l'action universelle et dominante de sa Providence. Et je crois vraiment que ce goût peut arriver à tenir lieu de tous les autres, c'est-à-dire à nous faire trouver l'existence passionnément intéressante même parmi un cadre de choses très banales et très ennuyeuses. Même de ces choses-là, la substance est divine.

Nous sommes toujours à Strasbourg, et j'y ai adopté une vie régulière et studieuse, qui me rappelle mon temps de Paris, par certains côtés. Sauf la nuit et les repas, je vais au Gd Séminaire à côté de la cathédrale, où une chambre est à ma disposition. Je rédige *Forma Christi*. Je t'en reparlerai. Aujourd'hui j'irai naturellement aux offices de la cathédrale. Demain, réception de Poincaré.

Adieu. Je te quitte pour aller à St-Louis.

J'aime à te redire combien, dans un instant, je serai uni avec toi, dans mon offrande, et celle de toutes choses, à la Sainteté Divine par Notre Dame.

Très à toi in Xto

PIERRE.

[*Strasbourg*] *10 décembre 1918.*

Chère Marg,

Je t'ai écrit avant-hier. Mais, depuis, j'ai reçu ta longue lettre du 5 ; hier, de plus, ce fut la grande journée de Strasbourg. Pour ces deux causes, il faut que je t'envoie un mot aujourd'hui.

J'accepte, avec joie, que notre intention .commune, cette année, soit celle que tu dis : agir et prier pour que NS., à l'aurore de ce cycle nouveau du monde, descende, de plus en plus vivant, parmi nous. A vrai dire, cette convention ne changera pas beaucoup mon atti-

344

tude intérieure en direction, — mais je sens qu'elle lui donnera de la réalité et de la fermeté : à deux, on est bien plus fort ; et surtout *l'extériorisation* que cette association procure à un état jusqu'alors intérieur, lui confère une consistance toute nouvelle. — Il faut (tu l'entends certainement ainsi) que cette préoccupation de faire régner Dieu sur toutes choses, ne soit pas seulement une intention, un objet plus ou moins extrinsèque de désir, — mais *un mobile habituel* de nos actions (même les plus petites) faites avec toute la perfection possible afin que Dieu habite plus intensément en notre âme, et par celle-ci, en tout le reste. Cette conscience habituelle d'un *immense intérêt concret* derrière nos moindres actes est une source de très grande paix et satisfaction. Elle est de plus une très grande force contre toutes sortes de tentations. En un sens, on ne vainc le Monde qu'en lui opposant le Monde. — Au sujet de ce que tu me dis de la piété thomiste, tu sais combien je suis de ton avis. Il y a là des choses devant lesquelles il me faut recourir à tous les grands motifs de paix pour ne pas m'irriter. L'Eglise, ou, plus exactement, ses administrateurs, n'ont pas actuellement le sens de ce qu'est la vie réelle. Créer, pour ma faible part, en elle, un mouvement progressif me paraît une belle utilisation de la période qui commence !

J'en viens à la réception de Poincaré. Les journaux s'épuiseront sans doute à célébrer l'enthousiasme des Strasbourgeois. Ils auront raison. La fête a été merveilleuse, sans une tache. — Les casernes étant consignées le matin, je suis resté à travailler au Séminaire, de sorte que j'ai manqué le spectacle du cortège officiel (que j'aurais voulu voir pour les ovations de la foule). Mais, l'après-midi, j'ai assisté au défilé « civil », qui était un spectacle extraordinaire. Pendant plus d'une heure et demie, dans les rues noires de monde, et tapissées de drapeaux, sociétés musicales, associations ouvrières, patronages, congrégations d'hommes, députations de communes alsaciennes, chacune avec ses insignes parti- culiers, ses bannières, ses costumes, ont passé sans dis- continuer. En tête de chaque société musicale, le vice- président portait en travers des épaules une énorme corne, à bords argentés, qui sert à la fois de trompe et de verre. Les maires, sanglés de tricolore, parfois le curé ou les sœurs, accompagnaient les gens de leur paroisse. Ceux-ci, pour le plus grand nombre, avaient pris leurs vieux habits régionaux. En plus du grand nœud devenu populaire, les Alsaciennes ont bien d'autres coiffures : tantôt une coiffe dorée, (en casque) entourée d'une ample auréole de broderie empesée, — tantôt un bonnet minuscule sur un petit chignon — tan- tôt un flot de rubans appliqué au coin de la tête, — suivant la localité. De ces Alsaciennes, il y avait des milliers venues en camions des villages les plus écartés ; avec leurs hommes en grands feutres, ou en bonnets de loutre à coiffe de soie verte. Tout ce monde-là passait en colonne profonde, bigarrée de rouge et de vert crus, se tenant par le bras. — tantôt au pas accéléré, — tantôt, avec une spontanéité charmante, sur un rythme de farandole. Parfois, il y avait un arrêt : alors, cette masse ondulante refluait, toujours en dansant, joyeuse et agi- tant les mouchoirs, mais sans aucune faute de goût. Je n'ai jamais rien vu de pareil. Ce qui était impression-

346

nant dans cette fête, et ce qui a ému aux larmes des poilus peu sensibles, c'était la présence, sous cette liesse populaire, d'un sentiment (plus ou moins confus, mais réel) très profond. De longtemps, on ne reverra plus en Alsace de spectacle semblable parce qu'il était *naturel,* nullement combiné et artificiel. On ne commande pas à l'âme d'un peuple (encore bien moins qu'à la sienne propre). Or, hier, c'était toute l'âme d'une province qui était profondément heureuse et gaie. — En ces occasions, pour peu qu'on ait l'attention éveillée à ce sujet, on *palpe* la réalité du monde extra-individuel, de celui qui tend à se former par la réunion des âmes. Les sentiments qu'on éprouve et qui animent la foule unanime sont positivement d'un ordre supérieur à ceux qui s'éprouvent dans la vie privée. Il faut être aveugle pour ne pas voir cette dilatation possible de nos esprits individuels, et les espérances qu'elle ouvre devant nous. Je t'assure qu'hier, devant [dans] cette unanimité, j'ai réellement mieux compris le Ciel, et « langui » de lui. — En même temps, plus clairement que jamais, j'ai aperçu ce qu'il y a *d'irremplaçable* (normalement) pour exciter et former nos cœurs, dans les grandes émotions concrètes et humaines. Il faut que notre religion intègre cela, ou bien elle végétera. — Dernière réflexion que je me suis faite en voyant défiler l'Alsace : ce peuple est étonnamment organisé et discipliné, sous sa spontanéité et sa légèreté toutes françaises. Pourvu que cette qualité nous gagne !... — Pour finir la journée, hier, retraite aux flambeaux. Les gens s'étouffaient dans les grandes rues. Tu m'aurais vu, bras dessus dessous avec un adjudant et un sergent, suivre les torches, parmi une foule de gens enlacés. — C'était très drôle, toute cette exubérance un peu folle, que traversaient, nombreux, les képis à feuilles de chêne et les plastrons ceints de tricolore.

Tu ne m'en voudras pas de ne te parler que de fête, pendant que les soucis ne te manquent pas à l'Institut. Tu sais combien je pense à toi, à cause de cela. — Souvenirs à Mme Parion : pourra-t-elle aller bientôt en Suisse ?

Très à toi in Christo

PIERRE.

As-tu les copies de *l'Union créatrice ?* Garde-les, en tout cas.

Strasbourg — 13 décembre 1918.

Chère Marg

Je t'écris dès aujourd'hui, parce que demain je dois aller à Haguenau (voir la femme d'un de nos capitaines, tué en juillet), et que dimanche, ma matinée sera prise par une grand-messe.

Que te dire, depuis ma lettre d'il y a deux jours ?

D'abord, j'ai fini de rédiger et de transcrire *Forma Christi* [1]. Cela forme une vingtaine de pages, très denses comme idées, qui me semblent en progrès sur ce que j'ai écrit jusqu'ici, (au point de vue de la figure que je me fais de NS. en ce monde). Naturellement, tu seras la première à lire cela. Je t'apporterai le cahier à la

1. Cf., C. Cuénot, *P. Teilhard de Chardin*, bibliographie, 26.

348

fin du mois, si aucun obstacle ne vient m'empêcher d'aller au mariage de Joseph. Je suis d'autant plus heureux d'avoir terminé ce nouvel Essai, que, préparé depuis longtemps, il commençait à perdre pour moi de sa fraîcheur et m'empêchait de penser comme j'aurais voulu à certaines autres choses.

Du coup, j'ai pu me remettre à Schuré, qui m'a fait un immense plaisir, assez complexe : joie de trouver un esprit extrêmement sympathique au mien, — excitation spirituelle en prenant contact avec une âme passionnée pour le Monde, — satisfaction de constater que les questions qui me préoccupent sont bien celles qui ont animé la vie profonde de l'humanité, — plaisir de voir que mes essais de solution conviennent, en somme, parfaitement aux vues des « grands initiés » sans altérer le dogme, et (à cause de l'idée chrétienne intégrée) ont en même temps leur physionomie très particulière et originale. Cette vue nette, de ce qui me convient, et de ce qui est artificiel ou insuffisant au contraire, dans la vision de Schuré, tu comprends sans peine qu'elle est un grand plaisir et encouragement pour moi : elle me fait doublement sentir ma force.

De la lecture de ces pages (que je n'ai pas encore terminées) j'ai conscience, jusqu'ici, d'avoir surtout tiré un accroissement véhément de ma conviction en la nécessité, pour l'Eglise, de présenter le dogme d'une manière plus réelle, plus universelle, — plus « cosmogonique », oserais-je dire. La conscience humaine et la nature du dogme même, l'exigent. J'ai senti croître encore, dans mon esprit, l'importance du problème de la création considérée dans sa phase non actuelle (évolutive), mais première (involutive). Quelle est l'origine du multiple inférieur ? A quel « besoin » correspond cet émiettement fondamental de l'être, chassé de sa source avant d'y revenir ? Tant que ce problème n'est pas vaguement éclairé, il me semble qu'on ne comprend pas le prix des âmes et la valeur de l'Incarnation... A côté de cette question qui a grandi en moi, et s'est précisée, j'ai touché du doigt, en lisant Schuré, l'erreur des faux mysticismes qui, confondant les plans, cherchent le mystère dans le plan des phénomènes, — forçant les réalités extérieures et leur propre imagination, — confondant l'éther, le « milieu astral », et le *vrai* milieu mystique. Je suis presque résolu à écrire quelque chose sur la « *Science mystique* », pour défendre de ces abus, et placer dans sa vraie lumière (entrevue, par Schuré, mais avec de grosses fautes de perspectives) cette science des sciences, qui est aussi le grand Art et le grand Œuvre. A première vue, enfin (car je n'ai pas encore lu à fond ce chapitre) j'ai été surpris de la façon étroite et incomplète dont Schuré a vu le Christ : sur l'Incarnation, sur l'Eucharistie, sur le Corps mystique, merveilleux temple d'ésotérisme, il ne dit rien ! — A qui la faute si notre Religion, dans ses plus vivantes profondeurs, demeure ainsi inconnue à des hommes qui prétendent avoir fait le tour de toutes les révélations religieuses ?

Parallèlement à tant de lumières que je crois vraiment discerner dans les choses, — proportionnément, je dirais, à cette lumière — je me sens parfois dominé par l'impuissance où je me trouve de la faire voir à d'autres, et de la répandre. Où trouver les âmes qui voient ? Comment les faire naître et les grouper, parmi les liens innombrables des conventions et des règlements modernes ?... Aucun de mes meilleurs amis, jusqu'ici, ne me comprend à fond. (Je remercie Dieu de t'avoir !) On a l'air absurde et vaniteux de se poser en incompris. Et pourtant, réellement, (sans le moindre retour vaniteux, me semble-t-il), je crois que je vois quelque chose ; et je voudrais que ce quelque chose fût vu. Tu ne saurais imaginer quelles intensités de désir j'éprouve parfois, au sujet de tout cela, et quelle impuissance ! Ce qui me calme c'est la confiance absolue que, si dans « mon évangile » il y a un vrai rayon de lumière, ce rayon luira, d'une façon ou d'une autre. Au pis aller, il renaîtra, c'est une conviction, dans un autre cœur, — plus riche, j'espère, d'avoir été conservé fidèlement en moi. — La seule attitude sage et chrétienne est évidemment d'attendre en toute fidélité, l'heure de Dieu — si elle doit venir. — Je compte plus que jamais sur l'influence de ta prière pour que je ne manque jamais à la lumière.

Extérieurement, rien de nouveau. Je continue à devenir de plus en plus Strasbourgeois. Période calme et heureuse, en somme. Je t'en souhaite autant.

Adieu. Très à toi en NS.

PIERRE.

Strasbourg 1919 — 1er janvier.

Chère Marg,

En nous quittant, avant-hier, à Saint-Germain-des-Prés, nous n'avons oublié qu'une chose, c'est de nous souhaiter une bonne année. Ce souhait, je te l'envoie, en ce moment, du fond le plus intime de mon cœur, et je le charge de toute la plénitude de désir, d'ambitions et de prières dont je suis capable. Je voudrais tellement te sentir croître de plus en plus au sein de l'Unique Nécessaire, pour y trouver l'inextinguible paix !... Malgré les oscillations inévitables par où tu passes, je crois que tu avances dans cette bienheureuse direction. Que NS. illumine pour toi tous les gros nuages qui semblent se lever un peu partout sur ton horizon ! et qu'après avoir fixé, cette année, l'intérieur de ta vie, Il permette, maintenant, qu'un peu d'unité déborde sur la matière apparente de ton existence ! — Voilà ce que je lui ai demandé ce matin à ma messe, en le priant de sanctifier et d'utiliser, plus que jamais, notre amitié.

Je suis arrivé hier, à treize heures, à Strasbourg, par un joli temps clair. Grâce au jour, j'ai pu admirer la descente sur le Rhin, par Saverne, qui est fort pittoresque : aux plateaux marécageux et désolés de Sarrebourg succèdent brusquement des vallées profondes, creusées entre des murailles tabulaires de grès rouge, largement boisées, par lesquelles on accède doucement à la plaine alsacienne. En descendant du train, j'ai rencontré Beaugeard, lequel arrivait aussi de Paris, mais poussait jusqu'à Mulhouse. J'ai eu le temps de faire avec lui un tour en ville et de lui montrer la cathédrale. Il pense être démobilisé avant un mois (son régiment va au Maroc). Une fois de plus nous nous sommes juré fidélité pour l'après-guerre. Croirais-tu qu'il est grand ami du Supérieur actuel de Stanislas, un Breton comme lui ? Voilà encore de nouvelles « possibilités » qui apparaissent.

Pour finir la journée, j'ai rejoint Emm. de Margerie au *Terminus*, où nous avons assez longuement causé, avec grand plaisir réciproque, je crois. Nous avons parlé de tout, de la Science, de l'Alsace, de l'Eglise, de Rome... Il a lui-même abordé la question de l'Institut catholique et m'a promis d'aller voir Mgr Baudrillart dès son retour. Je ne lui ai pas caché que si la place avait quelque intérêt pour moi, c'était surtout comme « plateforme » d'action intellectuelle ; — et il en a paru très content. Je pense que nous nous reverrons, d'ici la fin de la semaine.

Tout ce que je te raconte te montre que le 4ᵉ mixte est encore à Strasbourg. Il semble que nous en ayons encore pour une semaine à rester ici. En attendant, j'ai repris ma vie au Grand Séminaire, qui sera peut-être un peu gênée, à partir de demain, par la rentrée des élèves.

Je n'ai pas voulu déflorer Wells en le lisant en wagon. Mais ce matin, rien qu'en le feuilletant, je suis tombé sur des phrases comme celles-ci : « Notre existence individuelle n'est pas aussi entièrement isolée qu'il semblerait au premier abord ; cette idée de l'individualité entièrement distincte est une des illusions les plus ancrées dans l'esprit humain » (en italiques). — « Entre vous et moi il y a quelque chose de réel, quelque chose qui surgit en nous, et qui n'est ni vous ni moi, qui est plus vaste que nous, qui pense en nous, et nous emploie, vous et moi, en nous opposant... » « Je crois que le fait de la solidarité humaine ne nous apparaît que très lentement ; et que nous, qui en avons pris conscience, devons chercher à faire pénétrer cette idée dans l'esprit de la collectivité... » « Je me vois faisant partie d'un grand être physique qui s'efforce vers plus de beauté, et qui l'atteindra, je crois.. » Wells reconnaît que toute cette conception est sous-jacente à ses romans, et s'est développée en eux (j'avoue l'avoir parfaitement reconnue et sentie depuis longtemps, chez lui, comme chez Kipling et Benson)... C'est extrêmement curieux, n'est-ce pas ?

Toutes ces coïncidences, et la vogue de cet évangile nouveau (et bien ancien), et la faiblesse de la partie constructive, me sont des traits de lumière éblouissants, et aussi des chocs douloureux. C'est cela, et bien mieux que cela (et c'est *cela* qu'il *faut* dire au Monde actuel, pour qu'il soit sauvé !) que je voudrais dire. Quelqu'un m'entendra-t-il jamais ?

Adieu. Dis-moi bien tout ce qui advient de tes diverses préoccupations : Robert, Mme Parion, la question de l'héritage, etc. — et que NS. soit ta joie solide et universelle.

Très à toi en Lui.

PIERRE.

5 janvier 1919 — Strasbourg.

Chère Marg.,

J'ai bien reçu, avant-hier, ton petit mot du 31, les images (qui sont très bien) et le Psautier (dont j'ai commencé à me servir). Tu n'as pas à regretter l'ombre de tristesse qui a été sur toi durant les jours où nous nous sommes vus. D'abord, j'aime, par-dessus tout, à te voir comme tu es réellement. Et puis, ces restrictions, que la Providence impose souvent à nos meilleures joies, sont le plus efficace moyen employé par Dieu, pour nous rappeler, et intensifier en nous, sa Présence. Il faut toujours en revenir là : jamais la vie de NS. ne triomphe plus en nous que lorsque nous sommes diminués [nous nous sentons diminués] en Lui. N'oublie pas de me tenir au courant de ce qu'il advient de tes divers soucis, — n'est-ce pas ?

Depuis ma dernière lettre, tu dois savoir que j'ai été passer une journée à Colmar, avec cet excellent Emm. de Margerie. J'ai été franchement heureux de passer ces heures avec lui. Le seul dommage a été que Colmar, malgré ses charmes de vieille ville alsacienne, soit aussi pauvre en ressources et vues géologiques. C'est tout juste si, au dernier moment, en montant sur une passerelle, nous avons pu découvrir le panorama de l'Est : le massif volcanique du Kaiserstul, surgissant au milieu de la plaine, à droite du Rhin, — la forêt Noire — et, tout ou loin, l'Oberland suisse se détachant sur le ciel clair comme une gigantesque scie ébréchée. L'érudition d'Emmanuel de M. est vraiment prodigieuse, et presque fatigante, tellement on se sent au-dessous d'elle sur les questions alsaciennes. J'ai trouvé notre ami parfaitement résolu à soutenir le régionalisme dans le domaine des institutions scientifiques. Par exemple, sur les chances de progrès ouvertes à l'espèce humaine, il m'a paru terriblement sceptique. Mais alors, je ne vois pas du tout ce qui peut entretenir en lui le goût de la recherche, et une certaine flamme de patriotisme. — Raison de plus pour que nous nous intéressions à lui, toi et moi. — Quand nous nous sommes quittés, il m'a répété qu'il irait voir promptement Mgr Baudrillart. —

Sur le succès de cette démarche, je ne sais vraiment ce que je pense et je désire, dans le fond. Je vois qu'il faut la tenter, et que sa réussite aurait de grands avantages. Mais, si elle échoue, je ne regretterai qu'à demi. J'ai confiance que NS. me mène. — Ce qui me paraît de plus en plus évident, c'est que je ne saurais porter l'Evangile qu' « à ceux qui cherchent », et qu'en leur prêchant de « chercher encore davantage ». Cela, je le dirai formellement à mes supérieurs et à ceux qui ont quelque influence sur le cours extérieur de ma destinée. — Je rassemble, en ce moment, sous la rubrique « Note pour servir à l'Evangélisation des temps nouveaux » les vues exprimées, çà et là, dans mes divers Essais : cela formera un petit plan d'apostolat, ou, si tu préfères, un manifeste, que je communiquerai à mes amis, dans le but d'amorcer un mouvement, et de faire naître des projets d'institutions pratiques.

Heureux temps de la guerre, en somme, où je vivais et pensais comme si j'étais seul ! — Je vois arriver avec quelque appréhension le moment des heurts, des frottements, des déceptions... Mais c'est la loi de tout effort, n'est-ce pas ? — Il faut se mesurer avec l'inertie, ou pire encore, pour créer quoi que ce soit. Ce m'est plus que jamais précieux de te sentir proche de Dieu et avec moi.

J'ai feuilleté Wells, encore. Le livre est souvent assez déplaisant par l'ignorance complète du catholicisme qu'il trahit. L'auteur nous fait dire des absurdités, et n'a rien compris de la vraie vie chrétienne intérieure. Il reste que ses accusations sont instructives, en nous montrant quelles apparences nous pouvons avoir (un peu par notre faute) pour les gens du dehors. — Ce qui est vraiment intéressant, dans l'ouvrage, c'est le développement, chez Wells, d'une véritable mystique de l'Effort humain, dont il explique que ses romans marquent les phases. C'est un auteur qui n'a rien d'un dilettante, mais qui cherche la vérité par toute sa vie. — Avons-nous un seul romancier comme cela, en France ? —

Adieu. — Tu sais combien je suis à toi in Christo.

PIERRE.

8 janvier 1919, Strasbourg.

Chère Marg,

Je me suis laissé mettre un peu en retard avec toi à cause de la rédaction de mon petit « manifeste [1] », qui est aujourd'hui presque fini. Il y a par-ci par-là des paroles un peu vives ; mais je crois n'être jamais sorti d'une absolue sincérité, ni d'un amour dominant de l'Eglise qui seule nous garantit la joie de posséder N.S. Mon but est avant tout de me faire comprendre, par des amis : j'ai donc surtout cherché à être franc et clair. Je pense envoyer d'abord la chose au P. Léonce, avec une lettre explicative. J'ai confiance en lui pour me guider, me suggérer des méthodes pratiques (s'il y a lieu) et aussi influencer opportunément les décisions de mes supérieurs. Prie toujours un peu, n'est-ce pas ? — J'aime

1. Il s'agit de la *Note pour servir à l'Evangélisation des temps nouveaux*, écrite le jour de l'Epiphanie à Strasbourg.

particulièrement cette période de l'Epiphanie. Est-ce que notre bonheur n'est pas d'assister à une révélation de NS. en toutes choses, et notre rêve de propager cette vision ? Je prie spécialement pour toi, à ma messe, afin que nous soyons toujours plus ensemble dans cette lumière et dans ce zèle...

Je songe que tu es maintenant seule, aux prises avec les ennuis immédiats et les sombres perspectives d'un pénible trimestre... Je voudrais tant t'aider un peu, et te faire voir combien ta tâche monotone et astreignante est divine, dans le fond. Je n'ai rien reçu de toi depuis le 31 ; cela ne m'étonne pas, à raison de tes occupations et des irrégularités de la poste ; mais je voudrais savoir ce qui advient de Robert, de Mme Parion et du reste. Tiens-moi au courant, n'est-ce pas ? — Ici, rien de nouveau depuis trois jours J'ai découvert à Strasbourg l'excellent Cottreau, pilier du laboratoire du Muséum, fanatique des oursins, actuellement sous-lieutenant de territoriale. Nous allons demain nous rajeunir en visitant les collections de l'Université.

Adieu. Je suis bien court, cette fois-ci. Mais tu sais combien je pense à toi, in Christo.

Pierre.

Strasbourg, 11 janvier 1919.

Chère Marg.,

Je viens de recevoir ta longue lettre du 9 (après ton petit mot du 5) qui me confirme, touchant Robert, des inquiétudes trop faciles à avoir depuis trois mois. Que te dire, que tu ne saches déjà, sur la part vraiment fraternelle que je prends à ta peine, et sur les désirs que je forme pour toi ? Naturellement, je prie beaucoup pour la santé qui t'est chère. Et puis, du même cœur, je demande à NS. de réaliser, beaucoup, le mystère que tu entrevois dans les ombres qui t'enveloppent actuellement. En même temps que tu ne négliges rien pour travailler à une guérison qu'il faut croire possible, laisse-toi aller à la puissance de Celui qui emploie, pour t'avoir à Lui, l'influence d'une épreuve douloureuse et *banale,* comme Il en a déjà tant permis dans ta vie. Malgré l'importance fondamentale, primordiale que je suis toujours porté à donner à l'effort et au développement humain, je reconnais que l'âme ne commence à connaître Dieu que lorsqu'il lui faut *réellement* diminuer en Lui. Abandonne-toi à Notre-Seigneur, et laisse-toi porter sur Lui, n'est-ce pas ? Sous ce qui paraît vide ou menaçant, tu trouveras une solidité à l'épreuve de toutes les fluctuations et les désolations de l'existence conventionnelle, — tu atteindras l'unique Réalité, qui tient lieu de tout le reste.

Je suis content que tu aies causé aussi hardiment avec M. V.[1] C'est cela que j'attends de toi, en beaucoup de choses. — En ce qui concerne ma *Note sur l'Apostolat*[2], je l'ai envoyée hier au P. de Gdm[3], avec une lettre fort franche. (Tu ne m'en veux pas de ne t'en avoir pas réservé la primeur, n'est-ce pas ? Cela ne t'au-

1. M. Verdier.
2. Cf., lettre du 5 janvier.
3. R. P. Léonce de Grandmaison.

rait pas appris grand'chose de nouveau, du reste, je te montrerai la chose.) Peut-être aurais-tu trouvé la manifestation de ce que je pense, trop explicite, dans la dite Note. Mais je crois qu'il valait mieux être franc dans un exposé qui représente, en somme, une ouverture de conscience. Avant de l'envoyer à d'autres, j'attendrai l'appréciation du Père Léonce.

Je continue à lire Wells, avec intérêt. Toute une partie de l'ouvrage est une critique sincère, mais très acerbe, du Dieu Chrétien, critique capable d'influencer très fâcheusement un esprit peu trempé. Je t'ai dit déjà que Wells (qui ne connaît le Christianisme que par le Protestantisme) nous juge à tort et à travers. Mais jusque dans ces excès il est instructif en nous apprenant quelle figure nous faisons à ceux du dehors, et quelles sont, actuellement, les « fautes contre le Monde ou l'Humanité » qui ne se pardonnent pas à une Religion. — Ces « impiétés » mises à part (elles sont franchement désagréables et spécieuses — parce que nous leur donnons hélas ! certaines apparences de vérité), la Religion de Wells est très noble, et prône des vertus de labeur et de renoncement tout à fait belles et conformes à mon idéal. — Il est curieux de constater combien la Trinité, dogme si fondamental pour Schuré, est pour Wells une bête noire, encore qu'au fond Wells et Schuré soient « du même esprit ». Ce paradoxe s'explique par l'agnosticisme radical que Wells professe pour le Créateur de *l'Univers entier* : Wells refuse de prendre au sérieux aucune Cosmogonie, mais se cantonne dans le devenir de l'*Humanité*. Sa religion, en somme, est une Anthropogonie. Mais, à l'intérieur de cette sphère réduite (assez

arbitrairement, il me semble) il a absolument les sentiments d'un panthéiste, — avec cette différence capitale
que, suivant lui le Dieu en qui nous luttons et nous
nous absorbons pour qu'il réussisse est un Etre personnel, distinct de nous. — Wells dit que l'on pourrait à
peu près partout mettre « Jésus-Christ » à la place de
son « Dieu fini » (avec cette différence qu'il ne saurait
dire si le Dieu fini est soumis ou révolté par rapport à
l'Etre-voilé Créateur du Monde...) : il ne se doute pas
combien c'est encore plus vrai qu'il ne le pense. — De
l'existence de son Dieu, Wells n'apporte pas d'autre
preuve que les expériences religieuses de « la conversion » et d' « un sentiment de présence », et le fait d'un
« consensus » s'établissant universellement dans les
âmes touchant quelque Dieu semblable au sien. Autrement dit, il recourt à l'intuition. Ne sommes-nous pas
forcés de faire un peu la même chose pour *la foi ?*..

Je t'enverrai, quand j'aurai fini le livre, le volume, et
quelques comparaisons entre Wells et Benson. Dans
l'ensemble cette lecture m'a encore confirmé dans ce que
je propose touchant « les besoins religieux des temps
nouveaux ». — Je suis étonné, souvent, de l'à-propos
avec lequel les livres « qu'il faut » me tombent opportunément, au bon moment, entre les mains. Et j'aime à
observer que ces attentions de la Providence me viennent par toi.

Bonnes nouvelles de Sarcenat [...]

Rien de nouveau en ce qui me concerne.

Très à toi in Christo

PIERRE.

Chère Marg,

Je t'envoie, par le même courrier, ce si bon et si mauvais livre de *Dieu, le Roi invisible* [1]. Jusqu'au bout, malgré les « impiétés » qui y sont semées, j'y ai trouvé une étrange parenté avec mes propres aspirations. N'est-ce pas une situation bien bizarre que la mienne, de compter (et d'être) parmi les orthodoxes, et de sentir avec les hétérodoxes ? J'espère que ce dualisme est permis par NS pour que je puisse plus facilement faire le lien entre ceux-ci et ceux-là. Mais évidemment ce n'est pas une situation de tout repos intérieur.

Tu m'as demandé de t'esquisser un parallèle entre Benson et Wells. Voici comment je comparerais les deux :

1°) Tels que je les comprends (tels que je les sens) tous deux ont la vision fondamentale de quelque Divin immédiat et universel. Là s'alimente leur passion profonde. Tous deux, sans doute ont eu, à quelque moment, la « révélation » naturelle (longuement décrite par W. James dans son *Expérience Religieuse*) d'une Omni-Présence dans le Monde (Wells p. 146, — Benson : *La Robe verte*, et dans *None other Gods* : la « scène » du matin)...

2°) tous deux, par suite, cherchent à transfigurer (intellectuellement dans leur perception des choses — et

1. De Wells.

activement, par leur travail) la face de l'Univers, par une activité inlassable. Pour Wells, tout l'effort est placé dans l'intention humaine. Pour Benson, une Providence meut, intègre (sans les rompre) les déterminismes (*None other Gods*), ou bien l'âme est une ouvrière toujours active, et capable d'influencer l'Univers (*La Chapelle du couvent* ; — l'âme absorbée parce que « busy inside » (*None other Gods*) = pour tous les deux, la joie humaine par excellence (tout à fait « suivant W. James ») est d'*opérer* (*operari*) le Monde.

3°) à partir de ces dispositions communes, profondes, les deux se séparent complètement.

a) Wells se cantonne résolument dans l'Humanité. Son Idéal, son Dieu, est placé dans le *succès humain* final, — terme très vague, du reste, — certainement *sur-humain* dans la pensée de l'auteur, — qui exclut, en tout cas, tout égoïsme, tout moindre-effort.

Dans la poursuite de cet Idéal, Wells manifeste des préférences tout à fait individuelles, qu'un autre homme (même partageant ses idées) pourrait contester. Wells (quoique très passionné) est préoccupé exclusivement d'activité *extérieure,* et n'est *en rien* sentimental. Comme W. James du reste (très dur pour St. Louis de Gonzague, par exemple), il ne comprend pas que le recueillement intérieur, une certaine ascèse, soient des forces incomparables, même pour un développement humain naturel. Il y a là une lacune anglo-saxonne. La religion de Wells est trop uniquement un « business sacré ».

b) Benson, tout à fait à l'opposé, voit l'Univers nouveau sortir *des ruines* de l'ancien. *Christ in the Church,*

None other Gods, Lord of the World, sont typiques, à ce point de vue. Le Royaume de Dieu s'obtient *par l'insuccès humain.*

— La divergence avec Wells s'augmente encore du fait du caractère *individuel* de Benson, qui est notoirement *sentimental* dans sa mystique.

— *The Lord of the World* permet de faire curieusement la comparaison des deux auteurs. Le règne de Felsenburg est assez voisin du royaume divin espéré par Wells (sauf, évidemment, que la réalisation est encore beaucoup trop humaine, et qu'une part un peu trop forte est faite au culte, — voir Wells p. 317). Wells entrevoit bien le règne de Dieu sous la figure d'un Etat (chap. VII, paragr. 5), tel que le réalise Felsenburg. Benson rejette tout cela, et cependant il dépeint beaucoup trop bien, à mon avis, l'enthousiasme humanitaire du Monde pour ne pas en avoir subi « la tentation », c'est-à-dire pour ne pas partager la tendance fondamentale de Wells, ainsi que je disais en commençant. Il me semble que dans plusieurs passages de *Lord of the World,* Benson s'est trahi.

Personnellement, je pense que la vérité est entre Wells et Benson, c'est-à-dire qu'on peut concevoir le Règne de Dieu traversant le Royaume humain, le dépassant, l'intégrant, *sans le ruiner...*

Kipling me paraît être une troisième « harmonique » de la même note fondamentale, de même que Wells, par ses divers romans, est le citoyen scientifique de l'univers physique et biologique, — Kipling est le citoyen anglais de la terre habitée et vivante. Sans manifester encore dans ses livres aucune philosophie ni théologie arrêtées, il *sent* pratiquement, *avec toute la terre :* ses écrits font vivre avec les animaux, parler les bateaux et les locomotives, sympathiser avec l'âme orientale, entrevoir une existence théosophique, voyager dans toutes les contrées de la terre. — Il a une manière de parler du désert et de la joie d'y être seul et libre, qui ne trompe pas. — Pratiquement, son attitude morale est celle de Wells : il a la religion de l'Effort humain.

Benson, Kipling et Wells, en résumé, m'apparaissent comme trois formes différentes d'un même sentiment profond de l'Univers [d'une même conscience profonde de l'immersion humaine dans l'Univers] [et de l'action humaine possible sur l'Univers] (dans *La Lumière qui s'éteint* de Kipling (roman d'un artiste qui perd tout, et la vue) on pourrait chercher un pendant à *None other Gods :* le héros de Kipling, dans sa ruine complète, se fait tuer, seul sur son chameau, en plein désert. Il y a là une sorte d'abandon stoïque et grandiose à la Destinée, qui n'est pas si différent qu'on pourrait le penser de la finale du roman de Benson.)

J'ai commencé hier, à aller travailler au Service des Mines de Strasbourg. Comme je retrouve là-bas des livres pareils à ceux du Muséum, l'illusion est complète. Seulement, tu n'es pas à Strasbourg !...

Tout va bien du reste. Je pense toujours fort à toi, surtout en NS. Ecris-moi, — surtout tes soucis.

PIERRE.

P.-S. — Pour en finir avec le livre de Wells, il me semble qu'on ne peut imaginer un appel plus touchant vers quelque *immédiatité* divine.

Ci-joint une photo de costumes alsaciens que tu ne connais sans doute pas.

Chère Marg,

Tu dois me trouver un peu silencieux. Cependant, j'ai bien reçu ton dernier petit mot, où tu me parles de tes divers ennuis. Je prie pour que les ombres qui passent sur ton âme se dissipent bientôt, et te laissent apercevoir plus lumineuse que jamais, en toutes choses, la lumière de NS, — de qui tu te rapproches, portée par les ondulations monotones du travail quotidien.

Je suis heureux que nous puissions causer bientôt. Je compte être à Paris le 6 ou le 7, pour un jour ou deux. — Rien de nouveau pour mes affaires. J'ai écrit à M. d'Alès, pour qu'il tâche d'avoir quelques « tuyaux », qu'il me communiquerait à mon passage. Au fond, je suis très calme touchant le résultat de la démarche que je poursuis autant par raison que par goût.

Malgré qu'un des bataillons du 4e mixte ait passé le Rhin, je pense que le gros du régiment est demeuré à Strasbourg, et que c'est là que je passerai mes quinze derniers jours à l'armée. Je serai démobilisé le 27 février, probablement

Ici, mon existence demeure la même : coin du feu chez Guiguite, quand je ne suis pas à Clermont. Je n'ai pas beaucoup de temps de penser à bien des choses qui se présentent à mon esprit ; mais les conversations que

j'ai, notamment avec le P. Treuvey[1] (que j'estime **fort,**
et qui m'aime beaucoup, — mais avec qui nous avons
dû convenir hier que nous ne pensions absolument pas
de la même façon !) me forcent à préciser en moi de
nombreux points, et me suggèrent quantité de questions
à étudier par écrit... Ce qui me donne le plus de calme,
en ces conjonctures, c'est que les points un peu hasardeux ou systématiques de ma « doctrine » ne sont pour
moi, en somme, que des points secondaires. C'est beaucoup moins des idées qu'*un esprit* que je voudrais
répandre ; et un *esprit* peut animer presque toutes les
formes.

[...]

Adieu. Je prierai beaucoup pour toi demain. Que ND
t'aide à porter courageusement comme elle un cœur
plein de soucis.

Merci à Mme Parion pour son petit mot de Guétary.

Très à toi en NS.

PIERRE.

[Goldscheuer] 12 février 1919.

Chère Marg

Après un excellent et confortable voyage, j'ai retrouvé
le régiment de l'autre côté du Rhin. Adieu la vie cita-
dine. Je cantonne à huit kilomètres au sud-est de Kehl,
en plein pays Badois, et je n'en suis pas autrement fâché.

1. Le R. P. Treuvey, Jésuite.

Sur la recommandation d'un curé (pas fanatique du tout) j'ai trouvé un logement chez deux bons vieux paysans pieux, qui sont pour moi d'un dévouement complet ; — la religion s'ajoutant chez eux à une certaine obséquiosité, comme à tous les gens d'ici. Pays absolument plat, bourré de lièvres et de faisans, dont nous prélevons la dîme. La Forêt Noire n'est qu'à une vingtaine de kilomètres, mais jusqu'ici une légère brume l'a cachée. Le village est formé de petites maisons régulières et proprettes, encloses chacune d'un jardin rempli d'arbres fruitiers. Hier soir, au clair de lune, sous la neige, les lumières brillant aux fenêtres, je croyais voir une grande image allemande de Noël. Me voilà coupé de Strasbourg, et de son Université. Je ne le regrette pas. Ces vingt derniers jours de régiment me seront plus doux et plus utiles, je crois, passés dans le calme des champs. C'est avec un vrai plaisir, un peu mélancolique, que j'ai retrouvé ce vieux 4ᵉ mixte. Evidemment, cette vie ne pouvait pas durer... Mais il reste que la guerre m'avait créé, au régiment, un groupe d'humbles et franches amitiés, dans une atmosphère d'absolu désintéressement et de grand dévouement, comme je n'en retrouverai sans doute pas. Et puis il y a la vie d'aventures et d'insouciance qui va se clore le mois prochain. J'ai bien le droit de la regretter un peu. La 13ᵉ région démobilisant presque en fin d'échelon, je ne partirai pas avant le 5 mars ; — c'est un écart de sept jours seulement sur mes prévisions. D'ici là je compte écrire un peu, comme je t'ai dit. En même temps que cette lettre à toi, j'en envoie une à Lyon, où j'expose mon plan d'études pour les mois qui viennent.

J'aurai sans doute une réponse avant la fin du mois.

Et maintenant, je n'ai pas à te redire, n'est-ce pas, combien j'ai joui des jours que nous venons de passer ensemble, et combien je compte que, sous une forme ou sous une autre, notre amitié nécessaire continuera à nous soutenir et à se développer. C'est vrai : tu m'as été donnée pour la guerre. Mais ce que nous avons acquis ensemble durant ces cinq ans doit nous servir. Et puis, qu'est-ce qui séparerait ce que l'amour de Notre-Seigneur unit ? Je te l'ai dit : j'aurai sans doute beaucoup besoin de toi, pour te confier ce que je sens et ce que je fais. A mesure que le temps des réalisations approche, on voit les difficultés grandir et les espérances se réduire à de plus petites proportions. Ce n'est pas le moment de nous aider moins.

Je prie pour que les ombres qui sont autour de toi et en toi, — surtout ces dernières —, s'évanouissent bientôt. Que jamais ces phases d'obscurité ne te déconcertent. Maintenant que tu connais la direction, avance imperturbablement. La lumière reparaîtra plus proche. Et puis, comme nous disions encore, aime beaucoup Celui qui, pour les yeux de la Foi, anime tout le réseau des événements extérieurs et des expériences intérieures. Y a-t-il une façon meilleure de comprendre et d'éprouver l'intimité divine que de savoir Notre-Seigneur au cœur de tout ce qui nous meut ? Sois extrêmement confiante, et que toute réflexion ou tout examen finisse, pour toi, sur une impression de complet abandon à la conduite infaillible et aimante de Dieu. Renonce, pour cela, à toute impression, ou même à toute pseudo-évidence personnelle.

J'espère que cette lettre ne mettra pas trop longtemps à t'arriver. Dis bien à Madame Parion toute ma bonne amitié. A bientôt une lettre.

PIERRE.

Goldscheuer, samedi 15 février 1919.

Chère Marg

Je t'écris au retour d'une randonnée à travers les pâturages marécageux qui bordent le Rhin. Lièvres, faisans et canards y fourmillent, et j'ai assisté à plusieurs coups réussis, et à plus encore de manqués. Le garde-manger de la popote est bien garni. Ce soir, la brume d'hiver étant partie avec le dégel, on voyait admirablement la Forêt Noire, qui, pour un Français, a encore plus de prestige et de poésie que les Vosges. Au loin, entre des peupliers, on pouvait distinguer les hautes flèches de Strasbourg, où décidément j'ai laissé accrochés de bien bons souvenirs.

Tu vois que la vie campagnarde m'a remis aux promenades et au grand air. Je travaille quand même un peu, surtout le matin. Je ne me suis pas encore mis à l'Essai que tu crois ; — mais je fixe en quelques pages certaines idées qui me sont venues, la semaine dernière, en discutant avec les de Margerie. Je cherche à préciser ce *qui nous reste* de l'Effort de la guerre, parmi les déceptions de la paix, — et je cherche à montrer que c'est la conscience que nous avons prise, un instant, de la force spirituelle incluse dans l'union. J'intitule cela « Terre

370

promise ». J'avais songé, d'abord, à rédiger cela pour le Père de Grdmaison[1] ; — et puis, en voyant où la logique me mène, je crois bien que le manuscrit ira rejoindre *la Grande Monade*[2]. Au moins, j'aurai éclairci une idée de plus.

Ta petite lettre du 12 m'a fait beaucoup plaisir, comme tu penses. Le lendemain du jour où je t'ai écrit, il m'est arrivé un mot de Monsieur Chauvin[3], répondant à ma première lettre (écrite de Clermont). Il ne voit aucune objection en principe à ce que j'aille à l'Institut Catholique, et reconnais même que ce serait le mieux pour moi. Mais l'intéressant sera son appréciation du projet de doctorat. Plus j'y pense, plus je crois que l'Institut Catholique m'échappera. Cette perspective me laisse du reste parfaitement calme. Je me sens absolument décidé à émigrer de plus en plus logiquement, dans le « milieu mystique »...

Pour cette raison, et d'autres encore, je contemple assez froidement les péripéties du nouvel armistice. C'est presque dommage que ma démobilisation approche si vite ! J'aurais eu des chances d'aller voir un peu plus d'Allemagne.

Adieu. Excuse-moi d'être un peu court. C'est la faute de la chasse de ce soir. Amitiés à Madame Parion et très à toi toujours, in Christo.

PIERRE.

1. Le Révérend Père Léonce de Grandmaison.
2. *La Grande Monade* écrite le 15 janvier 1918 à Vertus. Cf., Claude Cuénot : *Pierre Teilhard de Chardin* (Plon).
3. R. P. Chauvin, provincial de Lyon à partir de septembre 1918.

Chère Marg.,

Je viens de recevoir ta bonne lettre du 15. Merci de tout ce que tu m'y dis. Ton amitié me sera toujours aussi précieuse, va. Rien de très nouveau dans mon existence. Je vis toujours dans mon calme village, où je partage mes journées entre l'écriture et quelques promenades ; depuis quelques jours, j'ai délaissé le Rhin pour aller vers l'Est, dans divers villages où cantonnent nos bataillons. J'ai ainsi abordé la zone neutre, que rien ne différencie évidemment du paysage général, sauf une attraction particulière qu'on sent naturellement à aller s'y promener. Une dernière guérite marque le point où s'arrête l'occupation. Il paraît que même au-delà les autochtones ne manquent pas de prévenances à notre égard. J'ai eu l'agrément de faire ces dernières courses par un temps extrêmement clair, quoique pluvieux, ce qui m'a permis de jouir d'une vue admirable. Sur un ciel lavé, la Forêt Noire se détachait comme du velours violet. On distinguait tous les sommets, tous les plans, parfois même tout le contour des forêts ; et la crête montagneuse se prolongeait ainsi à perte de vue dans le sud. J'ai idée que d'ici un mois j'aurai un souvenir attendri pour mon existence et ma liberté de maintenant...

Sache que j'ai terminé *Terre Promise*, et que je l'ai même envoyée au Père de Grdmaison (non sans quelque hésitation) moins pour une publication — sur laquelle je ne me fais pas d'illusion — que pour avoir son avis et lui marquer ce qu'il y a de définitif dans mon orientation. J'ai déjà commencé et fortement entamé *l'Elément universel*. Pour cette dernière étude, tu sais que mes idées étaient absolument prêtes. La dite étude ne sera pas longue, — mais claire et substantielle. Je crois que ce sera l'exposé le plus central que j'aie encore fait de mes idées. Je pourrai donc m'en servir avantageusement pour faire connaître et critiquer ma position, d'une manière *privée*. Cela m'amuse de voir le chemin que j'ai fait depuis trois ans (juste), quand j'écrivais *la Vie Cosmique*. Ce sont les mêmes préoccupations et les mêmes aperçus, en somme, que je résume aujourd'hui. — Mais combien plus organisés et possédés.... — Tu sais (je te l'ai dit, et tu le devines) combien je sens, en ce moment, l'avenir *béant* devant moi. Je me rends compte que c'est l'instant de choisir le *point sensible* où je pourrai faire porter mon effort ; — or ce point, je ne vois pas clairement où il est. — C'est l'instant, n'est-ce pas, d'avoir foi, de prier, et de penser que le chemin se fera sous nos pas.

Pas de réponse encore, naturellement, du Père Chauvin à ma 2ᵉ lettre. Je pense à ta conférence de dimanche. Amitiés à Madame Parion — et très à toi in Christo toujours.

PIERRE.

Goldscheuer, le 22 février 1919.

Chère Marg,

Je t'envoie, par ce courrier, un petit cahier contenant *l'Elément Universel.* Tu n'y trouveras, dans le fond, rien de très nouveau pour toi. Si je te l'expédie, c'est surtout pour te demander de le faire taper, quand tu pourras, au plus grand nombre d'exemplaires possibles, (trois, ou cinq, ou six, je ne sais). Je compte me servir de cet exposé, plus que des autres, à titre privé. (Tu me diras le prix. Je suis en fonds.)

J'ai reçu hier une lettre favorable de M. Chauvin. Il envisage comme désirable mon séjour à Paris, même hors de l'Institut Catholique, et se déclare décidé à me laisser à la géologie. Vivement que je sois libéré, et sorti des formalités militaires et religieuses de la libération, pour me remettre au travail ! Une constatation très élémentaire m'est venue ces jours-ci à l'esprit. C'est que la façon la plus efficace de faire un peu prévaloir mon esprit serait certainement pour moi d'arriver, le plus réellement possible, à une manifeste « sainteté », — non seulement à cause de la puissance particulière que Dieu donnerait alors à ce qu'il y a de bon dans mes désirs et mon influence, — mais aussi parce que rien ne saurait me donner plus d'autorité sur les hommes que de leur apparaître comme leur parlant d'auprès de Dieu. Dieu aidant, il faudrait que je vive pleinement, logiquement, et imperturbablement ma « vision ». Il n'y a encore rien de plus contagieux que l'exemple d'une vie

374

convaincue et décidée. Or, je me sens assez en goût et en forme pour vivre ainsi. Tout cela, évidemment à condition que je sois très fidèle à N.-S. et à sa lumière.

Je pense que demain tu vas libérer ta conférence sur Benson. Tu m'en parleras. Qui sait si tu ne feras pas se lever la lumière invisible pour quelques auditeurs ?... Je suis tellement convaincu, tu sais, que malgré la rareté de ceux qui la discernent, — tous, au fond, nous en avons besoin...

Encore dix jours à passer au régiment ! Je ne sais trop à quoi je vais occuper cette dernière « tirée ». Sans doute elle passera à des riens. Je ne suis toujours pas retourné à Strasbourg, où j'ai tout de même plusieurs personnes à voir, sans parler du plaisir que j'éprouverai à revoir la ville. Ce sera sans doute pour cette semaine.

Adieu. Souvenirs à Mme Parion.

Très à toi in Christo.

PIERRE.

Goldscheuer, 28 février 1919.

Chère Marg,

J'ai reçu hier la lettre de Mme Parion, du 24. Je pense qu'elle aura reçu la mienne du 26. Tu lui diras combien je la remercie des nouvelles qu'elle me donne, et combien je regrette pour elle la mort de son ami Trannoy : j'ai dit pour ce dernier ma messe de ce matin. Toi, tâche de bien te reposer, et de réparer tes veilles de la semaine passée. Tu sais que tes impressions, à toi, sur la conférence de Benson, me feront plaisir. J'imagine que maintenant, aux premiers loisirs, tu rédigeras ton petit papier sur le Féminin et le Féminisme. — Tu auras reçu mon dernier cahier et la lettre qui l'accompagnait, j'espère.

Voici donc, vraisemblablement, l'avant-dernière lettre que je t'écris du régiment. C'est toujours le 5 que je pars, pour Haguenau d'abord, — et puis pour la 13ᵉ région, par quelque train lent et quelque chemin détourné. Je t'ai dit que je ne pensais guère pouvoir être à Paris avant la fin de mars. Ces derniers jours à l'armée passent assez vite et suffisamment agréablement. Mais je sens assez (même trop) vivement l'impatience, et une certaine anxiété, de la nouvelle carrière qui va s'ouvrir... J'ai toujours été assez nerveux touchant les possibilités de l'avenir, — et la guerre m'avait débarrassé de ce souci-là. Je devrais savoir convertir cette tendance au trouble en union plus grande à Dieu, puisque je me sens forcé, pour me dominer, d'attendre au jour le jour les arrangements de sa Providence, et de ne m'attacher « absolument » qu'à l'ambition de Le posséder. En rédigeant *l'Elément Universel,* je me suis rappelé certaines choses que m'a dites autrefois Françoise, — étant Petite-Sœur, — touchant l'importance unique et béatifiante qu'avait pris dans sa vie la *réalité* de Dieu ; — et j'ai cru comprendre que nous étions au fond bien plus semblables l'un à l'autre que je n'avais cru jusqu'ici. Seulement, elle suivait un chemin où les réalités d'ici-bas étaient beaucoup plus effacées ou dépassées que cela n'a lieu pour moi.

Avant-hier, je fus à Strasbourg, dont j'ai retrouvé

avec un vrai plaisir les rues connues et les magasins familiers. La veille, j'aurais rencontré au Séminaire, le R. Père de la Brière [1] et même le Supérieur Baudrillart ! La veille aussi, je n'aurais pas manqué, comme je l'ai fait, le nouveau professeur de géologie de l'Université, Gignoux (un ami de Boussac, que j'avais vu à Grenoble en juillet 1914). Comme par hasard, il était allé à Mulhouse visiter les gisements de potasse. Je vais retourner là-bas demain, ce qui me fera passer rapidement une journée de plus. J'ai été, naturellement, faire visite à la cathédrale, que j'ai trouvée, par hasard, silencieuse et recueillie. En avoir été privé pendant deux mois me l'a fait apprécier plus que jamais. J'y ai prié spécialement pour toi.

Adieu. Je t'ai dit que le Père Chauvin est favorable à ma prolongation de séjour à Paris ?

Très à toi in Christo

PIERRE.

Goldscheuer, le 5 mars 1919.

Chère Marg,

Merci de ta dernière lettre, et des détails que tu me donnes sur ta conférence. Je souhaite beaucoup que tu arrives à éditer quelque chose sur Benson. Ce sera une introduction toute trouvée à tes propres contes. De mon

---

1. Le R. P. Yves de la Brière, S.J., était un éminent spécialiste du droit international ; il tint longtemps la rubrique de l'actualité religieuse aux *Etudes*.

côté, j'ai reçu une longue lettre du Père de Grandmaison. Naturellement, *Terre Promise* [1] ne saurait voir le jour ; — je m'y attendais. Au moins le Père Léonce ne semble-t-il pas prendre mes vues à la légère, — et c'est déjà un résultat. Je reconnais que dans ce dernier Essai, j'ai fait une part assez grande aux vues humaines de Progrès, — ce qui prête évidemment à pas mal d'objections. J'ai répondu non moins longuement au Père de Gdm ; et il me semble que ma position, dans l'affaire, reste assez sérieusement précisée. Je ne t'ai pas dit, je crois, que j'ai reçu une lettre de mon ami, le Père Charles [2], de Louvain, — qui est en voie de devenir une puissance dans son pays. Il me dit que de son côté, il est arrivé à préciser quelques idées qu'il juge libératrices, et souhaite que nous puissions bientôt nous rencontrer. Je souhaite avec la même véhémence, que cette rencontre puisse avoir lieu. Le Père Charles est plus théologien et plus pratique que moi ; il pourrait me donner de sérieux conseils, et un fort appui moral.

Me voilà donc à la veille de mon départ du régiment. Demain je vais à Haguenau. Après-demain, mise en route pour Clermont par train militaire. Pas de passage à Paris, donc. Mais cela viendra bientôt. Je compte rester deux ou trois jours à Clermont, aller à Lyon, faire une retraite aussitôt que possible, — et puis me mettre au travail à Paris. Ce retour à la paix me séduirait beaucoup plus s'il n'y avait pas la perspective, — plutôt rétrécissante — des examens à passer. Mais enfin, la

1. Cf., C. Cuénot, *P. Teihard de Chardin* (Plon), Bibl. 29/1919
2. R. P. Charles, jésuite belge, professeur à Louvain, auteur d'une série de méditations : *La prière de toutes les heures.*

force d'un homme et sa foi en Dieu, n'est-ce pas, se manifestent par la ténacité et la patience à avancer là où il faut, quoi qu'on sente de secondaire.

J'ai peur de rester assez longtemps sans nouvelles de toi. Tu sais que tu peux toujours m'écrire par Sarcenat. Je compte que tu m'enverras un mot là-bas.

Et maintenant, puisque voici ma dernière lettre du 4ᵉ mixte, laisse-moi te redire toute la profondeur et la fidélité de mon affection. Tu as été beaucoup pour moi, pendant ces quatre ans, — plus, peut-être que tu ne t'imagines. Sous une forme ou sous une autre, je compte plus que jamais que Notre-Seigneur nous unira dans un effort qui nous rapproche de Lui. Tout mon désir, tu sais, est de te voir très pacifiée et espérante en Lui.

Souvenir à Mme Parion et très à toi.

PIERRE.

[*Paris*] *14 avril 1919.*

Chère Marg,

Je t'écris du Labo. du Muséum, où je suis venu passer l'après-midi ; — un après-midi de vent et de pluie dont j'aime à penser que rien ne t'arrive, dans ta lumière bleue. C'est tout drôle de te récrire, comme quand j'étais au 4ᵉ mixte, — et cependant si loin de là ! — Tu as raison, au fond : il est bon pour des amis d'être séparés, quelquefois ; cela les oblige à ramasser clairement ce qu'ils ont à se dire, et cela les force à l'exprimer. Je t'ai dit que, toi partie, Paris me fait un peu l'impression de s'être vidé. La compensation, c'est qu'alors, je crois, l'affection se concentre et se spiritualise davantage. C'est pour cela que les lettres ont quelque chose que la conversation ne remplace pas.

Depuis samedi, je suis, moi aussi en vacances. Et, même sans sortir des rues bruyantes, j'éprouve l'effet bienfaisant de la relâche dans les cours. J'aime réellement les heures tranquilles passées dans mon Vieux-Colombier [1]. Comme début de vacances, je suis donc allé samedi avenue de Madrid. Cela, ç'a été une mise en coupe réglée de tout ce que je pouvais avoir ce jour-là d'idées dans la tête. La conversation « sérieuse » a commencé avec le premier plat, et je n'ai été quitte que sur les six heures du soir. Somme toute, je me suis laissé prendre autant que j'ai été pris, et je ne regrette pas ces minutes-là. Il y avait là les deux jeunes amis de Mlle Z. [2], et son neveu, le lieutenant convalescent. Le plus jeune B. est encore, comme disent les Allemands, un *Bak fisch*, qui est forcément, vu ses seize ans, à l'âge ingrat de la philosophie. Mais il est amusant tout de même, et en voie de dérailler assez sérieusement. L'aîné est beaucoup plus intéressant. Pas encore très ferme dans ses positions, il est un bon exemple des esprits que séduit « l'autre Dieu », (c'est-à-dire le grand Univers) et qui vont à ce Dieu-là religieusement. Tu peux croire que sur ce terrain-là, je me suis senti à l'aise. Fasse le Seigneur que je n'aie pas trop dit de bêtises, et

1. Le Père Teilhard résidait alors rue du Vieux-Colombier.
2. Mademoiselle Zanta.

qu'un peu de grâce ait passé avec mes paroles. Il me semble que nous avons sympathisé. Nous nous sommes entendus pour nous revoir quelque jour au Muséum, près des fossiles et de l'hoe[1] de la Chapelle-aux-Saints. Après le départ des disciples, j'ai encore causé assez longtemps avec Mlle Z. Elle m'a ouvert sur le panthéisme stoïcien des horizons que je ne soupçonnais pas. Et puis, nous avons feuilleté *la Possession du Monde* de Duhamel. (Il m'est revenu par d'autres sources que le livre fait fureur.) Autant que j'ai pu m'en rendre compte, le livre représente à peu près (en plus vague et plus délayé) ce que j'ai essayé d'exprimer dans la « Communion avec la Terre », de *la Vie cosmique*. Cette constatation m'a réjoui en un sens (parce qu'elle m'a prouvé une fois de plus que le point sensible de l'âme d'aujourd'hui est bien là, dans la passion de quelque Absolu tangible) ; — elle m'a aussi laissé un peu mélancolique : pendant que Duhamel se lit à quatre éditions, *la Vie cosmique*, et ce qui lui ressemble, dort dans mes papiers ou ceux de certains de mes amis. Et pourtant il y a là tellement mieux, (plus précis, plus objectif) que dans ce qui emballe le grand public. C'est donc que NS. est capable de passionner, plus que jamais, notre génération !... — Seulement, voilà : ce qui fait la moitié du succès d'un ouvrage comme celui de Duhamel, c'est son imprécision : il donne à ses lecteurs l'impression de toucher du Divin, et puis il les laisse là, sans leur montrer l'inexorable nécessité de renoncement, l'essentielle condamnation de

1. Abréviation de homme.

l'égoïsme et du moindre effort, que renferme *la Possession du Monde*. Et alors, tel de ces lecteurs, qui s'appelle par ex. Donnay, écrit, de la côte d'Azur, en « béant » au soleil, à la verdure, à la mer, qu'il se trouve en plein milieu divin, mais que le Dieu Chrétien, et la grâce, et le surnaturel lui paraissent plus lointains et étrangers que jamais. On a accusé le Christianisme d'avoir semé l'inquiétude dans la sérénité païenne. Je crois que cette inquiétude est au contraire dans l'essence même du Monde, — j'oserais même dire, de la matière. Tu sais que je suis toujours tenté d'écrire un hymne « à la puissance spirituelle de la Matière ».

Malgré ou à cause de cet enthousiasme, je te dirai que je sens assez vivement, ces temps-ci, les « limitations » de la vie. Plus je m'aperçois que je suis dans mon milieu, et (au moins en apparence) capable d'agir, plus je me heurte aux obstacles qui m'empêchent de « produire » et de me donner, — qui font encore de moi un écolier, — et qui m'empêcheront peut-être toujours d'avoir une « plate-forme ». Vraiment, plongé dans le monde qui me convient le mieux, j'en suis isolé par un concours de circonstances qui m'empêchent de porter la coupe aux lèvres, et de profiter de ce que je touche. C'est vraiment le moment où, conformément à mes convictions les plus chères, je devrais me réjouir uniquement du divin qui entre en moi par cette voie, je le crois, plus que par aucune autre... Mais les impressions ne sont pas toujours faciles à surmonter, — tu le sais. — Prie pour que je m'attache plus que jamais à l'Unique nécessaire, maintenant que les limitations (bénies, en somme) de la Providence sont particulièrement sur moi.

Excuse le griffonnage. Je brusque la fin pour que la lettre parte et te dise plus tôt mon souvenir fidèle en NS.

Pierre.

Paris. Vendredi Saint. 1919 [*20 avril*].

Chère Marg,

J'ai bien reçu ta carte de mardi, et il me semble que, pour y répondre, je ne puis pas tomber sur un meilleur jour que celui-ci. En t'écrivant, je rapproche ma pensée de la tienne, sous l'influence la plus vive qui soit ici-bas (celle de NS. mourant), — et il se trouve que ma lettre t'arrivera, j'espère, le matin de Pâques. Je veux croire que ce matin-là, il y aura du soleil et de la paix dans ton cœur, quelles que soient les circonstances extérieures — la paix qui naît de la confiance en Celui qui a vaincu la mort, c'est-à-dire qui peut faire que toute diminution subie par nous se transforme en accroissement de vie en Lui. Tu étais sûre, n'est-ce pas, que je prendrais part à ton souci, en apprenant que tu as trouvé Robert en une moins bonne période. Je voudrais bien que de ce côté-là Pâques, aussi, amène du mieux, et dissipe (autant que possible) les impressions fâcheuses, pour Robert et pour toi. Vois-tu, Marg, plus je sens, profonde, mon affection pour toi, plus je désire te voir solidement, profondément, fixée en Dieu seul. Je vois tellement clairement que ni toi, ni moi, moins que personne nous ne pouvons être heureux autrement. Pendant ces jours saints, je suis moins recueilli que je ne voudrais. Paris est un mauvais endroit pour s'isoler. Tout de même, j'ai été frappé de l'insistance avec laquelle l'Eglise fait répéter à tout bout de champ cette parole « *Christus factus est obediens usque ad mortem crucis* ». Evidemment, c'est là le sens précis et profond de la croix : l'obéissance, la soumission à la loi de la vie. Travailler patiemment jusqu'à la mort, — et accepter tout, amoureusement, la mort inclusivement : voilà l'essence du Christianisme. — Plus que jamais, laisse tomber, crois-moi, tout regret inutile pour le passé, et toute inquiétude vague sur l'avenir. Préoccupe-toi seulement d'être obéissante à Dieu, à mesure, au jour le jour, suivant que se manifeste sa volonté. Je vais aller, dans une demi-heure, entendre un bout de chants à St-Germain-l'Auxerrois. Après, je ferai un Chemin de Croix. Je songerai, à ce moment que nous sommes deux devant NS., qui nous abandonnons une fois de plus à Lui, pour qu'Il nous mène là où Il veut. Depuis ma lettre de lundi, rien de bien nouveau. J'ai plus d'occupations qu'il n'en faut, même sans cours, pour occuper mes journées. Depuis quelques matins je me suis mis à rédiger *les Noms de la Matière* [1]. Je finirai sans doute demain. Cela fait une courte étude assez présentable, qui pourra servir d'introduction à *la Puissance spirituelle de la Matière*. J'ai commencé à lire, non sans

---

1. *Les Noms de la Matière* écrits à Paris (Pâques 1919) introduisent *la Puissance spirituelle de la Matière* écrite à Jersey dans l'été 1919.

plaisir, *le Feu*[1]. Que de matière à transformer, là-dedans !

[...]

Adieu. Profite bien de l'azur et du soleil.

Très à toi.

PIERRE.

[Paris] 24 avril 1919.

Chère Marg,

Tu dois trouver que je mets un peu longtemps à répondre à ta longue lettre de la Semaine Sainte. Elle m'a pourtant fait plaisir, — en même temps qu'un peu de peine, puisque tu étais forcée de m'y parler encore de choses tristes. C'est vrai, le cadre le plus riant et le plus pacifique peut recouvrir une âme tourmentée ; mais c'est une raison de plus, n'est-ce pas, pour parvenir à l'autre azur et à l'autre soleil, qui illuminent toutes choses par le dedans, et ne laissent place à aucune ombre intérieure ? J'espère un peu que tes prochaines nouvelles seront plus gaies, et que tu auras pu, notamment profiter d'une période de vrai silence et de vrai repos. Tu sais que mon souvenir et ma prière te sont fidèles.

Mon existence, ici, n'est pas désagréable, sauf que le temps passe si vite que je ne puis réaliser la moitié de mes projets, — et sauf aussi, que tu manques un peu à

1. « Le Feu », de Gabriel d'Annunzio.

385

mon Paris. J'ai fini de rédiger le petit Essai dont je t'ai parlé : il n'a rien de très brillant, mais servira à « caler » les fondements de diverses choses. Je lis par ailleurs, fort lentement, *le Feu*, qui m'intéresse, parce qu'il me révèle une position panthéiste très déterminée, à la fois très parente et très distincte de celle que j'essaie d'analyser et d'apprivoiser. Pendant la guerre, je pense que cette lecture m'aurait sérieusement emballé. En ce moment, je suis un peu trop tassé par la vie d'école pour y être parfaitement sensible. J'ai pu constater néanmoins, hier et aujourd'hui, en causant avec quelques confrères, que sous cette cendre il y avait toujours quelque feu. Ce matin, même, je crains d'avoir été un peu cuisant en défendant (à propos des insuccès ou gaffes de Wilson) mes vues optimistes sur l'avenir du monde... Je ne regrette pourtant pas, au fond, d'avoir à faire de temps à autre ma profession de foi. On n'est fort que par la foi, et on n'a d'influence que par la foi.

Extérieurement, j'ai fait peu de choses intéressantes. Vendredi, en cherchant un coin tranquille pour faire mon Chemin de Croix, je suis entré à la Chapelle de la rue d'Ulm, — et j'ai aussi passé devant l'ex-Carmel de la rue Denfert. [...]

[...]

Adieu. Je t'écris du Muséum où je suis venu passer la soirée. En le quittant, je compte aller chez l'oncle Georges [1].

Très à toi toujours. Amitiés à Robert, et à Marcel.

PIERRE.

1. Georges Teillard d'Eyry, oncle des Teilhard.

Chère Marg

Je veux t'écrire encore une fois avant ton retour, — d'autant qu'hier m'est arrivée ta bonne longue lettre du 25. Je suis heureux que la détente soit arrivée pour toi, (quelle qu'ait été sa forme), — et je suis content, aussi, que tu sois amenée à attacher de moins en moins d'importance aux oscillations (et aux réussites) superficielles de la vie. Il y a certainement, déposée dans le monde, une vertu éducatrice puissante, qui ne cesse de nous inviter à émigrer dans les couches profondes de l'être : ce qui nous attire dans les choses se retire toujours plus loin, au-delà de toute réalité tangible particulière, et finalement au-delà même de la mort. Tu ne saurais croire combien je découvre de plus en plus ce rythme : nécessité (enracinée en nous-mêmes) de passer par le Monde, — et nécessité (enracinée en lui) d'en sortir. — Pendant que je suis en train d'achever *le Feu*, le hasard m'a fait acheter chez Alcan un curieux livre traduit de Baldwin, *le Pancalisme* (pan = tout, calos = beau). C'est un traité obscur, écrit dans un style et avec des termes effarants (par leur bizarrerie et leur complication), où l'auteur tend à prouver que la seule unification possible de l'Univers doit se poursuivre dans le domaine « esthétique ». Je n'ai pas encore bien compris l'essence même de son point de vue (que je soupçonne très simple, au fond) ; mais c'est curieux de trouver un même « motif » traité aussi différemment par le fougueux d'Annunzio et le « Scholar » abstrus. A la différence de W. James, Baldwin [1] semble répugner complètement au Pluralisme ; — l'un et l'autre du reste s'entendent, au fond, dans le respect de l'Univers et la foi en notre puissance de le construire. Ce que tu me dis de Froebel [2] et de son utilisation possible, m'intéresse, naturellement. Tu me parleras de cela, et tu me montreras, aussi, ton Benson imprimé. Il est fort possible, que, ayant une idée très nette de ton sujet, tu la trouves insuffisamment exprimée dans ta conférence. (C'est bon signe, du reste.) Mais je t'assure que, pris en soi, ton travail est certainement au point. Je ne pense pas que personne en France ait encore aussi bien parlé du roman mystique anglais. Rien de nouveau dans ma vie extérieure. Ces vacances m'ont certainement très reposé. Suis allé hier chez les Georges. Ce soir, je dois trouver à quatre heures Joseph et Antoinette chez ta mère. Celle-ci me parlera de toi. Vu aussi plusieurs camarades du 4ᵉ mixte.

A bientôt. Très à toi in Christo.

PIERRE.

[...]

---

1. Il s'agit de James Mark Baldwin (1861-1934), philosophe et psychologue américain, qui, en 1919, fut professeur à l'Ecole des Hautes Etudes Sociales à Paris.
2. Frédéric Frœbel, pédagogue allemand, 1782-1852.

Chère Marg.

J'ai reçu hier, avec un vrai plaisir, ta carte d'Arvant. Je suis content que tu aies pu passer trois jours tranquilles à Sarcenat, avec Guiguite ; — mais je vois que ma première lettre à la famille n'est pas arrivée pendant ce temps-là, de sorte que tu as dû trouver quelque obscurité dans les nouvelles que je t'ai envoyées au Chambon. Je supposais connu de toi ce que j'avais écrit à Papa. En deux mots, sache que mes papiers se sont facilement régularisés à Saint-Malo, et que, par un heureux hasard, ce port, à peu près vide, contenait un petit voilier en partance pour Jersey. Nous y avons trouvé place ; — partis à 2 heures par un beau soleil, nous sommes arrivés à minuit à Saint-Hélier, par une nuit exquise, poétiquement guidés, pendant les dernières heures, par les divers feux de l'île.

Depuis ma dernière lettre, mon existence a été fort occupée par des choses plutôt agréables. J'ai été deux fois dans les rochers, à mer basse, ramasser des bêtes étranges et multiformes, et j'ai passé de longues heures à regarder vivre et à ouvrir ces êtres dont la vie est si loin de la nôtre. J'ai eu quelques conversations intéressantes avec les jeunes d'ici, et ai cru observer chez eux une salutaire poussée de sève, issue de la guerre. J'ai commencé à causer avec le P. Valensin [1], et,

---

1. R. P. Auguste Valensin, jésuite français qui a publié de nombreux ouvrages, entre autres sur Dante, et qui a entretenu avec Maurice Blondel une correspondance du plus haut intérêt.

pour début, lui ai passé « mon Univers ». Enfin je me suis mis à écrire un peu.

Plus en détail, je te dirai que j'attends sérieusement quelque chose d'utile de ce séjour ici. En Valensin, il me semble vraiment avoir trouvé un ami sûr, d'autant plus sûr qu'avec toute sa sympathie cordiale et intellectuelle pour moi, il n'est pas absolument dans mon sens. Comme par hasard, je l'ai trouvé en plein dans l'étude du panthéisme, qu'il a travaillé en vue d'un article pour le Dictionnaire apologétique d'Alès. Comme par hasard, encore, mon grand ami Charles s'annonce, de Louvain, pour les environs du 15. Je ne pouvais pas espérer mieux. J'ai confiance que nos vues individuelles réagiront pour se compléter, et qu'il sortira de ce petit concile un mouvement méthodique, pour le bien. Tu prieras un peu NS. de m'envoyer un peu de son Esprit ces temps-ci, afin que je lui sois fidèle dans la lumière. Je t'ai dit, je crois, que Val. est grand ami de Blondel, qu'il voit fréquemment pendant les six mois où il n'est pas à Jersey. Elle est bien tranchée et bien curieuse, la séparation entre la pensée qui vit, et celle qui ne vit pas !...

Finalement, je me suis mis à rédiger quelque chose, — style semi-poétique, — forme allégorique. L'allégorie c'est l'histoire d'Elie [1] : « Pendant qu'ils marchaient ensemble, un char et des chevaux de feu les séparèrent, et Elie fut enlevé par le tourbillon au ciel... » Le tourbillon, tu l'as déjà compris, c'est la Matière qui entraîne et libère ceux qui savent en saisir la puissance spiri-

---

1. Allusion à la *Puissance spirituelle de la Matière*.

tuelle. La chose sera assez courte, et il faudrait avoir la technique de Vigny pour exprimer ce que je pense. De plus, je dis mon idée sans nuances, et sans les distinctions que comporterait ma dissertation. Ce seront donc là encore des pages pour amis. Au moins aurai-je dit à un papier le fond de ce que j'ai senti depuis quatre mois. — C'est toujours une satisfaction, n'est-ce pas ? —

Belle fête de St-Ignace, avant-hier. J'avais bien oublié ces douceurs depuis cinq ans, et je ne les regrettais pas. J'ai tout de même joui de les retrouver. Il me semble que j'ai pu présenter au Bx-Père (comme on dit chez nous) un cœur plus prêt, parce que j'ai commencé, à trente-cinq ans, à comprendre ce que c'est que d'aimer une chose jusqu'à se f... réellement de tout le reste pour elle... — Je pense qu'hier nous aurons prié ensemble le Cœur de NS., en qui il n'existe point de séparation.

Amitiés autour de toi.

Très à toi.

PIERRE.

[Jersey] 8 août 1919.

Chère Marg,

J'ai reçu, il y a trois jours, ta lettre du 1ᵉʳ, qui m'a été la très bienvenue. Je suis heureux de penser que tu te sens au calme, en famille, et je songe que tu jouis du même temps merveilleux que nous, ici. Hier, nous sommes allés faire une visite (— d'adieu, puisque le Collège ferme, — je te l'ai dit ?) à la campagne que Bon-Secours a louée, depuis deux ans, au sud de l'île. J'ai été surpris de la beauté « méridionale » de ce coin, que je ne connaissais qu'à peine et de dehors. La maison, peinte en clair, et de style italien, est bâtie en tête d'un petit ravin descendant sur la baie de St-Hélier. Le jardin est planté d'eucalyptus, de cèdres, de cyprès, de chênes verts. Et c'est à travers ce feuillage sombre et chaud qu'on apercevait hier une mer presque bleu foncé, semée d'écueils de granit rouge. Je pense que telle doit être la Côte d'Azur. Ici évidemment, les teintes sont un peu douces, humides. Mais, en été, cette atténuation est un charme de plus. Je jouis tout à fait de la mer ici, et de la verdure, partout exubérante. Lundi dernier, j'ai passé une grande partie de la journée sur l'eau, encore sur une barque à voile et avec le P. Bento. Cette fois-là, nous étions partis pêcher, au chalut, avec un monsieur de connaissance. Nous n'avons pris que quelques plies, avec une grande raie à aiguillon, — que le pêcheur a rejetée avec horreur comme mauvaise et venimeuse, non sans en avoir prélevé soigneusement le foie (dont l'huile est, dit-on, un remède universel). Mais nous avons eu une charmante navigation, et j'ai rapporté des seiches et un petit squale, de quoi m'occuper deux jours au Laboratoire. Tu vois que je profite de ma cure de grand air. — Je passe toujours le plus clair de mon temps à disséquer et à regarder diverses choses au microscope. Ceci même est plutôt un repos pour moi. Il faudra tout de même qu'en septembre je me mette à systématiser un peu mes vagues connaissances de Botanique.

Je n'ai pas encore eu avec mon ami V.[1] les causeries définitives. Il est souvent fatigué et je ne veux pas lui être à charge. Il a cependant lu déjà deux choses, et j'espère que sur l'essentiel nous nous entendrons : il admet en effet que l'Univers forme un tout naturel, qui ne subsiste en définitive que suspendu à NS. Cela, c'est le principal ; et il me semble qu'après cela nous ne pourrons nous séparer que sur des questions d'intensité ou de nuance. Je t'assure que je suis tout surpris de trouver mon ami aussi catégorique sur cette question, et surtout aussi préoccupé de panthéisme. Je crois sentir que, chez lui, la question se pose surtout intellectuellement : il y est amené, il me semble, par la nécessité de nouer une philosophie plus que par le besoin de vénérer une omni-présence. Mais cela même a l'avantage de nous compléter mutuellement. Il m'a dit que Blondel a, sur la consistance de l'univers in Christo, des vues tellement fortes qu'il n'ose pas le suivre jusque-là, — bien que, m'a-t-il ajouté, Rousselot n'hésitât pas à le faire. J'ignorais ce côté de la pensée de Blondel, et je vais me le faire expliquer. Ai eu encore deux ou trois conversations intéressantes avec des jeunes. La guerre a marqué. On verra cela dans dix ans. Par ailleurs, j'ai fini « Elie » (ce n'est pas le titre, rassure-toi). J'en suis assez content, parce qu'il me semble y avoir bien fait passer ce que j'exprimais. Mais ce ne pourra guère être compris que de ceux qui par ailleurs sauront comment

1. R. P. Valensin.

je comprends le rôle et la nature de la Matière. Les autres, non avertis, me prendraient pour un espèce de révolté. Je te montrerai cela en octobre. Si d'ici-là j'écris encore quelque chose, ce sera pour mettre des idées au point, à la suite des observations de Val. — Je pourrai trouver ici *le Correspondant*, et j'y lirai ce que tu me dis. Pauvre petite S. !

Adieu. J'ai spécialement pensé à toi le 6. — La Transfiguration finit par devenir une fête de prédilection, parce qu'elle exprime exactement ce que j'aime le plus en NS et ce que j'attends le plus ardemment de Lui. — Que la bienheureuse métamorphose de tout se fasse en nous et à nos yeux, n'est-ce pas ? Très à toi. Amitiés autour de toi.

PIERRE.

Jersey. 21 août 1919.

Chère Marg,

Je n'ai pas reçu de lettre de toi depuis ma dernière, — mais j'en comprends facilement la raison. Tes journées de vacances doivent passer rapidement, et ton départ pour la Voûte [1] n'a pas été pour te créer des loisirs. Je pense que tu es maintenant dans la seigneuriale demeure, et j'espère que tu y jouis utilement de tes amies, sans te laisser inquiéter par les petits inconvé-

1. Château des Polignac.

394

nients que tu paraissais redouter un peu en juillet. Te savoir là-bas me fait plus encore penser à toi, et prier pour toi, pour que tu passes, là comme ailleurs, faisant quelque bien autour de toi, et en en retirant le plus possible de profit pour ta vie intérieure. Si quelque vérité tend à grandir pour moi, durant ces jours de calme, c'est l'insignifiance de toutes nos préoccupations, même réputées les plus sérieuses, dès que nous n'y regardons plus l'élément intérieur, divin. Vraiment la vue de Dieu, seule désirable dans tous les événements, devrait nous débarrasser de bien des craintes de ne pas être assez heureux ou assez réussis... Tu sais que mon plus cher désir est que pour toi NS devienne ainsi le seul goût de toutes choses : alors, je serais parfaitement tranquille, parce que je saurais que ta paix est à l'abri de toute épreuve et de toute monotonie, et que tu vis, partout, dans la lumière.

Rien à te dire de bien important sur moi, pendant ces huit jours. Mon ami Ch.[1] est parti le lendemain du jour où je t'écrivis la dernière fois. Il a été convenu que nous nous tiendrions en relations suivies. Et puis, comme je le pensais depuis longtemps, il a été décidé que la meilleure méthode, pour répandre nos vues, était de partir, avant tout, de la Théologie, de l'Ecriture, de la pratique de l'Eglise en mystique. C'est le terrain fondamental, le plus sûr, que toutes les philosophies ne peuvent qu'illustrer, avec plus ou moins de vraisemblance. En même temps que j'ai précisé mes points de contact avec mes amis, j'ai pris un peu mieux conscience de

1. R. P. Charles.

ce qui me sépare d'eux dans la tournure d'esprit. Je suis bien moins préoccupé qu'eux du côté métaphysique des choses, de ce qui aurait pu être ou ne pas être, des conditions abstraites de l'existence : tout cela me paraît invinciblement fallacieux ou fragile. Je vois que je suis, jusqu'à la moelle, sensible au réel, à ce qui est en fait. Ce qui me préoccupe, c'est de trouver les conditions du progrès tel qu'il s'offre à nous, et non je ne sais quel développement théorique de l'Univers en partant des premiers principes. Par cette tendance, je serai toujours un philistin pour les philosophes de profession : mais je sens que ma force est dans ma fidélité à y obéir. Je continuerai donc à marcher dans ce sens. Les autres me mettront en règle avec les principes, s'ils peuvent. Pour le moment, je voudrais avoir le temps de préciser quelques idées sur « les attributs du Monde » (surtout d'après St Paul). Mais je suis assez pris par la Botanique, — d'une manière intéressante, j'ajoute. J'ai l'impression d'apprendre et de systématiser beaucoup de choses, — ce qui est un sentiment toujours agréable. — La maison est aux 4/5 en retraite. Cela me donne beaucoup de calme. Je fais quelques promenades solitaires au bord de la mer, dont je jouis beaucoup. Il y a quelques jours, le temps était si clair que, des falaises du Nord, on voyait tous les détails de la côte de France. — Rien de nouveau à Sarcenat. — [...]

Adieu. Rappelle-moi au souvenir de Mlle Zanta.
Très à toi,

PIERRE.

Maison Saint-Louis, Jersey, C.I. 28 août 1919.

Chère Marg.

J'ai reçu, depuis ma dernière lettre, la tienne du 18, et puis ta carte du 21. La fatigue de Robert m'a un peu ennuyé ; — et puis je me réjouis de te savoir à la Voûte, entourée de fidèles amitiés. Ainsi le Seigneur te mène, au jour le jour, par les ennuis et les douceurs. Laisse-toi faire, de plus en plus, avec confiance, — et, comme dit *l'Imitation,* aime la main divine à travers tout ce qu'elle te donne. Ta lettre du 18 est venue, comme par hasard, répondre au souhait que je formulais, la veille, en t'écrivant : que la paix s'établisse, au fond même de toi, par la conviction que rien ne peut qu'accroître en toi la Présence uniquement désirable. — Les nouvelles que tu me donneras de ton séjour parmi tes amis me feront beaucoup plaisir ; mais, avant tout, je désires que tu te reposes tranquillement. Je sais que tu es bien. C'est tout ce que je désire.

Assez peu de chose à te dire sur la semaine qui vient de s'écouler. Je suis relativement peu sorti, et ai notablement avancé dans mon travail. Quelques brèves conversations, encore, avec Val. Je crois, de plus en plus, que ma position est très tenable, et je ne désespère pas d'influencer mon ami au point de lui faire aborder un travail constructif dans le sens qui m'intéresse. Le copieux article *Panthéisme,* qu'il vient de terminer pour le *Dictionnaire d'Apologétique,* ne contient, m'a-t-il dit, *que* la *réfutation* de *l'Incarnat panthéistique* (= Panthéisme

397

de Spinoza...) mais il reconnaît que ce n'est que la moitié du travail à faire, et la plus vaine, et, à ce titre, son article lui déplaît. Il faudrait présenter un essai de synthèse de la foi chrétienne équivalant à ce que l'on rejette, m'avoue-t-il lui-même. A mon avis, c'est un grand point que ce besoin lui apparaisse...

Je voudrais bien rédiger quelques pages à l'usage de mes amis professeurs de théologie ou philosophie. Mais la Botanique distrait mon esprit, et prend le plus clair de mon temps. Au moins, elle ne m'ennuie pas. Je précise sans effort, une masse de connaissances floues : il y a en cela une sérieuse satisfaction.

Le beau temps a fini par nous quitter. Depuis quatre jours, pluie et tempête : c'est un des vrais aspects de Jersey. J'espère que ces intempéries ne vous atteignent pas trop, dans vos montagnes. Depuis hier, je vais dire ma messe dans un des nombreux Carmels qui sont venus se nicher autour de notre maison. J'aime assez célébrer dans ce milieu de vie religieuse si intense. Je pense parfois à « La Chapelle du couvent » — et je ne t'oublie pas.

Comme rien n'est plus absorbant que de mener de front le travail et le repos, ma correspondance est en pleine dérive, et j'ai fort peu le temps de lire, — ce que je regrette. J'ai toutefois pris à la bibliothèque deux romans du temps passé, que tu connais sans doute : *Dominique* (de Fromentin) et *Adolphe* (de Benjamin Constant). De l'un et l'autre j'ai admiré les analyses d'âme, vraies malgré une certaine invraisemblance des événements. *Dominique,* de plus, m'a intéressé par les descriptions de cette vie provinciale et campagnarde (qui fut celle de nos grands-parents, et même de nos parents) que nous avons entrevue, et dont nous gardons, je crois, une assez curieuse nostalgie. — Ce doit être extrêmement reposant, il me semble, d'écrire un roman. On peut y faire passer une quantité de choses qu'on souffre plus ou moins de garder fermées en soi. Daudet dirait qu'on expulse les portions étrangères de son Moi. Par malheur, je ne me sens pas beaucoup plus fait pour ce travail que pour jouer de la musique ou faire des vers...

Adieu. Souvenir à Mlle Zanta. Tu sais combien je suis à toi.

Pierre.

Jersey, 5 septembre 1919.

Chère Marg.,

Ne t'étonne pas de ce misérable format, peu habituel dans notre correspondance. Je ne trouve pas d'autre papier pour répondre à ta bonne lettre du 25, que j'ai reçue hier. Tu savais que les détails sur ta vie à la Voûte étaient attendus de moi, et que je les ai lus avec grand intérêt. Cela me fait vraiment bon de te sentir un peu entourée et heureuse. Et puis, quand je me prendrais à désirer que cette situation (ou son équivalent) dure pour toi toujours, je songe, comme toi, que ce qu'il y a de meilleur en toi est apparu, sans doute, grâce aux « ingratitudes » de la vie, et que nul environnement, pour toi, ne saurait se comparer à celui de NS., lequel n'entoure généralement de près que ceux qui n'ont rien que Lui au monde pour se reposer. Cette pensée compense le petit regret que j'éprouve à constater que cette lettre va t'arriver à peu près pour la fin de tes courtes vacances. Il est vraisemblable que tu sentiras passer sur toi une ombre de mélancolie pendant ces derniers jours au Chambon, entre Polignac et la rentrée compliquée de séparations. C'est peut-être là que NS. t'attend pour sanctifier, dans un don rafraîchi de toi-même que tu lui feras, les forces nouvelles que t'aura données le repos. En tout cas, ne te déconcerte pas si tu sens l'influence d'un peu de tristesse ; mais sers-toi de cette disposition pour donner au divin encore plus de consistance dans ta vie. Tout le reste est si précaire et si creux : nous devrions triompher chaque fois que la vie nous force à la dominer et à nous en séparer. J'ai, comme d'habitude, fortement prié pour toi, en ce 1er Vendredi. Et le 8 prochain, mon souvenir te sera particulièrement fidèle.

Je ne t'ai pas écrit hier, mon jour habituel, parce que mon après-midi a été fort occupé, — agréablement du reste. Je ne sais si je t'ai jamais dit que, en 1914, on a trouvé dans l'île, une grotte avec nombreux vestiges de l'homme de Néanderthal (= Moustérien). Les fouilles très considérables, sont menées par un certain Dr. Marett, jersiais d'origine, et professeur à Oxford, — ami de Breuil, Boule et tous les autres. J'ai fait hier la connaissance du dit Marett, et visité avec lui le terrain de fouilles. En soi, l'excursion a été très intéressante. Avec Marett (un grand diable, au moins aussi robuste et agile que moi, malgré ses cinquante ans), l'intérêt a été doublé. Il m'a raconté un tas de choses sur Oxford, — sur l'Australie et ses sauvages qu'il a visités en 1914, — sur Jersey, où sa famille vit depuis des siècles. En qualité de professeur d'anthropologie, il attire ici plusieurs de ses élèves. C'est ainsi que, sur la falaise, au-dessus de la grotte (pas loin de l'endroit représenté sur la carte postale que je t'ai envoyée) je n'ai pas été peu surpris de trouver un tout petit cottage de fortune, couvert en tôle, niché dans une anfractuosité, où vivent confortablement pendant les vacances deux diplômées de l'Hon. Marett. Ces dames occupent leurs loisirs à lire, à peindre, à se baigner, et à trier délicatement de petites mâchoires de rongeurs, trouvées dans la fouille. Elles nous ont offert un thé suivant toutes les règles. Tout ceci est bien anglais, n'est-ce pas ? — Au retour, M. Marett m'a fait les honneurs de son « manoir », comme on dit à Jersey, — une très vieille maison, restaurée sous le 1er Empire, cachée dans un jardin exubérant de verdure, à cent mètres de la mer. Dans ce manoir sont accumulés avec beaucoup de goût, d'innombrables souvenirs de Jersey et d'artistes jersiais : marines, costumes, amiraux, gouverneurs. Au milieu de tout cela, on a l'impression de faire bloc avec le passé jusqu'au xve siècle. C'est le vieux Jersey, caché, que j'ai passé plusieurs années sans soupçonner. Encore une de ces choses qu'il est un peu pénible de sentir menacées par le renouvellement social qui nous emporte. Mais l'avenir est plus beau que tous les passés. C'est là ma foi, tu le sais.

A part cette petite sortie, ma vie demeure la même, laborieusement facile. J'ai fait quelques courses intéressantes et solitaires sur la côte. J'ai progressé en Botanique. Enfin, j'ai écrit dernièrement huit pages sur la manière dont il convient de comprendre les limites du corps humain. Si je te dis ceci, c'est que Val. s'en est déclaré ravi, et veut les envoyer à Blondel, — avec mes contes à la Benson, du reste. Je te dirai si le projet a été exécuté, et surtout quelle aura été l'impression produite.

Adieu. Très à toi toujours.

PIERRE.

Maison Saint-Louis, Jersey, C.I. 17 septembre 1919.

Chère Marg.

J'en suis à ta carte du 11, qui m'a paru bien joliment symbolique de ce que doit être toujours le vrai Féminisme. Je suis sûr que tu l'as choisie exprès. J'y ai lu avec plaisir que ton moral était bon. Je prie maintenant pour que le contact toujours brutal, avec la réalité d'une année à recommencer, ne te déconcerte pas, et soit vraiment dominé par la force du « nouvel esprit » en toi. Je te dirai que j'ai été assez touché, aujourd'hui, par ce que j'ai cru découvrir dans la fête des stigmates de St. François. Jusqu'ici, cette solennité m'avait paru assez indifférente. Cette fois-ci, au contraire, en lisant au bréviaire le récit que fait de la vision St. Bonaventure, j'ai été très frappé du symbolisme de cet esprit ardent et crucifié qui est apparu à St. François pour le combler d'un mélange de douleurs et de joie. Je ne sais si tel est le sens vrai du prodige : mais j'y ai vu une des figures et une des révélations les plus parfaites qu'il y ait jamais eues dans l'Eglise, de ce Christ universel et transformateur qui s'est montré, je crois, à St. Paul, et dont notre génération éprouve si invinciblement le besoin. A cette occasion, j'ai senti, une fois de plus, le désir de ne vivre plus que comme une force ou une idée vivante, tellement l'influence du seul Nécessaire m'animerait, — absolument dépersonnalisé — « *en Lui aperçu en tout* ». Ce qui me donne confiance que ce désir est bon, c'est la conviction profonde où j'avance, que la flamme ne peut venir que d'en haut, et que nous ne la conserverons qu'à force de pureté et d'humilité.

Oui, nous aurons beaucoup de choses à nous dire dans quinze jours : les fruits de l'absence. Ces derniers temps à Jersey me paraissent encore meilleurs que les premiers, — sans doute parce que je me suis réhabitué à la maison et au pays, — sans doute aussi parce que l'île commence à prendre ces teintes et ce climat d'automne que j'ai toujours aimés avec prédilection. Tout ce qui m'attend à Paris m'ôtera la tentation d'avoir des regrets en partant. Faute d'horaire fixe pour les bateaux, je ne puis encore faire aucun plan précis de retour : je voudrais être rentré pour le 1er octobre. Tu aimeras à savoir que j'ai montré à Val. mon essai du mois d'août, « l'hymne à la matière [1] ». Il a été tout à fait emballé, en a fait prendre deux copies séance tenante, et les a emportées avec lui. Il voudrait que cela paraisse. Si jamais cela passe aux révisions, je désirerais que cela

1. « L'hymne à la matière » dans la *Puissance spirituelle de la Matière.*

paraisse sans nom : la chose n'a pas été écrite comme une invention personnelle, mais plutôt comme la manifestation d'une vérité. La signer serait, à mon avis, la rapetisser complètement. — « *Vox clamantis in deserto* », si j'ose dire...

Souvenirs fidèles à Mme Parion et très à toi.

PIERRE.

Le retour du Père Teilhard de Chardin à Paris marque vraiment la fin de son expérience du temps de la guerre.

Une vie nouvelle commençait.

Dans la collection
Les Cahiers Rouges

(dernières parutions)

Imprimé en France par la société nouvelle Firmin-Didot
Dépôt légal : juin 1997
Nº d'édition : 10390 − Nº d'impression : 38589
ISBN 2-246-165024
ISSN 0756-7170